Español Lengua Extranjera

Curso de conversación

Tema a tema

Vanessa Coto Bautista
Anna Turza Ferré

GRUPO DIDASCALIA, S.A.

Índice

Gente de aquí y de allá	Contenidos		
	Gramaticales	**Léxicos**	**Pragmáticos**
Tema 1	▶ Nexos para un registro coloquial.	▶ Vocabulario y expresiones relacionadas con los sentimientos y las emociones. ▶ Vocabulario relacionado con la emigración.	▶ Fórmulas para animar, consolar a alguien y mostrar empatía. ▶ Expresiones de optimismo y pesimismo. ▶ Fórmulas para hablar de problemas.

Ciudades y pueblos con encanto	Contenidos		
	Gramaticales	**Léxicos**	**Pragmáticos**
Tema 2	▶ Los relativos.	▶ Vocabulario para describir lugares (colores, ruidos…). ▶ Los sentidos. ▶ Localidades, calles y vías de circulación.	▶ Expresiones relacionadas con los sentidos. ▶ Expresar valoración y opinión. ▶ Argumentar. ▶ Mostrar acuerdo o desacuerdo, eludir respuestas, suavizar una opinión.

En las ondas	Contenidos		
	Gramaticales	**Léxicos**	**Pragmáticos**
Tema 3	▶ Perífrasis verbales. ▶ Verbos de habla.	▶ Verbos comodín (*haber*, *tener*, *decir*…). ▶ La radio y la noticia.	▶ Expresiones relacionadas con el acto de hablar. ▶ Pedir y dar información, aclarar o confirmar información, reformular. ▶ Mostar enfado.

El mundo de la ciencia	Contenidos		
	Gramaticales	**Léxicos**	**Pragmáticos**
Tema 4	▶ Elementos del discurso formal. ▶ Estructuras sustantivadas: *el hecho de/llevar a cabo*…	▶ Expresiones y léxico relacionado con el ámbito científico. ▶ Instrumentos y disciplinas científicas.	▶ Expresar éxito, fracaso, e insistencia. ▶ Expresiones con la palabra *cuenta*. ▶ Expresar (im)probabilidad, certeza o duda. ▶ Expresar (im)posibilidad.

Son como fieras	Contenidos		
	Gramaticales	**Léxicos**	**Pragmáticos**
Tema 5	▶ Nexos para un registro formal.	▶ Vocabulario relacionado con el mundo animal. ▶ La fauna.	▶ Expresiones relacionadas con animales. ▶ Fórmulas para las presentaciones orales formales.

¡A comer!	Contenidos		
	Gramaticales	**Léxicos**	**Pragmáticos**
Tema 6	▶ Palabras derivadas y compuestas.	▶ Vocabulario relacionado con la cocina. ▶ La comida: los alimentos y su estado. ▶ Formas de comer.	▶ Expresiones relacionadas con la comida. ▶ Pedir, aceptar y denegar algo, un favor, ayuda.

Contenidos	Producción textual		
Culturales	Taller de escritura	Taller de comunicación	
▶ Movimientos migratorios. ▶ La comunidad sefardí.	▶ Cartas de queja.	▶ Explicar una noticia.	Página 6

Contenidos	Producción textual		
Culturales	Taller de escritura	Taller de comunicación	
▶ Ciudades y pueblos con encanto. ▶ Las *smart cities*.	▶ Descripciones de lugares.	▶ Opinar sobre una mejor vida en las ciudades.	Página 20

Contenidos	Producción textual		
Culturales	Taller de escritura	Taller de comunicación	
▶ El presente de la radio. ▶ Figuras radiofónicas.	▶ Cartas al director.	▶ Intervenir en un programa de radio.	Página 34

Contenidos	Producción textual		
Culturales	Taller de escritura	Taller de comunicación	
▶ Grandes inventores. ▶ Física cuántica.	▶ Artículos científicos.	▶ Exponer un tema científico y defender una propuesta.	Página 48

Contenidos	Producción textual		
Culturales	Taller de escritura	Taller de comunicación	
▶ Diseños naturales. La biónica. ▶ El Oceanográfico de Valencia.	▶ Informes científicos.	▶ Hacer una presentación en público.	Página 62

Contenidos	Producción textual		
Culturales	Taller de escritura	Taller de comunicación	
▶ Cocineros en lengua española: Ferran Adrià. ▶ El arte culinario peruano: Gastón Acurio.	▶ Definiciones.	▶ Debatir sobre las ventajas y desventajas de un producto.	Página 76

Índice

Contenidos	Producción textual		
Culturales	Taller de escritura	Taller de comunicación	
▶ Etapa ciclista: el Alpe d'Huez. ▶ Hombres de otro planeta: los *ironman*.	▶ Instrucciones y reglamentos.	▶ Argumentar a favor o en contra del fútbol.	Página 90

Contenidos	Producción textual		
Culturales	Taller de escritura	Taller de comunicación	
▶ Emprendedores TR35. ▶ El componente emocional.	▶ Cartas de reclamación.	▶ Participar en citas rápidas de emprendedores.	Página 104

Contenidos	Producción textual		
Culturales	Taller de escritura	Taller de comunicación	
▶ Las redes sociales. ▶ Seguridad en Internet.	▶ Tipos de lenguaje.	▶ Participar en un foro de opinión.	Página 118

Contenidos	Producción textual		
Culturales	Taller de escritura	Taller de comunicación	
▶ Ecocasas. ▶ Casas-contenedor.	▶ Actas de reuniones.	▶ Participar en una reunión de vecinos.	Página 132

Contenidos	Producción textual		
Culturales	Taller de escritura	Taller de comunicación	
▶ El Camino Inca. ▶ El Camino Jacobeo.	▶ Foros de viajes.	▶ Comentar titulares de prensa.	Página 146

Contenidos	Producción textual		
Culturales	Taller de escritura	Taller de comunicación	
▶ Microexpresiones. ▶ La mentira.	▶ Microrrelatos.	▶ Comentar aspectos sobre el aprendizaje de un idioma.	Página 160

Tema 1

GENTE DE AQUÍ Y DE ALLÁ

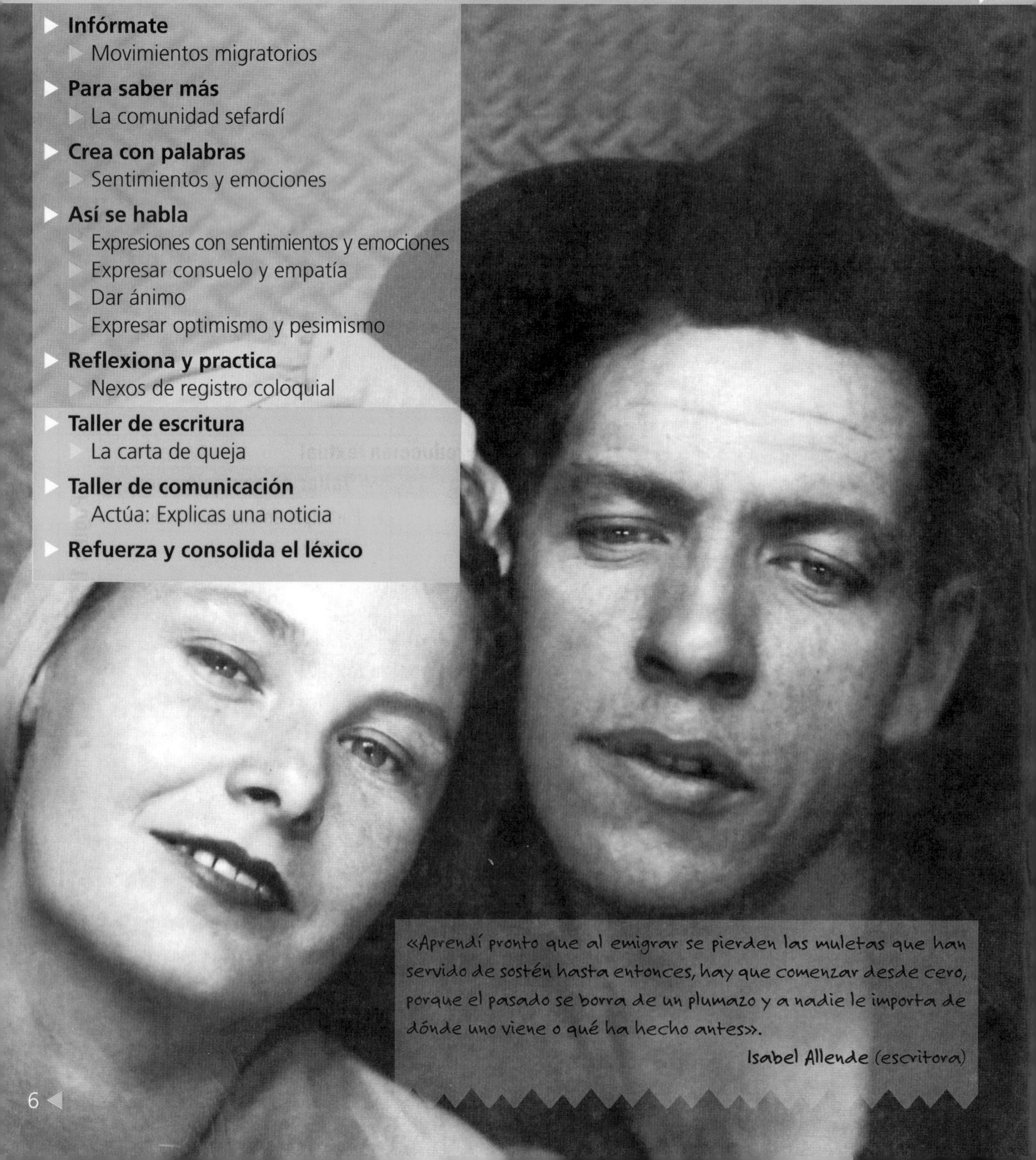

- **Infórmate**
  - Movimientos migratorios
- **Para saber más**
  - La comunidad sefardí
- **Crea con palabras**
  - Sentimientos y emociones
- **Así se habla**
  - Expresiones con sentimientos y emociones
  - Expresar consuelo y empatía
  - Dar ánimo
  - Expresar optimismo y pesimismo
- **Reflexiona y practica**
  - Nexos de registro coloquial
- **Taller de escritura**
  - La carta de queja
- **Taller de comunicación**
  - Actúa: Explicas una noticia
- **Refuerza y consolida el léxico**

«Aprendí pronto que al emigrar se pierden las muletas que han servido de sostén hasta entonces, hay que comenzar desde cero, porque el pasado se borra de un plumazo y a nadie le importa de dónde uno viene o qué ha hecho antes».

Isabel Allende (escritora)

La población española ha migrado por muchas razones. ¿Podrías ordenar cronológicamente estos movimientos migratorios ocurridos en España?

Expulsión de los judíos

Abandono del campo

Exiliados políticos

Destino Sudamérica

La nueva Europa

LA NUEVA EUROPA ☐

Después de la II Guerra Mundial, la reconstrucción de Europa favoreció una amplia oferta de empleo que no podía cubrirse con los trabajadores propios, debido al débil crecimiento de la población y a las muertes en la guerra. Los españoles aprovecharon el momento para emigrar, sobre todo, a Alemania, Bélgica y Francia, y así enviar divisas.

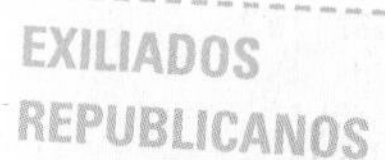

EXILIADOS REPUBLICANOS ☐

Durante la Guerra Civil Española (1936-1939) y la posguerra, muchos españoles se vieron forzados a abandonar su tierra natal y a desplazarse a otros países por motivos ideológicos o por temor a las represalias por parte del bando vencedor y del régimen político instaurado por Franco.

EDICTO DE GRANADA ☐

Los Reyes Católicos firmaban en Granada el edicto de expulsión de los judíos de la Corona de Castilla (1492). Había un medio por el cual los judíos podían evitarlo; y era convirtiéndose al cristianismo y ser un cristiano nuevo.

DEL CAMPO A LA CIUDAD ☐

Entre 1950-1975, mucha población de las zonas rurales dejó los campos para buscarse un mejor futuro en las grandes ciudades. Los flujos se daban, en primer lugar, de las zonas rurales a las capitales de provincia y, en segundo lugar, hacia los grandes polos de desarrollo: Cataluña, el País Vasco, Madrid y la Comunidad Valenciana.

ESPAÑOLES, DESTINO: SUDAMÉRICA ☐

A principios del siglo XIX, España pasaba por una gran crisis de pobreza, guerras y hambruna. Muchos españoles volvieron su mirada a América en busca de mejores oportunidades. En esa época había una gran demanda de mano de obra en Cuba, Argentina y Brasil y miles de españoles decidieron emigrar allí.

GENTE DE AQUÍ Y DE ALLÁ

INMIGRACION A LA ARGENTINA (1850-1950)

1 Lee el siguiente texto y contesta a las preguntas.

TESTIMONIOS Y LITERATURA

Permiso para embarcar

Tomada la decisión, se emprende la travesía. Primero, por las oficinas que otorgan el permiso de embarque. No viajaba el que quería, sino el que conseguía la autorización imprescindible para embarcar. A aquellos inmigrantes se les exigió: 1. ser preferentemente europeos; 2. ser de sana y robusta constitución, exenta de enfermedades y malformaciones que alteraran su capacidad presente o futura para trabajar; 3. asegurar que no venían a practicar la mendicidad, y la mujer adulta, a ejercer la prostitución; 4. declarar su religión; 5. viajar en segunda o tercera clase; 6. residir en zonas determinadas.

Un defecto físico podía impedir la salida de un viajero, como fue el caso de una asturiana hacia América:«Cuando tenían todo arreglado para viajar, y ya no había retorno, el cónsul argentino se puso meticuloso con la visa. **Despachaba** a cientos de asturianos por hora y **se daba el lujo** de poner objeciones ridículas. Eran tan ridículas que parecían el cebo de alguna coima. El cónsul detectó un dedo mocho en la mano izquierda de Valentina y decretó que esa lesión la hacía inútil para el trabajo, y por tanto inviable para emigrar. Sin dinero, sin tiempo y sin chances, Marcial recurrió a su prima, que era cocinera del gobernador, y este fue magnánimo y ejecutivo. El cónsul reculó y firmó los papeles a regañadientes, y el buque de carga *Entre Ríos* los llevó a la otra orilla del mundo» escribe Jorge Fernández Díaz en *Mamá*.

La partida

María Rosa Lojo evoca la partida de su padre en *Mínima autobiografía de una exiliada hija*: «Antonio Lojo Ventoso, mi padre, era uno de esos exiliados. Para él ya había pasado lo peor: el riesgo de fusilamiento, la cárcel, la "redención de penas por el trabajo". Cedió a un hermano sus derechos sobre las fincas que le tocaban, hizo las valijas y cruzó el océano. Dejaba irremediablemente **truncados** los estudios que había iniciado cuando el mundo era otro, el sueño de convertirse en oficial de la Marina de la República. Dejaba negocios equivocados y proyectos irrealizables. Dejaba también (aunque de eso me enteré después de su muerte: era un hombre **pudoroso**) una cierta reputación juvenil de "mala cabeza", y de *play-boy* coruñés, que fascinaba a las muchachitas y escandalizaba a sus madres. Dejaba una España que para sus ojos había retrocedido siglos en el tiempo, donde no cabía la dimensión de su deseo. El futuro estaba afuera. Había resuelto que en las nuevas tierras haría otra cosa, y sería, casi, otra persona».

«A los emigrantes de alguna manera, los acompañaba la esperanza, aún teñida del dolor de dejar atrás pasado, historia, familia, amigos, afectos y recuerdos» escribe Silvia Fesquet en *La tierra de uno*. «El dolor no era poco, pero el equipaje que cargaban –liviano, muy liviano– estaba amarrado con sueños, ilusiones y mucha esperanza: la de encontrar amparo o un destino mejor, la de volver a esa tierra que, por razones distintas, ahora los expulsaba».

Un viaje penoso

Valentín Bianchi en *Valentín, el inmigrante* cuenta: «Transcurrieron muchas noches de insomnio, acostado en la estrecha cucheta del camarote, mientras pensaba en su nuevo destino y en cuál sería la suerte que le depararía. Las incomodidades del barco carguero en el que viajaba también le producían desazón. Tenía que sobreponerse a las **penurias** del viaje y a sus interminables noches, cuando, con frecuencia, solía sentir a las ratas correteando sobre su cama».

En el puerto

Jorge Isaac evoca, en *Una ciudad junto al río*, el momento en que los extranjeros arriban a la nueva tierra: «Los inmigrantes, aunque vengan en el mismo barco, llegan y descienden aquí de manera diferente según sea su origen, que nosotros, con solo mirarlos y hasta a veces sin oírlos, hemos aprendido a determinar con riesgo escaso de equivocarnos».

En la nueva tierra, había reglamentos que cumplir. Del barco al registro
50 civil, donde se les proporcionaría el documento argentino. Gabriel Báñez en *Virgen* relata algunas anécdotas al respecto: «Las escenas más pintorescas tenían lugar en el registro civil del puerto, ya que en el vértigo de las anotaciones los empleados de Inmigraciones, que no entendían ni medio, terminaban inscribiéndolos por aproximación, con traducciones bárbaras y
55 fulminantes, así que cuando alguien decía *Damianovich* o *Dimitropoulos*, ellos copiaban Damián Vich o Demetrio Pulos. Nadie traspasaba las oficinas de documentación con el apellido indemne». También relata Carlos Prebble, descendiente de escoceses y españoles: «Mi abuelo materno llegó, a principios del siglo XX, al puerto de Buenos Aires; viajaban con él muchos
60 parientes. Cuando el empleado de Migraciones le preguntó su nombre, él dijo "Moisés José Almendra". El empleado le contestó: "¿Cómo se van a apellidar Almendra, si son tantos?"». En el documento argentino que recibieron, todos ellos se apellidaban Almendros. Y así se apellidan sus descendientes argentinos.

Adaptado de http://argentinauniversal.info

1. **Según el texto, podían emigrar a Argentina...**
   a. solo los nacidos en Europa. ☐
   b. los que presentaban un certificado de aptitud laboral. ☐
   c. quienes testificaban su religión. ☐
2. **La pasajera acusada de tener una malformación consiguió su pasaje...**
   a. demostrando que no era cierto. ☐
   b. recurriendo a sus influencias. ☐
   c. sobornando a un familiar. ☐
3. **Antonio Lojo emigró...**
   a. por razones políticas. ☐
   b. para salvar su vida. ☐
   c. por problemas «de faldas». ☐
4. **El emigrante durante la travesía, muchas noches...**
   a. sufría mareos. ☐
   b. se sentía intranquilo. ☐
   c. estaba malhumorado. ☐
5. **Los inmigrantes al llegar a Buenos Aires...**
   a. sufrían habitualmente humillaciones. ☐
   b. podían recibir apelativos nuevos. ☐
   c. recibían siempre el nombre de su país de origen. ☐

2 En el texto aparecen estos términos. Di qué significan según el contexto.

Despachaba
a. Denegaba su pase.
b. Tramitaba su pase.
c. Echaba de la oficina.

Truncados
a. Incompletos.
b. Acabados.
c. Olvidados.

Pudoroso
a. Callado.
b. Recatado.
c. Misterioso.

Penurias
a. Tristezas.
b. Escaseces.
c. Mareos.

¿Sabes qué significa *darse el lujo*?
a. Permitirse, autorizarse a algo que no puedes hacer o permitirte.
b. Gastarse, despilfarrar.

Da tu opinión

- ¿Qué movimientos migratorios se han producido en tu país? ¿Qué razones crees que los originaron?
- ¿Qué tipos de emigrantes conoces y qué diferencias ves entre ellos?, ¿a qué problemas crees que se enfrentan?
- ¿Son necesarios los inmigrantes en las sociedades actuales?, ¿deben obtener facilidades de los gobiernos de los países receptores?
- ¿Has pensado alguna vez en emigrar aunque solo sea de modo temporal? Si es así, explica adónde y por qué.

TEMA 1

Para saber más

GENTE DE AQUÍ Y DE ALLÁ

LA COMUNIDAD SEFARDÍ

Escucha esta conferencia sobre la migración histórica de la comunidad sefardí. Después, selecciona la opción correcta.

1. **Los sefardíes son una comunidad llamada así debido a...**
   a. su religión. ☐
   b. su origen. ☐
   c. su lugar de acogida. ☐

2. **En el entonces Imperio Otomano, los judíos...**
   a. adoptaron rápidamente las costumbres del lugar. ☐
   b. tenían poca libertad para actuar según sus costumbres. ☐
   c. mantuvieron sus costumbres debido a su posición social. ☐

3. **Girona, Málaga y Toledo son...**
   a. tres ciudades turcas. ☐
   b. tres templos judíos en Turquía. ☐
   c. los sobrenombres de muchas familias de origen sefardí. ☐

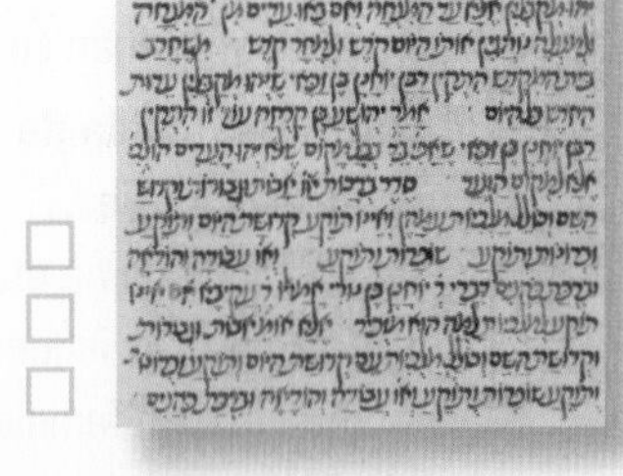

4. **El ladino es una lengua...**
   a. con muchos neologismos. ☐
   b. que ha evolucionado poco. ☐
   c. de influencia hebrea. ☐

5. **Con el tiempo esta lengua en el Impero Otomano...**
   a. fue relegada a cuestiones religiosas. ☐
   b. era usada en el ámbito doméstico. ☐
   c. se empleaba en las transacciones económicas. ☐

6. **La II Guerra Mundial supuso...**
   a. una reafirmación de la conciencia judeoespañola. ☐
   b. la disgregación de la comunidad sefardí. ☐
   c. una reactivación del ladino. ☐

7. **En el siglo XX, muchos descendientes de los sefardíes...**
   a. adoptaron la nacionalidad española. ☐
   b. quisieron recuperar su antigua nacionalidad. ☐
   c. siguieron siendo españoles. ☐

8. **El ladino actualmente...**
   a. está a punto de desaparecer. ☐
   b. se está recuperando. ☐
   c. se halla solo en libros antiguos. ☐

UN VIAJE PENOSO

Los psicólogos coinciden en que los inmigrantes suelen sufrir un aluvión de sentimientos como pueden ser la pérdida, pero también la esperanza. Según algunos expertos, hay sentimientos básicos en los que se podrían englobar el resto. Estos son:

a. sorpresa	b. asco	c. tristeza	d. rabia	e. miedo	f. alegría

1 ¿Podrías relacionar estos adjetivos con uno de los sentimientos anteriores?

1. una visión **alucinante** ☐
2. una mujer **aborrecible** ☐
3. un perro **rabioso** ☐
4. un niño **temeroso** ☐
5. una música **jubilosa** ☐
6. una madre **afligida** ☐
7. una situación **repugnante** ☐
8. un viaje **penoso** ☐
9. una casa **terrorífica** ☐
10. un cosa **grimosa** ☐
11. un viajero **pesaroso** ☐
12. un aventurero **pasmado** ☐
13. un hombre **fascinante** ☐
14. un momento **eufórico** ☐
15. una ciudadana **indignada** ☐
16. una chica **recelosa** ☐
17. una joven **entusiasmada** ☐
18. un lugar **repulsivo** ☐

2 Con tu compañero, piensa en algunos más que puedan completar la lista.

3 Completa ahora los sustantivos de los adjetivos anteriores.

1. El _ b _ r _ e _ i m i _ _ t _
2. La a f l _ _ c _ _ n
3. La a l _ c _ n _ c _ _ n
4. El e n t u _ i _ s m _
5. La e _ f _ r _ _
6. La f _ s c _ n _ c _ _ n
7. La g r _ m _
8. La i n d i _ n _ c _ _ n
9. El j _ b _ l _
10. El p _ s m _
11. La p _ n _
12. El p _ s _ r
13. La r _ b _ _
14. El r _ c _ l _
15. La r _ p _ g n _ n c _ _
16. La r _ p _ l s _ _ n
17. El t _ m _ r
18. El t _ r r _ r

4 Completa estas frases con alguno de los sustantivos anteriores.

1. Fíjate tú que **le da** .... ver a los viajeros cansados del viaje y sale corriendo a darles todo lo que ella tiene.
2. **Sentí un** .... tan grande de perderla para siempre, que no pude parar de llorar el día que se marchó.
3. Cada vez que rasca con su cuchara el fondo del plato para apurar su comida **me da una** .... que no puedo con ella.
4. **Sentí una** .... tan grande al ver toda esa suciedad, que me empezaron a venir náuseas.
5. **Me dio tanta** .... ver lo mal que trataba a esa gente que empecé a insultarlo.

TEMA 1

Así se habla

GENTE DE AQUÍ Y DE ALLÁ

SENTIMIENTOS A FLOR DE PIEL

1 Hay un sinfín de expresiones que utilizamos cuando tenemos los sentimientos a flor de piel. Aquí tienes algunas de ellas.

Expresar sorpresa
- Es para quitarse el sombrero.
- Me quedo/deja...
  - boquiabierto.
  - de piedra.
  - helado.
  - de una pieza.

Expresar asco
- Se me revuelve(n)...
  - el estómago.
  - las tripas.

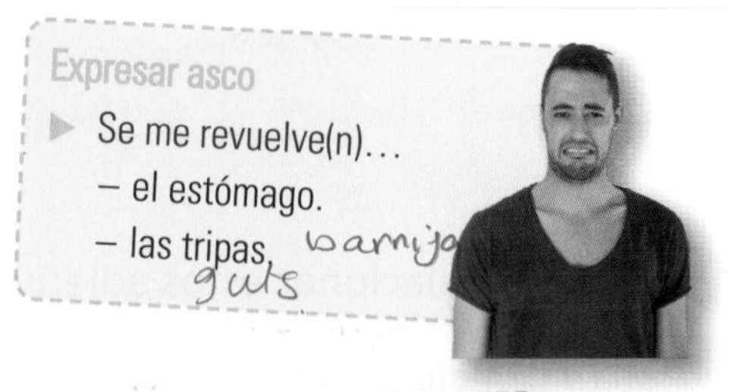

Expresar tristeza
- Tengo la moral por los suelos.
- Estoy...
  - hecho polvo.
  - de capa caída.
- Tengo/me entra un bajón.
- Estoy pasando por un bache.

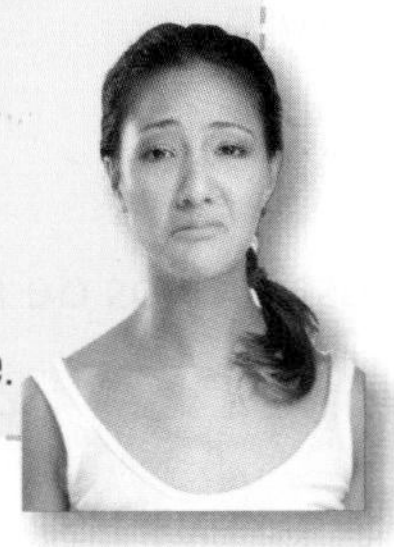

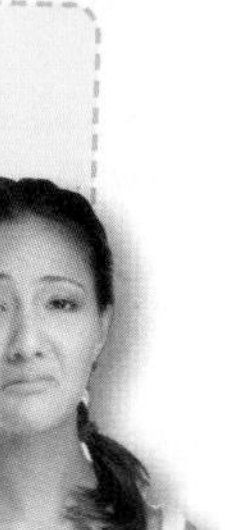

Expresar rabia
- Estoy que...
  - me subo por las paredes.
  - me tiro de los pelos.
  - echo chispas.
  - trino.
  - exploto.
- Me pone...
  - enfermo.
  - de los nervios.

Expresar miedo o preocupación
- Se me pone(n)...
  - los pelos de punta.
  - la carne/piel de gallina.
- Me muero de miedo.
- Tengo...
  - un nudo en la garganta.
  - el corazón en un puño.

Expresar alegría
- Estoy...
  - más contento que unas pascuas.
  - loco de alegría.
  - que me salgo.
  - como unas castañuelas.
- Doy saltos de alegría.
- No quepo en mí (de gozo).

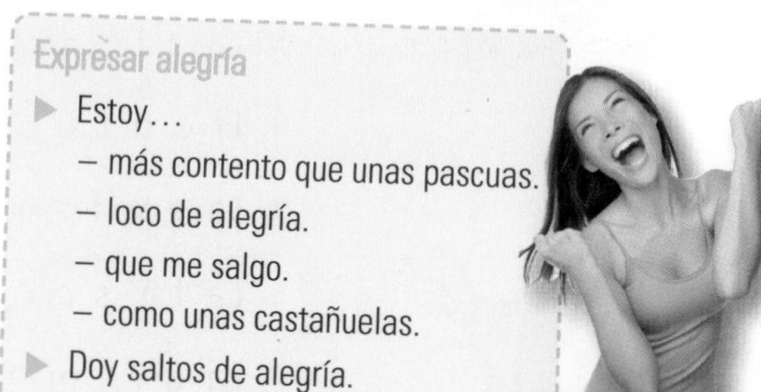

2 Lee el texto y sustituye las palabras en negrita por una de las expresiones anteriores.

Después de pasar unos días en el barco y tener que comer siempre la misma sopa, **sentía asco** solo con olerla. Por eso cuando el domingo nos ofrecieron un poco de pescado con verduras, **sentí una gran felicidad**. Pero no me duró mucho, porque esa misma noche estalló una gran tormenta.

Al principio **estaba un poco preocupado**, pero después de dos horas **tenía muchísimo temor**. Encima, en el camarote de al lado una chica no paraba de llorar porque echaba de menos a su familia. Eso me hizo **sentirme de pronto apenado** y empecé a añorar a los míos.

Para que **no me entrara una depresión**, salí a cubierta y entonces lo vi: ¡el puerto de Buenos Aires! **Me quedé asombrado**. Ya estaba en Argentina...

3 Escucha a estas personas y marca cómo se sienten según la expresión que usan. (2)

1
- a. apenado ☐
- b. eufórico ☐
- c. pasmado ☐

2
- a. asombrado ☐
- b. pesaroso ☐
- c. receloso ☐

3
- a. afligido ☐
- b. asqueado ☐
- c. temeroso ☐

NO SÉ QUÉ DECIR

4 Cuando alguien expresa pesimismo o preocupación reaccionamos animándolo, consolándolo, o mostrando empatía. Fíjate cómo e indica a qué función A, B o C pertenecen.

A Hablar de problemas
- Uso de ser + adjetivo/nombre

B Animar
- Uso del futuro: *Todo cambiará.*
- Uso de fórmulas: *venga, ya verás, ánimo.*

C Consolar/mostrar empatía
- Uso del imperativo: *No seas tan duro contigo mismo.*
- Nos incluimos en el mensaje: *¡Pues no sabes cómo lo siento!*

1. .... ¡Qué mala suerte! No sabes cuánto lo siento.
2. .... Jo, estoy entre la espada y la pared…
3. .... Anímate, que no hay mal que por bien no venga*.
4. .... Ya verás cómo todo sale bien.
5. .... Jo, no sé qué decir… ¡Me sabe fatal!
6. .... Venga, que nunca es tarde para cambiar las cosas.
7. .... ¡Ya se solucionará! No tengo ninguna duda.
8. .... Oye, si necesitas cualquier cosa, cuenta conmigo.
9. .... Es algo que odio/me tiene preocupado/me quita el sueño.
10. .... ¡Venga! ¡Al mal tiempo, buena cara!*
11. .... Venga, hombre, que no es para tanto…*
12. .... Ya verás cómo todo se arregla.
13. .... No seas tan duro contigo mismo.
14. .... No llores, hombre/Llora todo lo que quieras.
15. .... Me hago cargo.
16. .... ¡Pues vaya! ¡Lo siento!

* Estas formas quitan importancia al problema, por lo que en las situaciones graves sonarían sarcásticas.

5 Unos amigos te cuentan sus problemas. Escucha y reacciona con una de las frases anteriores.

1.	3.
2.	4.

6 Aquí tienes otras maneras de expresar sentimientos. Relaciona las columnas e indica si expresan optimismo (O) o pesimismo (P).

1. Hoy lo veo todo color de…
2. Lo siento, soy muy…
3. Estoy pasando por…
4. La verdad, confío en…
5. ¡Jo! ¡Esto es…
6. Me has dado…
7. A esto no le veo…
8. ¡Seamos…
9. Lo veo todo…
10. No quiero parecer pesimista,
11. Esto no…
12. Conmigo no…

a. escéptico al respecto.
b. una gran alegría.
c. pero…
d. rosa.
e. una pasada!
f. hay quien pueda.
g. que salga bien.
h. optimistas!
i. me lo esperaba, la verdad.
j. salida.
k. negro.
l. una mala racha.

7 En parejas, escribid un diálogo utilizando algunas de las expresiones vistas en la sección. Luego representadlo en clase.

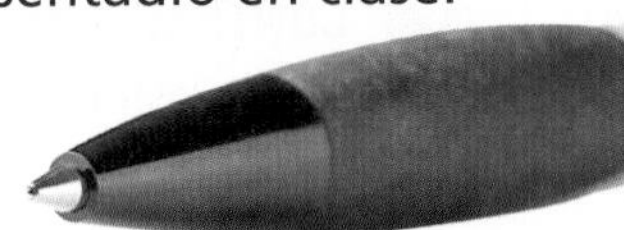

GENTE DE AQUÍ Y DE ALLÁ

Reflexiona y practica

Conectores para estructurar y enfatizar ideas

Estos son algunos nexos que se utilizan mucho en el registro menos formal, ya sea hablado o escrito.

PARA ESTRUCTURAR

MARCADORES DE FINAL Al final... ¡Por fin...!	▶ ***Al final (de)*** marca el final/resultado de un suceso o tiempo. *Estábamos muy enfadados pero, **al final**, no discutimos.* ▶ ***Por fin*** señala el logro del objetivo propuesto. *Después de tanto caminar, ¡**por fin** llegamos al albergue!*
DISGRESORES A propósito (de)... Y hablando de... Por cierto,...	▶ Introducen un nuevo punto en la conversación sobre un tema ya mencionando o del que se está hablando. *A mí me gustan los restaurantes mexicanos...* *Pues, **a propósito de** restaurantes, ¿no tenéis hambre?* ▶ ***Por cierto*** añade un comentario a lo dicho anteriormente. *Me atendió la secretaria... ¡**Por cierto**, era simpatiquísima!*
RECAPITULADORES Total, que... En fin,...	▶ Marcan una conclusión o terminan el tema del que se habla. *¡Tuvimos muchos problemas! ¡**Total, que** no conseguimos la visa!* *Llegamos, discutimos y... ¡**En fin**, que no fue un gran día!*
CORRECTORES DE INFORMACIÓN Más bien,... (O) Mejor dicho,... Digo,...	▶ Rectifican una información dada al considerar que no ha quedado clara o es un error. *No creo que tengamos que pasar toda la noche con él; **más bien** creo que no deberíamos. (aclara)* *Ha llegado el señor Fernández... **digo**, Martínez,...(corrige)*
REFORMULADORES O sea, En otras palabras,	▶ Añaden una explicación, una consecuencia o unos ejemplos. *Estuvo toda la noche hablando, ¡**o sea** que no me dejó dormir!*

PARA ENFATIZAR

ADITIVOS (añaden una información nueva con o sin valoración)	▶ ***Ni siquiera*** añade información relevante. Solo puede usarse en negativo. *No nos ofreció nada, **ni siquiera** un vaso de agua.* ▶ ***(Y) Encima***, da una valoración negativa sobre lo dicho, con matiz de queja. *Me dejó en la autopista en plena noche, **y encima**, llovía.* ▶ ***Por si fuera poco/Para colmo*** dan mucha valoración negativa, es lo máximo. *¡Y **por si fuera poco/para colmo**, me dejó sola sin dinero!* ▶ ***Hasta/Incluso***, añaden un matiz de sorpresa. *Nos trajo un montón de regalos de Quito. ¡**Hasta** una flauta!* *Se autoinvitó él y su familia. **Incluso** nos trajo a su perro.* ▶ ***Y a todo esto***, intensifica o crea expectativas a lo que vamos a contar *El coche se estropeó, era de noche, estábamos sin teléfono... ¡**y a todo esto**, empezó a diluviar...!*

PARA NARRAR

ATENUANTES (atenúan o expresan matices o argumentos)	▶ ***(Pero) Eso sí***,... se accede a hacer algo pero con unas condiciones. *Pago yo las vacaciones. ¡Pero **eso sí**, vamos adonde yo diga!* ▶ Atenúa el sentido positivo o negativo de lo dicho. *La charla fue muy aburrida...; **eso sí**, nos dieron un regalo al salir.* ▶ ***Y eso que***..., se consigue un propósito que no se creía posible y viceversa. *¡Conseguí el permiso de trabajo! ¡**Y eso que** decías que era imposible!*
CONTRARGUMENTATIVOS (muestran oposición)	▶ ***Aún con esas,.../Con todo***,..., indican que, pese al problema, se consiguió lo que se quería o se continúa haciendo algo que se quiere hacer. *El apellido estaba mal, pero **aún con esas/con todo**, pasamos.*

El diario de Kirsten

Kirsten escribe un diario sobre su experiencia en España, pero no conoce los conectores. Complétalo adecuadamente.

10 de septiembre
Hace un par de días que llegué a Madrid. ¡Esto es una pasada! Bajé del avión y el sol brillaba. ¡Todo se ve diferente con tanta luz! Madrid es genial, con tanta oferta de actividades para hacer. ¡ .... mi hermano, que es tan exigente, tiene ganas de venir a conocerlo! ¡ ...., dice que no le puedo dejar solo porque no habla nada de español! ¡Madre mía! Y .... de español, el mío tampoco es tan «bueno» ...., ¡es penoso! Pero eso no me preocupa porque en todo el mundo se habla inglés...

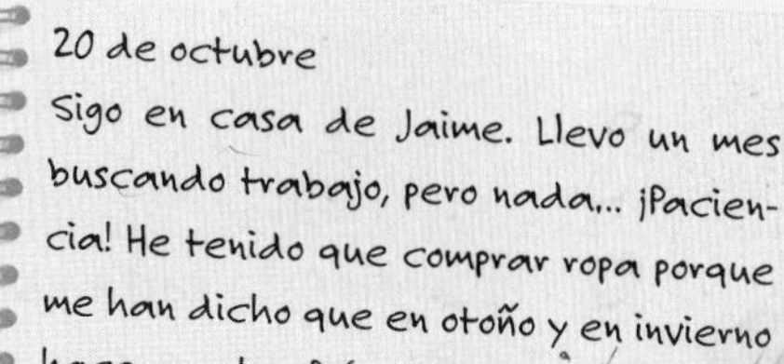

15 de septiembre
Hoy me he instalado en casa de Jaime. De camino a aquí he visto a la gente tomando chocolate con churros en las terrazas de los bares. ¡Pienso desayunarlo todos los días! He tenido que tomar 2 metros para llegar al centro desde casa, ¡ .... que decía Jaime que estaba bien situada! Pero no importa porque .... el metro tiene su encanto aquí... Entre los turistas despistados y la gente de la ciudad... ¡es interesantísimo para mí...!

20 de octubre
Sigo en casa de Jaime. Llevo un mes buscando trabajo, pero nada... ¡Paciencia! He tenido que comprar ropa porque me han dicho que en otoño y en invierno hace mucho frío... .... yo sigo en manga corta.

23 de octubre
Hoy me ha pasado algo terrible. Fui a pasear al Parque del Retiro, y me robaron la cartera. No me di cuenta y cuando quise entrar en el metro, no tenía nada: ni billete, ni dinero, ni pasaporte... ¡ .... fui a llamar a Jaime con el móvil, y resultó que no tenía batería...! ...., empecé a pedir ayuda y a explicarme en inglés, y nadie me entendía! ¡Lo pasé fatal y, ..., tuve que caminar y caminar hasta que encontré a un policía que, gracias a Dios, me ayudó... ¡ ...., el policía era muy guapo!

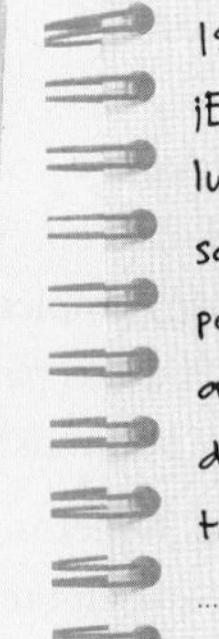

15 de noviembre
¡Esto es un desastre! Estoy harta de enviar currículums. Empiezo a agobiarme, ¡ .... ya sabía yo que encontrar trabajo llevaba su tiempo, pero confiaba más en mi suerte... .... aquí hace un frío que pela, ... todos mis amigos me llaman y me dicen: ¡Qué bien estás en España, con el buen tiempo que hace, eh! ...., en el piso de Jaime estamos muy calentitos... ¡La calefacción va genial!

20 de febrero
He conseguido trabajo en una empresa alemana. Me pagan bien, mis compañeros son muy majos, y trabajo poco; ...., ¡es un chollo! Lo único malo es que tardo 2 horas en llegar y 2 horas en volver, y eso es agotador... Necesito encontrar un piso nuevo urgentemente, pero ahora no tengo tiempo, y ...., empieza a hacer un frío de muerte... Pero ahora no me voy a echar atrás, vivo en Madrid e ¡ .... he encontrado trabajo! ¡Ahora empiezo a verlo todo color de rosa!

1 de marzo
.... me quedo a vivir con Jaime. No me apetece la idea de compartir piso con gente desconocida... él y yo tenemos nuestras diferencias, pero ...., nos llevamos bien. Le voy a hacer un regalo, ..., un regalazo, porque los primeros meses no me los cobró... ¡Empieza a hacer menos frío y brilla el sol! Y aunque no soporto el metro, me he acostumbrado a leer durante el trayecto, así que lo llevo mejor. Y .... de lecturas, ¡estoy leyendo una novela que está genial!

Interactúa

Con tu compañero, continúa el diario escribiendo lo que le ocurrió el 23 de abril. Usa los conectores adecuados. Estas son algunas cosas que nos ha contado:

- Se toma unos días de vacaciones y se va a Ibiza, pero tiene problemas en el aeropuerto.
- Conoce a un joven guapo en el avión.
- Tiene problemas con una azafata.

TALLER DE ESCRITURA

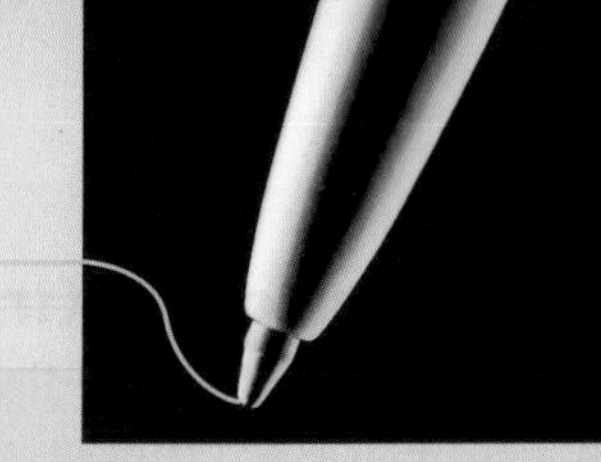

CARTAS DE QUEJA

Características

- Como se pretende dejar constancia de la queja, suelen presentarse en un medio escrito.
- Proporcionan todos los detalles e información pertinentes.
- Dan una explicación clara del resultado que se quiere obtener.
- Usan el tono correcto, positivo y persuasivo para convencer al lector.

Estructura

- Primer párrafo: se expone la razón por la que se escribe la carta.
- Siguientes párrafos: se explican cuáles han sido los problemas. Esto debe hacerse con claridad y detalladamente. Si se puede, se debe aportar documentación que lo pruebe (fotos, fotocopias de documentos, etc.).
- Últimos párrafos: se debe clarificar qué se quiere obtener: una solución, una disculpa, etc., que pueda arreglar o compensar el error.

1 Fíjate en esta carta y señala:
- Razón de la misma.
- Problemas ocurridos.
- ¿Qué se quiere obtener?

2 Marca los conectores que has visto en el tema y explica qué función o matiz ofrecen.

Madrid, 31 de agosto de …

A principios de este mes de agosto mi hermana y yo nos disponíamos a pasar quince días en nuestro país, Guatemala, para estar con nuestra familia después de cinco años sin poder verlos y aprovechando nuestros días de vacaciones. Sin embargo, al llegar al aeropuerto, se nos comunicó que los empleados de su compañía estaban de huelga, o mejor dicho, que su empresa no tenía en cuenta sus derechos, y que no podríamos partir hasta que se resolviera el conflicto. Al final, estuvimos en el aeropuerto cinco días hasta que se solucionó todo y pudimos viajar.

Desgraciadamente, esto nos ha ocasionado numerosos problemas. Por una parte, tuvimos que pasar una semana entera en el aeropuerto puesto que se nos comunicaba que en breve partiríamos, que era cosa de horas, incluso se nos dijo una vez: «cuestión de minutos». Eso nos ocasionó innumerables incomodidades, ya que vivíamos literalmente con otros 88 pasajeros, en el aeropuerto. Encima, aquí se cerraban las cafeterías a partir de las 20:00 h y no era fácil obtener comida o bebida. E incluso, se nos cerró el acceso a los baños, por, según ellos, cuestiones de higiene. Por si fuera poco, entre los viajeros había ancianos y niños, con lo que la situación se complicó bastante. Con todo, decidimos tener paciencia con su compañía con tal de poder salir cuanto antes a nuestro destino.

Y a todo esto, queda decir que llevamos cinco años en España, y desde que estamos viviendo aquí no habíamos podido ir a nuestro país para poder estar con nuestros familiares. Hemos estado ahorrando durante años para poder pagar estos pasajes y durante mucho tiempo, ni siquiera nos hemos permitido días de descanso en el trabajo para poder reunir estas dos semanas y poder pasarlas con nuestros seres queridos.

Por eso, queremos que estos hechos se conozcan y para, sobre todo, que no vuelvan a ocurrir. Si todos nos hacemos eco de estas injusticias, conseguiremos que no ocurran más. Debemos mostrar que juegan con la economía de muchas personas y sobre todo, con los sentimientos de muchas familias.

Rosalinda Gómes

3 Escribe ahora una carta sobre algún asunto que consideres que merece una queja. Puedes elegir alguno de los siguientes:

• cierre de asociación cultural de la que eres socio • desaparición de la revista de tu localidad por falta de ayuda pública • discriminación a un niño extranjero por parte de los demás niños • negligencia de un consulado al expedir tu visado

Actúa: Explicas una noticia

NOTICIAS

En parejas, leed esta noticia aparecida en *ElPaís.com*. Uno leerá la parte A y el otro, la parte B. Después explicará al otro su parte del texto, para obtener toda la información.

SEFARDÍES Y MORISCOS SIGUEN AQUÍ

El 30% de los españoles tiene huella genética de su origen judío o magrebí

A

Los historiadores no creen que España albergara a más de 400 000 judíos sefardíes en 1492, y encima los Reyes Católicos expulsaron ese año a casi la mitad. También en 1609 fueron desterrados cientos de miles de moriscos, a los que se suponía últimos herederos de los siete siglos de reinado musulmán en la península. Pero los cromosomas cuentan otra historia. Nada menos que el 20 % de la población ibérica actual desciende de sefardíes. Y otro 11 %, de norteafricanos. Si ambos siguen aquí, es que nunca se marcharon.

Los estudios genéticos se han aplicado hasta ahora a los grandes flujos migratorios prehistóricos, pero aún hay mucho margen para ampliar su resolución e iluminar episodios más recientes, como las invasiones, migraciones y otros movimientos de población registrados en la historia.

En la península han coincidido durante largos periodos históricos los musulmanes norteafricanos y los judíos sefardíes, que tienen orígenes geográficos muy distintos, y que por ello pueden rastrearse fácilmente con marcadores genéticos como los asociados al cromosoma Y. Como solo se transmite por línea paterna, su rastro no se diluye con el paso de los milenios.

Científicos británicos, españoles, portugueses, franceses e israelíes han analizado a 1 140 hombres de 18 poblaciones de la península y las Islas Baleares. El resultado es una proporción más alta de lo esperado de personas con ancestros norteafricanos (11 %), y sobre todo de judíos sefardíes (20 %).

Estos datos revelan, según los autores, «un alto nivel de conversión, voluntaria o forzosa, impulsada por episodios históricos de intolerancia social y religiosa, y que condujo a la integración de los descendientes».

B

Los 15 kilómetros de agua del Estrecho de Gibraltar nunca han sido un buen aliado de la pureza racial ibérica. El primer contacto registrado históricamente fue el cruce desde Marruecos de un ejército árabe y bereber en el 711. Los ocupantes conquistaron la mayor parte de la península en cuatro años y la controlaron durante más de cinco siglos.

La población de la península antes del 711 era de unos siete u ocho millones de personas, y unos 200 000 visigodos constituían la clase dominante. Las fuerzas invasoras no sumaban más de 10 000 o 15 000 personas inicialmente. La islamización fue rápida, pero la tendencia de los historiadores ha sido atribuirla a la conversión de los pobladores anteriores.

Los judíos ya estaban en la península antes del 711. Muchos llegaron desde Oriente Próximo, como ciudadanos libres o esclavos romanos, tras la derrota de Judea en el año 70. Su población se estimaba en unos 400 000 en 1492, cuando 160 000 fueron expulsados por los Reyes Católicos. Se supone que la población actual de sefardíes en todo el mundo es de unos dos millones de personas. Pero solo los descendientes españoles de sefardíes, según los nuevos datos, suman ocho millones.

No hay evidencia de un gradiente sur-norte en los cromosomas norteafricanos. Más bien hay una línea divisoria entre el oeste (alta frecuencia) y el este (baja): la ascendencia norteafricana va de 0 % en los Pirineos al 20 % en Galicia y el 22 % en Castilla noroccidental. Andalucía tiene uno de los índices más bajos. Esto cuadra con las expulsiones de moriscos ordenadas por Felipe III en 1609, que diezmaron los guetos de Valencia y Andalucía, pero poco pudieron hacer contra las dispersas e integradas poblaciones de Extremadura y Galicia.

Los cromosomas de origen sefardí, siendo de una época más remota, aparecen distribuidos por el territorio de forma homogénea, con la excepción del noreste de Castilla, Cataluña y los Pirineos, donde su frecuencia es muy baja.

DEBATE

¿Los estudios genéticos pueden ayudar a integrar a comunidades? ¿Si se analizaran los genes de los ciudadanos se podría eliminar el racismo? ¿El análisis de los genes de las poblaciones podría llegar a reescribir la historia?

PROYECTO

Busca una noticia de actualidad que aparezca en la prensa. Explícala al resto de la clase. Después, piensa en un par de preguntas sobre la misma que generen debate para que el resto de tus compañeros opine.

REFUERZA Y CONSOLIDA EL LÉXICO

La migración

1 Define estos términos y escribe el sustantivo adecuado a cada uno.

1. Deportar: ....
2. Emigrar: ....
3. Expatriar: ....
4. Inmigrar: ....
5. Refugiarse: ....

2 Elige la opción adecuada.

1. El que es obligado a marcharse de su patria es…
   a. un extranjero b. un expatriado c. un clandestino
2. El que busca asilo en otro país por razones políticas, religiosas, etc., es…
   a. un clandestino b. un refugiado c. un apátrida
3. El que sale de su país a otro país es…
   a. un emigrante b. un inmigrante c. un indocumentado

Documentos

3 Completa las frases con uno de estos términos.

a. Ley de extranjería.
b. Tener los papeles/la documentación en regla.
c. Tasa de migración.
d. Obtener el permiso de residencia/de trabajo.
e. Visa/visado (de estudiante/de trabajo/de turista…).

1. Calin por fin .... Una empresa española le ha hecho un contrato temporal.
2. Esta mañana, han detenido a unos chicos por no tener ....
3. No ha conseguido la .... a tiempo y no ha podido inscribirse en este curso.
4. ¿Cómo se calcula la ....?
5. Varios ciudadanos extranjeros han cometido una grave infracción contra la .... al simular estar casados con españoles.

El viaje

4 Completa el texto con la expresión correcta.

1. cruzar la frontera
2. (des)embarcar(se)
3. entrar en un país de adopción
4. esconderse
5. huir de su país de origen
6. ir hacinados
7. valla
8. pasar penalidades/penurias
9. patera/balsa/cayuco
10. tráfico de inmigrantes

Miles de personas cada año intentan .... de otro país: unos .... en .... y cruzan el océano, otros intentan saltar la .... que les separa del país donde creen que conseguirán una vida mejor, algunos ...., cientos de kilómetros, en camionetas o trenes y a otros, solo les queda el echarse a andar con lo mínimo imprescindible para sobrevivir a horas de polvo, calor y miedo.
Muchos de ellos .... buscando .... donde piensan les espera un nuevo futuro y para ello no les importa ...., ... e incluso ponerse en manos de redes de ...., con tal de conseguir su sueño.

REFUERZA Y CONSOLIDA EL LÉXICO

Motivos y consecuencias

5 Relaciona cada término con su definición.

a. desnutrición
b. epidemia
c. hambruna
d. matanza
e. miseria
f. persecución política, religiosa...

1. Escasez generalizada de alimentos en una zona.
2. Enfermedad que ataca a un gran número de personas en un lugar.
3. Pobreza extrema.
4. Asesinato de un gran número de personas.
5. Debilitamiento por falta de alimento.
6. Seguimiento, maltrato y acoso de un grupo por razones ideológicas.

6 Define estos términos con tus propias palabras. ¿Qué verbo usarías si hablaras de ello?

1. Discriminación: ....
2. Diversidad cultural: ....
3. Integración: ....
4. Intolerancia: ....
5. Prejuicios: ....
6. Racismo: ....
7. Violación de los derechos humanos: ....
8. Xenofobia: ....

Sentimientos

7 Une el sentimiento con el/los adjetivos que habitualmente usamos para expresarlo.

1. Sentir aprecio/desprecio
2. Sentir miedo
3. Sentir alegría
4. Sentir envidia
5. Sentir sensación

a. sana/obsesiva
b. atroz/irracional
c. infinito
d. desbordante/infinita
e. amarga/angustiosa/extraña/incómoda/violenta

8 ¿Cómo puedes mostrar emociones? Une los sustantivos con los adjetivos.

1. Mostrar aprecio
2. Mostrar rechazo
3. Mostrar respeto
4. Mostrar admiración
5. Mostrar simpatía

a. absoluto/enérgico/feroz
b. profundo/absoluto/enorme
c. arrolladora/desbordante/arrebatadora
d. incondicional/importante/sincero
e. desmedida/incondicional/enorme

Mostrar sorpresa, preocupación, asco y miedo

9 Lee las frases y completa con una expresión del recuadro.

a. Quedarse de una pieza
b. (Ser) para quitarse el sombrero
c. Tener el corazón en un puño
d. Revolvérsele a uno el estómago
e. Poner(se) piel de gallina

1. No voy a dormir pensando en tu viaje. Voy a .... hasta recibir noticias tuyas.
2. El barco era increíble, ... Tenía todo tipo de lujos.
3. Estuvimos durante días sin parar un instante. Hacía calor y el olor era insoportable. .... solo de pensarlo.
4. Cuando me dijeron que los habían detenido en la frontera, ... No me lo podía creer.
5. Este lugar .... solo de pensar lo que debieron sufrir. Mejor, vámonos.

Tema 2

CIUDADES Y PUEBLOS CON ENCANTO

- **Infórmate**
  - Lugares anclados en el pasado
- **Para saber más**
  - Ciudades inteligentes
- **Crea con palabras**
  - Los sentidos
- **Así se habla**
  - Expresiones relacionadas con los sentidos
  - Expresar valoración y opinión
  - Argumentar
  - Mostrar acuerdo o desacuerdo
  - Eludir una respuesta
- **Reflexiona y practica**
  - Los relativos
- **Taller de escritura**
  - La descripción literaria
- **Taller de comunicación**
  - Actúa: Opinas y justificas una opinión
- **Refuerza y consolida el léxico**

«Hacer el retrato de una ciudad es el trabajo de una vida y ninguna foto es suficiente, porque la ciudad está cambiando siempre. Todo lo que hay en la ciudad es parte de su historia: su cuerpo físico de ladrillo, piedra, acero, vidrio, madera; como su sangre vital, hombres y mujeres que viven y respiran, las calles, los paisajes, la tragedia, la comedia, la pobreza, la riqueza».

Berenice Abbott (fotógrafa)

Visitar una ciudad es vivir al ritmo de sus habitantes, descubrir un estilo de vida diferente y una fuerte identidad regional. Cada ciudad ofrece una diversidad e identidad únicas.

Relaciona cada una de las siguientes fotos con su descripción.

1. Ávila (España)

LA CIUDAD DE LAS TRES CULTURAS ☐

Pasear por la ciudad es recorrer la historia de España. Adondequiera que te dirijas, podrás hallar rasgos de las culturas musulmana, judía y cristiana que convivieron durante la Edad Media. Sinagogas, mezquitas e iglesias saldrán al paso si inicias un recorrido por ella.

LA CIUDAD COLONIAL ☐

La ciudad, cuya fundación se debe a los primeros conquistadores españoles, fue un puerto importante en el comercio entre Sudamérica y el Viejo Continente. De allí partían oro, plata, alimentos y también, esclavos. Y es considerada una de las ciudades más lindas de las costas del Caribe.

2. Cuzco (Perú)

LA CIUDAD DEL SOL ☐

La ciudad es una mezcla de arquitectura inca y de estilo colonial español. Destaca por estar situada a una gran altura (3 400 m) y por su forma que, según dicen, se asemeja a un puma. Se sabe que los conquistadores destruyeron cuantos templos encontraron, pero todavía se pueden hallar algunos.

3. Toledo (España)

4. Cáceres (España)

5. Cartagena de Indias (Colombia)

LA CIUDAD DE LOS PALACIOS ☐

Esta ciudad, cuyo origen se remonta a la prehistoria, tuvo un gran peso en las luchas entre árabes y cristianos por su posición estratégica. Aquellos que la visiten podrán encontrar numerosos palacios y casas solariegas de los nobles que se instalaron allí en esa época.

LA CIUDAD AMURALLADA ☐

Caminar sin prisa por las serpenteantes calles de la amurallada ciudad es uno de los pocos ejercicios mágicos al alcance de cualquiera que no haya sucumbido a la era tecnológica. Por dondequiera que vayas podrás ver monasterios medievales y conventos románicos, mientras recorres sus calles empedradas.

CIUDADES Y PUEBLOS CON ENCANTO

Infórmate

LUGARES PINTORESCOS

Una revista especializada recomienda algunos lugares caracterizados por sus restos históricos. Lee la información y elige el texto que corresponde a cada enunciado. Algunas ciudades pueden ser elegidas varias veces.

ANCLADOS EN EL PASADO

A

Astorga está en la provincia de León (España). Es cabeza de diócesis y capital de la comarca de la Maragatería. Es una ciudad cargada de historia en la que convergen dos grandes rutas: la Vía de la Plata, que nacía en Mérida y finalizaba en Astorga, y la Ruta Jacobea, punto clave en el Camino de Santiago durante la Edad Media.
Todavía se conservan restos de la época romana, como el Foso del Campamento, las termas o el alcantarillado romano que circula por parte de la ciudad. Si estás interesado en esta época, se puede seguir una ruta por la ciudad que acaba en el Museo Romano.
La Catedral de Astorga es, probablemente, el monumento más importante de la ciudad. Incorpora diferentes corrientes artísticas: gótico, renacimiento, barroco y neoclasicismo. Comenzó a construirse en el s. XV, sobre otra de estilo románico, y no se acabó hasta el XVIII. Junto a la catedral, integran el complejo catedralicio el Museo de la Catedral, el Archivo Diocesano y el Hospital de San Juan, además del Palacio Episcopal.

Adaptado de www.arteguias.com

B

El origen de la ciudad de **Besalú** (Gerona, España) fue su castillo, que se encuentra documentado ya en el s. X, y fue construido en la cima de un cerro. El trazado actual de la villa no responde fielmente a su estado original, pero sí que permite, a grandes rasgos, hacerse una idea de lo que fue en la Edad Media, con la existencia de importantes edificios: el puente, los baños judíos, la iglesia del Monasterio de San Pedro y San Julián, el antiguo hospital de peregrinos, etc.
Desde hace casi una década, a finales del mes de agosto, Besalú recuerda aquella época majestuosa y retrocede mil años atrás, transformándose en el antiguo condado. Todos los vecinos se visten de época y todos los comercios se ambientan. En los escenarios del barrio antiguo y la zona del río Fluvià se puede gozar de numerosas propuestas: pasacalles de damas y nobles; música; torneos de caballeros; lanzamientos con catapulta; luchas; campamentos en el río; un mercado medieval, etc.

Adaptado de www.catalunyaonline.cat

C

Lerma es una villa de Burgos (España) de fundación prerromana, en concreto de tribus celtibéricas. Tierra de paso, situada en lugar estratégico dominando el río Arlanza, vivió diferentes culturas: romanos, suevos, visigodos, árabes... El avance cristiano en el 900 situó su frontera en el río Arlanza, con lo que se instalaron a lo largo del mismo una serie de castillos, entre los que se encontraba el de Lerma. Muy pronto a su alrededor creció una ciudad que se amuralló. La muralla disponía de cuatro puertas de entrada, de las que se conserva el llamado Arco de la Cárcel.
En el s. XV la villa pasó a formar parte de las propiedades del rey, hasta que al final la donó a Diego Gómez de Sandoval y Rojas, que con el tiempo pasó a ser el Duque de Lerma, privado del rey. Bajo su patrocinio, entre 1600 y 1617, se erigió uno de los conjuntos histórico-artísticos mejor conservados de España, de estilo herreriano. Además, Lerma se convirtió en corte de recreo, adonde acudían personajes relevantes y artistas (como Góngora, Lope de Vega, etc.), y en donde se celebraban fiestas y banquetes en honor de los reyes de España.

Adaptado de www.ciferma.com

CIUDADES Y PUEBLOS CON ENCANTO

Infórmate

Interactúa

- ¿Has visitado alguna localidad anclada en el pasado? ¿Qué sensaciones tuviste?
- ¿Has estado en alguna población o lugar que parezca futurista? Explícalo en clase.

Medina del Campo es una antiquísima villa española, situada al sur de la provincia de Valladolid, cuyos orígenes se remontan a la época prerrománica y cuyo auge tuvo lugar en la Edad Media con sus famosas ferias y mercados de amplio renombre internacional. En su haber cuenta con innumerables joyas históricas como el castillo de la Mota cuyos orígenes datan del s. XII. Posteriormente, a mediados del s. XV, el rey Enrique IV construye el perímetro interior y la torre del Homenaje, aprovechando una parte de la muralla medieval.
La Torre del Homenaje, con cinco pisos en su interior, tiene una altura de casi 40 m. Este edificio fue uno de los primeros castillos que usó la artillera en Europa. Además destaca por ser archivo de la corona y prisión real. Entre sus presos más ilustres destacan César Borgia y Hernando Pizarro.

Adaptado de www.turismomedina.net

Montblanc es un municipio de Tarragona (España) que tiene uno de los más bellos conjuntos medievales de la zona. El pueblo, que forma parte de la ruta del Cister, fue fundado por Ramón Berenguer IV, que se dio cuenta de la estratégica situación de esta tierra, situada en el camino que iba de Cataluña a Francia.
El s. XIII fue importante para la localidad, puesto que los comerciantes más ricos se hicieron cargo de la construcción de tres conventos. A medida que avanzó la Edad Media la localidad fue adquiriendo importancia, y ya en el s. XIV fue considerada la séptima localidad en importancia en Cataluña. En siglos posteriores fue saqueada varias veces por el ejército castellano y por el francés. Cabe destacar los edificios históricos creados durante esos años: el Palacio Real, (residencia de los reyes de Aragón); las murallas, el puente sobre el río Francolí, el hospital de Santa Magdalena o las numerosas iglesias.

Adaptado de www.tarragona.turismoenpueblos.es

La silueta esbelta y armoniosa de su castillo-palacio domina **Olite**, pequeña ciudad situada en el centro geográfico de Navarra (España), a 42 km al sur de Pamplona. Sede real durante la Edad Media, los gruesos muros y torres almenadas del palacio alojaron a reyes y princesas. Declarado monumento nacional en 1925, constituye el ejemplo más importante del gótico civil de Navarra y uno de los más notables de Europa.
Un recorrido por las estrechas rúas de Olite le permitirá pasear al abrigo de nobles caserones de piedra, con escudos de armas y grandiosos aleros de madera; galerías medievales y espléndidas iglesias, además de descubrir el recinto amurallado romano. El clima mediterráneo ha hecho también de Olite la capital del vino, por lo que acercarse a sus bodegas y degustar sus caldos, es todo un placer. Déjese guiar y todo el conjunto le trasladará a una época de torneos, reyes y princesas, magos y juglares, halconeros y arqueros, que vuelven a la ciudad cada mes de agosto para celebrar las Fiestas Medievales. También en verano, la ciudad alberga el Festival de Teatro Clásico de Olite.

Adaptado de www.turismonavarra.es

1. En la ciudad se puede disfrutar de una oferta gastronómica.	A	B	C	D	E	F
2. La población se puede visitar siguiendo una ruta romana.	A	B	C	D	E	F
3. La ciudad ofrece un espectáculo histórico situado en su casco antiguo.	A	B	C	D	E	F
4. La población está situada en un punto de encuentro de diferentes rutas.	A	B	C	D	E	F
5. Esta localidad sufrió numerosos saqueos a lo largo de la historia.	A	B	C	D	E	F
6. Su castillo retuvo a importantes personajes.	A	B	C	D	E	F
7. La ciudad servía de descanso a los reyes y su séquito.	A	B	C	D	E	F
8. Fue muy conocida por sus ferias y mercados.	A	B	C	D	E	F

CIUDADES Y PUEBLOS CON ENCANTO

Para saber más

OTRAS CIUDADES

Una *smart city* o ciudad inteligente es aquella en la que se desarrolla una tecnología avanzada, siempre al servicio del ciudadano, y en la que se tiene muy en cuenta el medio ambiente y la sostenibilidad.

4 Para conocer más sobre las denominadas *smart cities* escucha esta entrevista con Elena Alfaro y elige la opción correcta.

Barcelona

1. **¿Qué parámetro sirve para designar a una ciudad como inteligente?**
   - a. La interacción del ciudadano con la ciudad. ☐
   - b. Los aspectos medioambientales. ☐
   - c. La tecnología. ☐
   - d. No hay un solo aspecto que lo determine. ☐

2. **En Sudamérica, las *smart cities*...**
   - a. son ciudades con un desarrollo rápido. ☐
   - b. crecen a buen ritmo. ☐
   - c. han sufrido crisis, como Europa o Asia. ☐
   - d. se conocen menos mundialmente. ☐

Madrid

México D.F.

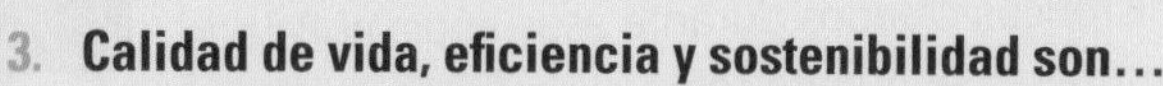

3. **Calidad de vida, eficiencia y sostenibilidad son...**
   - a. algunos puntos que hay que tener en cuenta. ☐
   - b. puntos inseparables. ☐
   - c. aspectos cuestionables. ☐
   - d. caros a corto plazo. ☐

4. **Según Elena, el uso de las tarjetas de crédito puede...**
   - a. aportar información no relevante. ☐
   - b. suponer un riesgo para el propietario. ☐
   - c. dejar un rastro electrónico. ☐
   - d. producir actividad económica. ☐

Buenos Aires

5. **El tratamiento de datos debe...**
   - a. aportarnos toda la información posible. ☐
   - b. tratarse con cuidado. ☐
   - c. ser utilizado por los gobiernos. ☐
   - d. diferenciar el uso público del privado. ☐

Santander

Da tu opinión

- ▶ Muchos avances tecnológicos usados hoy en día hacen que dejemos un rastro, ¿qué ventajas o inconvenientes ves en ello?
- ▶ ¿Qué piensas del tratamiento de datos?, ¿debe ser algo público, privado, de ámbito gubernamental...?
- ▶ ¿Es lícito que los gobiernos tengan acceso a cualquier dato personal de sus ciudadanos?

CIUDADES Y PUEBLOS CON ENCANTO

Crea con palabras

A VISTA DE PÁJARO

1 Lee esta descripción y relaciona cada término destacado con su significado. Después, marca los términos que indiquen luz o color.

> Subí de dos en dos los escalones del campanario para **otear** el horizonte y **contemplar** desde arriba, **«a vista de pájaro»**, el bello paisaje del pueblo.
> Al primer **golpe de vista** no pude ver nada: el blancor de la visión me **deslumbró** y mis ojos tuvieron que acostumbrarse a él. Pero pasados unos segundos la extensa **visión panorámica** me causó una fuerte impresión de belleza.
> **Recorrí con la mirada** cada uno de los rincones: podían **divisarse** con nitidez los muros y la torre del castillo semiderruido, cuyo color parecía más oscuro en contraste con el resplandor de las casas. Estas, dispuestas por la ladera y encaladas, semejaban un manto níveo que parecía dar frescor a mi vista fatigada por un sol de plomo.
> **Reparé** en los detalles de los balcones y de las tejas rojizas sobre el blanco luminoso de las paredes. **Presenciaba** uno de los más bellos rincones de Andalucía y me disponía a pintarlo. Pero para ello, antes debía **examinar** con pulcritud cada uno de sus detalles para inmortalizarlos. **Eché una ojeada** al reloj para comprobar la hora. Era un momento único.

1. Mirar algo de manera rápida.
2. Percibir algo con la vista en la distancia.
3. Ver desde un lugar alto lo que está abajo.
4. Vista desde lo alto.
5. Observar con complacencia.
6. Observar detenidamente para analizar los detalles.
7. Asistir a un hecho, estar presente.
8. Visión amplia de un paisaje.
9. Mirada superficial y ligera.
10. Advertir o percibir algo pequeño en un conjunto.
11. Mirar con cuidado, «paseando» la mirada de un lado al otro.
12. Cegar a causa de una luz muy fuerte.

SONIDOS

2 Trata de explicar qué es...

a. un pitido, un aullido, un alarido, un susurro, un murmullo.
b. un sonido ensordecedor, sordo, estridente.
c. una voz ronca, chillona, nasal, melodiosa.

3 Cuando hablamos de sonido utilizamos términos como los del cuadro. Completa las frases con ellos.

- clamor
- amortiguar/ahogar
- crujir
- envolvente
- reinar
- sigilo
- retumbar
- levantar
- chirriar
- pitido

1. Aquel sonido era ……………, mágico…
2. Allí …………… el silencio.
3. El viento …………… un suave murmullo.
4. La puerta …………… al abrirse y me despertó.
5. Para …………… el llanto, me tapé la cabeza con la almohada.
6. Caminó con …………… para que nadie pudiera oírle.
7. Tengo un …………… en el oído que me molesta muchísimo.
8. Se levantó un …………… procedente de la multitud.
9. Las ramas …………… a nuestro paso y el estruendo de los truenos …………… en nuestros oídos.

CIUDADES Y PUEBLOS CON ENCANTO

CON TODOS LOS SENTIDOS

1 Existen muchas expresiones que tienen relación con los sentidos. Aquí tienes algunas. Únelas con su significado.

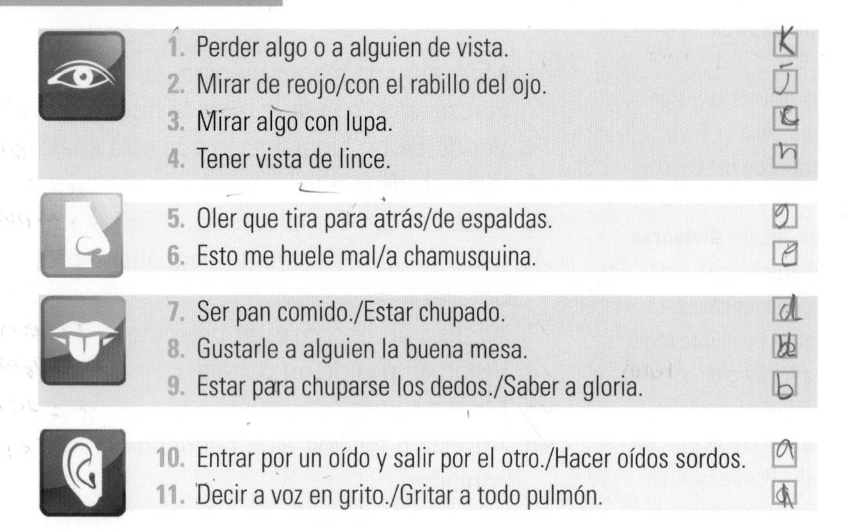

1. Perder algo o a alguien de vista.
2. Mirar de reojo/con el rabillo del ojo.
3. Mirar algo con lupa.
4. Tener vista de lince.
5. Oler que tira para atrás/de espaldas.
6. Esto me huele mal/a chamusquina.
7. Ser pan comido./Estar chupado.
8. Gustarle a alguien la buena mesa.
9. Estar para chuparse los dedos./Saber a gloria.
10. Entrar por un oído y salir por el otro./Hacer oídos sordos.
11. Decir a voz en grito./Gritar a todo pulmón.

a. Rehusar escuchar algo que te están diciendo.
b. Tener muy buen sabor.
c. Examinar detenidamente algo.
d. Gustarle la buena comida.
e. Tener sospechas de que algo malo va a pasar.
f. Ser muy fácil.
g. Apestar.
h. Tener muy buena vista.
i. Usando el máximo volumen posible.
j. Mirar disimuladamente.
k. No tenerlo a la vista en ese momento/no volver a verlo más.

2 Ahora sustituye las palabras en negrita por una de las expresiones anteriores.

Antes de decidirnos a hacer aquel viaje, **analizamos todos los detalles** del itinerario. Teníamos a todos los amigos en contra porque decían que era demasiado caro, pero **no escuchamos**. Eso sí, fueron todos a despedirnos al puerto.
Agradecí embarcar pronto, porque **olía muy mal**, pero luego me emocioné un poco cuando el barco se alejó y nuestros amigos se fueron haciendo pequeños hasta que **ya no pudimos verlos más**.
El crucero fue genial: el desayuno buffet al estilo inglés **nos encantaba**, y las demás comidas también estaban muy bien, aunque Eloy a veces protestaba –¡ya sabéis **lo sibarita que es en la mesa**!–. El tiempo fue estupendo y pudimos disfrutar del sol y de la brisa marina, y había unos chicos guapísimos a los que de vez en cuando yo **miraba sin que me vieran**. Eloy, que **tiene tan buena vista**, siempre divisaba tierra antes que yo, y me contaba la historia de las ciudades y pueblos que visitábamos. Algunos eran tan bellos que parecían un espejismo y yo no podía creer que estuviera allí, viéndolos.
¡En fin! Al final, hicimos nuevos amigos y algunos hasta lloraron a lágrima viva al decir «adiós».

YO LO VEO ASÍ

3 Al hablar de un lugar podemos valorarlo y opinar sobre él. Estas son algunas expresiones relacionadas con la opinión. ¿Conoces otras? Añádelas.

Pedir opinión

- *Oye, ¿a ti qué te parece…?
- ¿Tú tienes alguna opinión sobre…?
- *¿Y tú tienes alguna objeción a que venga Ana?
- *¿Y tú cómo ves lo de que salgamos antes?

Con el verbo principal en condicional, se suaviza la pregunta.

Dar opinión

- Yo considero que… (+ directo)
- Pues supongo que… (- directo)
- Yo lo tengo claro: pienso que…
- Pues yo soy de la opinión de que…
- Tal y como yo lo veo,…

Argumentar

- Yo lo veo así, y te voy a explicar por qué:…
- (Te) voy a dar/exponer las razones por las que pienso esto:…
- Déjame que te explique:…
- *¡Porque sí, y ya está!

**Muestra enfado y se niega al diálogo.*

Así se habla

4 Ahora escucha la conversación de estas personas sobre un problema ambiental y marca la opción correcta.

5

Lara: Oye, ¿vosotros aprobaríais que se prohibiera la instalación de torres eléctricas cerca de las casas?
Eduardo: Pues no sé, no me he parado a pensarlo nunca... ¿Y tú, Marcos?
Marcos: ¡Es que es una vergüenza que no exista esa ley todavía!
Noelia: Pues si quieres saber mi opinión, creo que hay mucho dinero por medio, y que no se va a prohibir nunca... Tendrían que cambiar todo el tendido eléctrico existente, y las hidroeléctricas tienen mucho poder. ¿Y tú, Raquel, estás a favor o en contra?
Raquel: Pues yo mejor me callo y cambiamos de tema, porque este asunto me pone furiosa.

1. ¿Quién opina rehusando dar detalles? ¿Cuál es su opinión?	E	M	N	R
2. ¿Quién muestra desacuerdo de una manera rotunda?	E	M	N	R
3. ¿Quién «suaviza» su opinión? ¿Por qué crees que lo hace?	E	M	N	R
4. ¿Quién rehúsa dar una opinión?	E	M	N	R

¡EFECTIVAMENTE!

5 Clasifica las siguientes expresiones según su función A, B, C o D.

1. .... Coincido (plenamente) contigo.
2. .... La verdad es que no sé qué pensar...
3. .... ¿Pero no te das cuenta de que eso no tiene lógica?
4. .... Tienes razón. Se me había pasado eso por alto...
5. .... Eso es discutible porque...
6. .... ¡Sin comentarios!
7. .... Verás: las cosas no están tan claras porque...
8. .... La verdad es que yo no lo había visto así...
9. .... *¡Pero qué disparate estás diciendo!
10. .... *Bueeno, bueeno, ¡eso lo dirás tú!/¡Eso habría que verlo!
11. .... Pues yo no tengo suficientes elementos de juicio para opinar, la verdad.
12. .... Debo reconocer que tienes razón.
13. .... De eso no me cabe la menor duda. Es más...
14. .... Prefiero no mojarme en eso.
15. .... Discrepo completamente.
16. .... ¡Para nada!
17. .... Sí, perdona, no había caído en eso.
18. .... En efecto. Eso es justo lo que yo iba a decir.
19. .... ¡Anda ya!, ¿no lo dirás en serio?
20. .... ¡Eso lo dirás tú!

**La 9 muestra enfado; la 10, ironía.*

A. Mostrar acuerdo
- ¡Efectivamente!
- Vale, estás en lo cierto.
- De acuerdo, me has convencido.
- Yo soy de la misma opinión que tú.

B. Suavizar una opinión, a favor o en contra
- Para serte sincero,...
- Pues a decir verdad,...
- En mi modesta opinión,...
- A mí me da la sensación,...
- Con todo mi respeto, yo creo que...
- A mi entender,...

C. Mostrar total desacuerdo
- *Lo siento, pero no tienes ni pizca de razón.
- *Perdona, pero eso no es así...
- ¡Pero eso que dices es una barbaridad!
- ¡Pero qué dices! Si + *argumento contrario (con enfado).*
- Eso no tiene ningún sentido.
- ¿Cómo puedes decir algo así?

** A menudo, nos disculpamos previamente.*

D. Eludir la respuesta
- Pues yo no tengo ninguna opinión al respecto.
- Voy a reservarme mi opinión en esto...
- ¡No me hagas hablar, no me hagas hablar!
- ¡Eso no es asunto mío!

CIUDADES Y PUEBLOS CON ENCANTO

Reflexiona y practica

Los relativos

1 ¿Recuerdas cuándo usamos estos relativos? Marca las opciones posibles después de leer el texto.

Quien-quienes

- Con antecedente de persona ☐
- de cosa ☐
- de lugar ☐
- Sin antecedente expreso ☐
- Detrás de preposición ☐

Lo que

- Con antecedente ☐
- Sin antecedente ☐
- Detrás de preposición ☐

Lo cual

- Con antecedente ☐
- Sin antecedente ☐
- Detrás de preposición ☐

CIUDADES DEL MAÑANA

Quien dude que la tecnología será el cerebro de las ciudades del mañana está equivocado. Pero habrá que esperar 30, 50 o más años para pilotar los coches voladores, con los que siempre hemos soñado, para convivir con androides, con los que la vida sería más cómoda, o para habitar en casas flotantes, en las que viviríamos de manera automática. Es decir, para disfrutar con lo que todos siempre hemos fantaseado.

La mayoría de los arquitectos con quienes puedes hablar piensan que es fundamental que los diseños, en los cuales se basan las futuras ciudades, sigan dos objetivos: diseñar ciudades ecoeficientes en consumo de agua y electricidad, y dotar de inteligencia a todo lo que nos rodea (coches, edificios, objetos...), lo cual nos proporcionaría una vida mejor.

Los que han creído en esto han diseñado lugares por los cuales moverse será toda una sensación: casas solares con tejados cubiertos de vegetación, elementos urbanos inteligentes (farolas o contenedores, por ejemplo, con decisión propia), jardines y huertos verticales o flotantes, etc. Todo para que los ciudadanos, hacia los cuales van dirigidos, tengan una vida mejor, con lo cual la humanidad ganaría.

Otros relativos de registro formal

Cuyo, cuya, cuyos, cuyas	Indica posesión o relación. Siempre lleva antecedente (el que posee) y va delante de un sustantivo (lo poseído) con el que concuerda en género y número. *España cuenta con ciudades **cuyos** cascos históricos son auténticas maravillas (cuyos cascos históricos = los cascos históricos de la ciudad).*
Cuanto, cuanta, cuantos, cuantas	Es un cuantificador. Puede ir: Con un nombre. Entonces concuerda en género y número con él: *Ha vivido en **cuantas ciudades** ha encontrado a su paso.* Sin nombre *(equivale a todo lo que, todos los que, todas las que): Te explicaré **cuanto** sepa. **Cuantos** le conocen, consideran que es un gran arquitecto.*
El relativo «que» precedido de demostrativos o indefinidos: Aquel que, aquellos que..., Algo que, cosa que, hecho que...	Marca distancia respecto al sujeto de la oración de relativo, en registros formales. *Las nuevas reformas pueden afectar a **aquellos que** vivan por la zona.* *Los cambios se hicieron durante la noche, **algo que** no gustó a los vecinos.* *El nuevo barrio cuenta con un dispositivo de alumbrado ecológico, **hecho que** ha sido alabado internacionalmente.*
El relativo «que» precedido de pronombres indefinidos: Dondequiera que, cuandoquiera que, quienquiera que, comoquiera que...	Se utiliza para referirse a personas, lugares y cosas de forma indeterminada. Se usa como antecedente de *que* y puede ir antepuesto o pospuesto al verbo. ***Dondequiera que** miraras, veías el lago.* ***Cuandoquiera que** vuelvas, aquí estaré.* ***Quienquiera que** haya diseñado esta ciudad, es un gran urbanista.* ***Comoquiera que** lo hagas, me gustará.*

CIUDADES Y PUEBLOS CON ENCANTO

Estos relativos siguen las mismas reglas que funcionan para el resto:

- Indicativo si se conoce de qué se está hablando.
  Dondequiera que *estoy, no dejo de pensar en él.*
- Subjuntivo si no se conoce de qué se está hablando.
  No te preocupes, ***dondequiera que*** *estemos, lo encontraremos.*

Reflexiona y practica

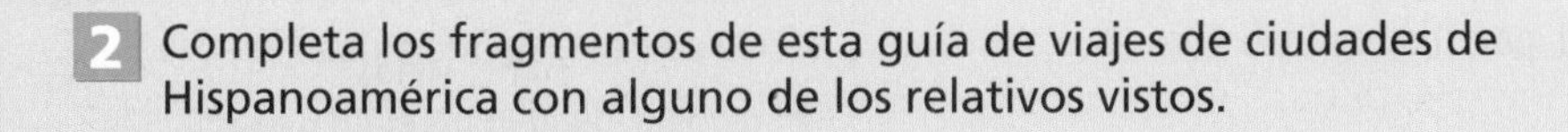

2 Completa los fragmentos de esta guía de viajes de ciudades de Hispanoamérica con alguno de los relativos vistos.

Medellín es una ciudad colombiana .... nombre viene dado por el río que la atraviesa de norte a sur. .... la visitan pueden ver que es sede de importantes festivales de amplia trayectoria internacional.

Si hay una ciudad .... calles siguen un trazado de perfecta cuadrícula es Rosario. .... mires, puedes ver una extremada organización, excepto en la zona de Sargento Cabal, donde las calles son algo más irregulares.

.... llegues a la ciudad de Maracaibo, apreciarás que las tradiciones siguen vivas. Podrás notarlo en sus casas coloridas, sus edificios coloniales y sus calles angostas, ... la mayoría de sus visitantes destacan…

.... han visitado Copacabana (Bolivia) destacan su belleza por estar a orillas del lago Titicaca. Muchos van allí para ver a la Virgen de Copacabana, ... la ha convertido en un lugar de peregrinación. El actual nombre de la ciudad, ... origen viene de la antigua diosa de la fecundidad *Copakawana,* es una españolización de la precolombina deidad andina.

3 Marca la opción posible. En el caso de que sean las dos, explica la diferencia de significado.

1. Adondequiera que *voy/vaya*, saco un montón de fotos.
2. La ciudad fue fundada por los misioneros evangelizadores, hecho que *queda/quede* constatado en las numerosas iglesias del lugar.
3. Quienquiera que *vive/viva* allí podrá decirte que es una ciudad de contrastes.
4. Aquellos que *fundaron/fundaran* la ciudad conocían su posición estratégica.
5. La población recibió repetidas invasiones, algo que la *marcó/marcara* en su distribución de calles y edificios.
6. No creo que existiera un lugar cuya catedral no *fue/fuera* visitada en aquella época.

TALLER DE ESCRITURA

DESCRIPCIÓN DE LUGARES

Descripción de lugares		
Características físicas. Dimensiones, formas, colores, luces, sonidos, temperatura, accidentes naturales, elementos presentes, formas de vida...	**Valoración del ambiente.** Sensaciones que nos produce: calma, miedo, inseguridad, paz, tristeza, añoranza...	**Orden.** ▶ Físico: de arriba abajo, de lo lejano a lo cercano, de izquierda a derecha. ▶ Lógico: de lo importante a lo secundario.

AÑOS Y LEGUAS

1 Lee la siguiente descripción de Gabriel Miró y complétala con la opción adecuada.

1.	a. todo que	b. todo el que	c. todo lo que
2.	a. Según	b. Como	c. Como si
3.	a. el	b. la	c. lo
4.	a. hasta	b. incluso	c. todavía
5.	a. pero	b. sino que	c. sino

Evocación de una ruta mironiana

Tierra de labranza. Olivos y almendros subiendo por las laderas; arboledas recónditas junto a los casales; el árbol de olor del paraíso; un ciprés y la vid en el portal; piteras, girasoles, geranios cerrando la redondez de la noria; escalones de viña; felpas de pinares; la escarpa cerril; las frentes desnudas de los montes, rojas y moradas, esculpidas en el cielo; y en el confín, el peñascal de Calpe, todo de grana, con pliegues gruesos, saliendo encantadoramente del mar; una mar lisa, parada, ciega, mirando al sol redondo que forja de cobre lo más íntimo y pastoso de un sembrado, un tronco viejo, una arista de roca, un pañal tendido, y, encima de todo, el aliento de la anchura, el vaho de sal y de miel de verano levantino cuando cae la tarde. Y entonces Sigüenza percibe el grito interior sobrecogido: «¡Campo mío!».

Ya se ve, sin verse, en el agua de los riegos que corría, en el temblor de los chopos, en el azul, en .... le rodeaba. .... en esa tarde, vino en aquel tiempo el olor de los viejos campos de la Marina, como el olor de su casa familiar en la felicidad de los veranos de su primera juventud. Pero no pareciendo que «fuese ayer», o pareciéndolo precisamente porque entonces sentimos todo .... contrario. Y porque nos oprime la verdad del tiempo devanado, tuvo más fuerza alucinante la emoción de esta hora que se había quedado inmóvil para Sigüenza desde entonces. Y .... hizo un ademán suave de tocarla, de empujarla, queriendo que volviese a caminar a su lado. Una lente lírica le acercaba a sí mismo. En ese algarrobo desgarrado, en aquella quebrada, en un contorno de una colina, en una tonalidad, en un rasgo preciso, debió de dejarse más hincada su mirada, y ahora, entre todo, se le presentaba, no el recuerdo óptico y casuístico, ... la misma mirada, la sensación de su vida, que se había envejecido allí, y ahora le salía para verle pasar, a veinte años de distancia...

Adaptado de www.digitum.um.es

2 Escribe ahora una descripción de un paisaje. Utiliza el vocabulario y algunos relativos vistos en el tema. Aquí tienes algunas ideas.

- Paseo por una ciudad futurista
- Paseo por una ciudad medieval
- La vista desde tu ventana
- El lugar de tus vacaciones
- El lugar más querido de tu infancia

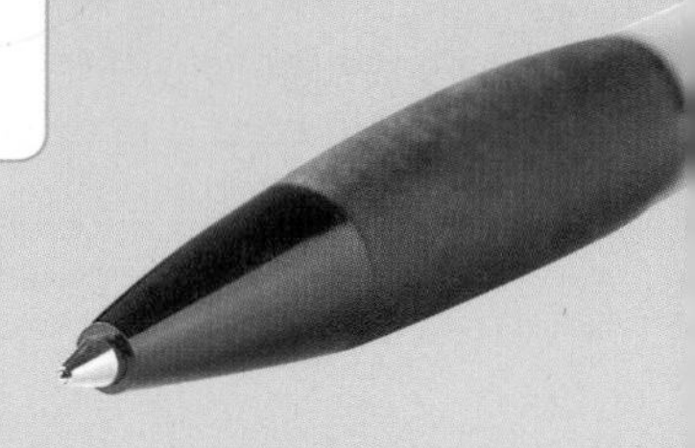

TALLER DE COMUNICACIÓN

MEJOR VIDA EN LAS CIUDADES

Lee estas breves noticias con propuestas para mejorar la vida en las ciudades. En pequeños grupos dad vuestra opinión y justificadla con argumentos, ejemplos, etc. Después, haced una propuesta similar.

Actúa: Opinas y justificas una opinión

Hay que lograr un modelo de ciudad y de comunicaciones interurbanas pensadas para las personas. Soñamos con un cambio en la forma de viajar, donde la bici o el transporte público nos hagan disfrutar sin que por ello sufra el planeta.

Necesitamos un mundo en el que poder caminar y pedalear seguros, más sostenible, más sano, más amable. Para ello, necesitamos la fuerza que da la unión. Para ello te necesitamos a ti. ¿Por qué no te sumas?

www.asturiesconbici.org

- ¿Crees que la bici es una solución viable para los problemas de las grandes ciudades?
- ¿Por qué crees que se sigue usando el coche aun sabiendo los problemas que ocasionan?
- ¿Qué harías tú para fomentar el uso del transporte público?

«Abiertos hasta el amanecer» es una iniciativa pionera de un grupo de chicos de Gijón que busca ayudar a los jóvenes de la ciudad en su tiempo de ocio nocturno durante los fines de semana, ofreciéndoles alternativas socioculturales frente al aburrimiento y los malos hábitos y orientación en un mercado laboral difícil. La propuesta ha tenido una gran acogida (actualmente participan en estas actividades unos 2600 jóvenes cada fin de semana) y está siendo utilizada como referencia en otras ciudades españolas.

www.abiertohastaelamanecer.com

- ¿Crees que organizaciones como esta reducen problemas como la droga, el alcoholismo o la inadaptación social o familiar? Propón soluciones.
- Muchos se quejan de los botellones, pero los jóvenes reivindican su derecho a salir… ¿Qué opinas? ¿Prohibir estas actividades es una solución?
- El ruido de las calles, música alta, el claxon. ¿Crees que hay una cultura del ruido?

Hay niños en Vigo que creen que van a comer de restaurante todos los fines de semana. Van con sus padres a un establecimiento de Teis. Es un comedor de caridad, pero no lo parece: se cuidan todos los detalles para que los niños que acuden a él no sepan que les da de comer una institución benéfica. Para ello, en la zona para las familias con

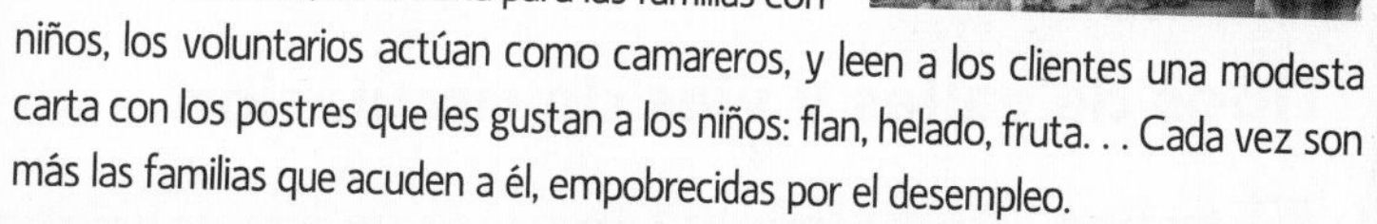

niños, los voluntarios actúan como camareros, y leen a los clientes una modesta carta con los postres que les gustan a los niños: flan, helado, fruta. . . Cada vez son más las familias que acuden a él, empobrecidas por el desempleo.

www.lavozdegalicia.es

- ¿Crees que este tipo de problemas son una consecuencia de vivir en las ciudades?
- En las ciudades cada vez se puede ver más pobreza en las calles, ¿qué se puede hacer para que desaparezca? ¿Qué ocurre en tu país?
- ¿Es bueno ocultarles a los niños la verdad sobre una situación familiar difícil?

Un grupo de jubilados ha puesto en marcha en Basauri (País Vasco) una asociación para atender a personas de su edad. La agrupación, sin ánimo de lucro, además de ayudar a las familias con personas dependientes y de acompañar a los que sufren de soledad, quieren ser un puente entre los jubilados y la Administración, informándoles de sus derechos y facilitándoles «el papeleo»...

www.elcorreo.com/vizcaya

- ¿Piensas que los mayores se sienten especialmente desplazados en las ciudades?, ¿están adaptadas para ellos? ¿Conoces otros colectivos desfavorecidos?
- ¿Consideras que en las ciudades la gente se siente más sola? ¿Crees que les ocurre lo mismo a los jóvenes?
- ¿Es la vida virtual un medio de evasión de la realidad: redes sociales, juegos, chats, etc.?

REFUERZA Y CONSOLIDA EL LÉXICO

Localidades

1 Relaciona cada término con su definición.

a. municipio
b. colonia
c. asentamiento

1. Lugar en el que se instala un grupo, generalmente de manera provisional.
2. Territorio regido jurisdiccionalmente por un mismo ayuntamiento.
3. Zona en la que se establece un grupo de personas con unas mismas características; por ejemplo: pertenecer a otro país, seguir unas ideas, etc.

2 Piensa en una localidad (ciudad o pueblo) que se pueda definir de la siguiente manera.

1. agrícola-ganadera	6. anclada en el pasado	11. bien conservada
2. caótica	7. con encanto	12. costera
3. de interior	8. de montaña	13. decadente
4. industrial	9. ciudad dormitorio	14. llena de vida
5. minera	10. monumental	15. señorial

Infraestructuras

3 Completa el siguiente texto con el término adecuado.

1. adoquinado
2. alcantarillado
3. alumbrado
4. asfaltado
5. mobiliario urbano
6. parcela/solar
7. suelo edificable/urbanizable
8. tendido eléctrico

La constructora está mirando si esa zona es de .... Les interesaría encontrar un .... para construir un complejo turístico. Es imprescindible que el ayuntamiento les asegure que se instalará rápidamente el .... para conectar sus máquinas. Además, una vez conseguido esto, se podrían instalar farolas que aseguraran el .... en esa área, y ellos se encargarían de hacer el .... de las calles para que pudieran circular los coches e instalar el .... de las zonas peatonales, a la vez que se diseñaría la de ...., por la cual se canalizarían las aguas pluviales. Y ya por último se encargarían de instalar un .... funcional, consistente en bancos, fuentes y marquesinas.

Tipos de calles y vías de circulación

4 Define estos términos con tus propias palabras.

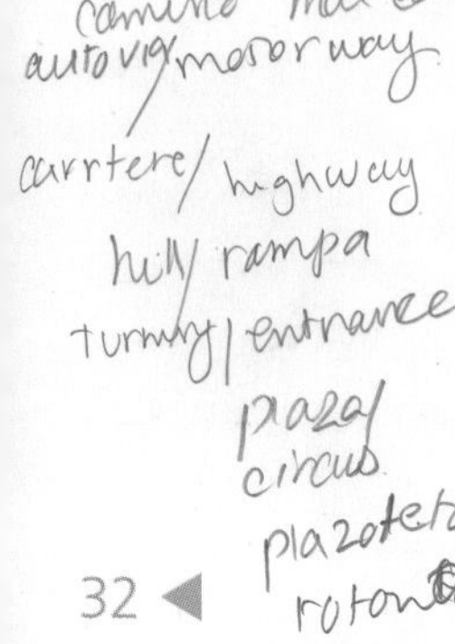

1. alameda	10. calle comercial
2. atajo	11. paseo (marítimo)
3. camino de cabras	12. calle peatonal
4. autopista	13. pasaje
5. circunvalación	14. callejón
6. autovía	15. sendero
7. cuesta/pendiente	16. callejón sin salida
8. bocacalle	17. vía rápida
9. glorieta/rotonda	18. callejuela

El sentido de la vista

5 Relaciona cada uno de estos términos con su definición.

1. alucinación
2. deslumbrar
3. reparar en
4. divisar
5. contemplar
6. otear
7. presenciar
8. examinar
9. alumbrar
10. resplandecer

a. Ser testigo de un suceso.
b. Darse cuenta de algo (con la vista u otros sentidos).
c. Mirar a lo lejos desde un punto elevado.
d. Observar concienzudamente para comprobar que todo está bien.
e. Descubrir algo en la distancia con la vista de modo poco claro.
f. Visión no real, por ejemplo, a causa del consumo de drogas.
g. Provocar ceguera temporal por una fuerte luminosidad.
h. Iluminar, dar luz.
i. Lucir de manera fuerte y llamativa.
j. Observar de manera relajada y con complacencia.

6 Ahora completa los huecos con una palabra adecuada para formar otras expresiones.

1. El búho y la lechuza son animales de visión n _ _ t _ _ _ a.
2. Entré para echar un v _ _ t _ _ o, pero al primer g _ l _ e de vista, vi que no estaba Juan.
3. No sé si es verdad o si es un mito eso de que cuando te emborrachas ves d _ b _ e.
4. Con la niebla, la v _ s _ _ _ l _ d _ d era escasa y a veces, incluso, nula. Tuvimos que parar el coche.
5. Antes de emigrar, miré hacia atrás y volví a r _ _ o _ r _ r con la mirada mi pueblo natal.
6. Me encantan los documentales sobre paisajes vistos desde lo alto, a vista de p _ j _ _ o.
7. Ya ves qué razón tiene el refrán: «No es oro todo lo que r _ l _ _ e».
8. Su visión empezó a ser b _ _ r _ _ a; no veía bien el perfil de los objetos. Resultó que era miope.

El sentido del oído

7 ¿Cuáles de estos sonidos pueden hacer las personas o animales? Relaciona los otros con estas palabras.

• tormenta • fuego • campana • viento • madera • tambor • puerta oxidada • coche • tren • petardo

1. alarido
2. carcajada
3. carraspeo
4. chillido
5. chirriar
6. clamar
7. crepitar
8. crujido
9. derrape
10. estallido
11. gemido
12. gruñir
13. jadear
14. lamento
15. murmullo
16. pitido
17. repiqueteo
18. resonar
19. resoplar
20. retumbar
21. rumor
22. susurro
23. traquetear
24. tronar

Los sentidos del olfato y del tacto

8 Indica cuál de los siguientes verbos relacionas con el olfato (O) o con el tacto (T). Después defínelos.

1.	abrazar	O	T
2.	acariciar	O	T
3.	desprender	O	T
4.	husmear	O	T
5.	olfatear	O	T
6.	olisquear	O	T
7.	palpar	O	T
8.	rastrear	O	T
9.	sobar	O	T

Tema 3

EN LAS ONDAS

- **Infórmate**
  - El presente de la radio
- **Para saber más**
  - Figuras radiofónicas
- **Crea con palabras**
  - Verbos comodín
- **Así se habla**
  - Expresiones relacionadas con el lenguaje
  - Pedir y dar información
  - Fórmulas para confirmar y pedir aclaraciones
  - Reformular
  - Mostrar enfado
- **Reflexiona y practica**
  - Perífrasis verbales
  - Verbos de habla
- **Taller de escritura**
  - Cartas al director
- **Taller de comunicación**
  - Actúa: Intervienes en un programa de radio
- **Refuerza y consolida el léxico**

«La radio afecta a la gente de una forma muy íntima, de tú a tú, y ofrece todo un mundo de comunicación silenciosa entre el locutor y el oyente».

Marshall McLuhan (filósofo)

Muchos han definido la radio como un medio de comunicación social, algunos como un arte y otros, como un medio de difusión. ¿Cómo lo defines tú? Marca con una X qué características tiene, en tu opinión, y con una O qué características no se corresponden con ella. Coméntalo en clase.

2. Es inmediata y de fácil accesibilidad. ☐

1. Posee un lenguaje con una gran riqueza lingüística y expresiva, mayor que ningún otro medio. ☐

4. Es el medio más económico puesto que es gratuito y se necesita material menos costoso. ☐

3. Es de fácil consumo y puede llegar a todos en todas partes: desde niños hasta personas de edad avanzada; hombres o mujeres; ricos o pobres; gente con estudios o analfabetos... ☐

6. Al oyente le inspira confianza, puesto que el locutor suele tratarlo de tú. Forma parte de sus vidas, les acompaña en su día a día: al levantarse, por la mañana, por la noche, al acostarse... ☐

5. Es el medio que ofrece más cultura. ☐

8. Constantemente genera imágenes mentales en el oyente, que no están limitadas ni por espacios, ni por colores ni por sonidos. ☐

7. Es el único medio compatible con otras actividades. ☐

9. Tiene un gran impacto en el público como medio de difusión o de entretenimiento. ☐

10. La información que proporciona goza de una fuerte credibilidad, mucho mayor que la de otros medios de comunicación. ☐

EN LAS ONDAS

Infórmate

LA RADIO: SU MOMENTO ACTUAL

Lee este texto sobre el momento actual de la radio y complétalo con el párrafo que falta en el lugar adecuado. Uno no corresponde a la lectura.

EL PRESENTE DE LA RADIO

El mundo de la comunicación ha sido uno de los sectores que, a lo largo de todo el s. XX, más se ha transformado. Sin duda, los avances en informática, telecomunicaciones e industria de lo audiovisual han contribuido, de manera definitiva, en la configuración de una sociedad de la información cada vez 5 más compleja y dinámica.

La tecnología no solo ha transformado la manera de distribución, sino que ha modificado la forma de «envolver» los contenidos, obligando a modificar los formatos. Y, en esto, la radio no ha sido una excepción. ....5.......... Sin embargo, con Internet se neutralizan estos inconvenientes.

10 Hoy por hoy, la tecnología digital se ciñe mayoritariamente a la trasmisión de contenidos. De hecho, casi todas las estaciones disponen de estudios completamente digitalizados y automatizados, lo que permite que los productos radiofónicos se puedan elaborar con más comodidad y rapidez. Por ejemplo, las emisoras han incorporado la tecnología denominada *Radio Data System* 15 (RDS). ....1.......... Hoy en día son muchos los receptores que disponen de este tipo de pantallas para recibir datos. Además de estas pequeñas ventajas, el RDS permite viajar oyendo el mismo programa aunque cambie la frecuencia o estar permanentemente informado de la situación del tráfico.

Sin duda, la Red ha supuesto un cambio significativo en el modo de trasmisión 20 de este medio. Sin embargo, la presencia en Internet del medio radiofónico es bastante desigual. Algunas emisoras se limitan a *colgar* en su página web solo su programación, mientras que otras cadenas, en cambio, además de posibilitar la escucha en directo de sus programas, ofrecen otros servicios adicionales, como la denominada *radio a la carta* o *chats*.

25 Pero ¿qué es *La radio a la carta*? Son archivos sonoros en los que las emisoras guardan su programación. Así, el oyente puede recuperar la emisión que no haya podido seguir en directo. Los operadores que han elegido explotar este sistema suelen poner a disposición del *internauta* una oferta «empaquetada» con las últimas ediciones de los programas que gozan de mayor audiencia 30 o bien, una selección de aquellos espacios (tertulias, entrevistas, reportajes etc...) que son considerados de interés (son los *podcast*) o simplemente las noticias más destacadas, a través del sistema RSS. ....3..........

Hasta hace bien poco, las únicas formas que tenían los radioyentes de comunicarse con los profesionales de las emisoras era a través del teléfono o por 35 correo, lo que dificultaba bastante la relación entre el medio y la audiencia. ....2.......... Entre estas opciones se encuentra el correo electrónico. La mayoría de los programas que conforman la oferta de una emisora dispone de una dirección propia, de manera que el radioyente hace llegar sus comentarios, peticiones o sugerencias.

40 Otra opción son los *chats*. Para las emisoras con presencia en Internet, el *chat* abre, como mínimo, dos posibilidades: por un lado permite que los oyentes de una emisora o de un programa puedan charlar entre sí y manifestar sus

opiniones. Por otro lado, favorece que los receptores puedan *conversar* con los locutores durante un tiempo determinado.

45 Otras formas para mantener la interacción entre el medio y el receptor son los *newsgroups*, que están organizados en blogs y que son los que facilitan el intercambio de opiniones entre los distintos usuarios.

Y por último, desde que Internet está integrada en los móviles, ya puedes llevar la radio contigo y oírla en cualquier momento, o seguirla a través de 50 redes sociales como por ejemplo, Facebook o Twitter. Este solo es el principio de adaptación de la radio a los nuevos tiempos, seguramente muchos otros cambios vendrán en el futuro a este invento de principio de los años 20.

Adaptado de http://recursos.cnice.mec.es/media/radio/

Infórmate

1. Este sistema posibilita la trasmisión de una señal digital imperceptible para el oído, y que, aprovechando el ancho de banda que ofrece la Frecuencia Modulada (FM), brinda al oyente la posibilidad de visualizar en una pequeña pantalla el nombre de la emisora que está escuchando.

2. Internet ha venido a mejorar esta situación, poniendo a disposición de los usuarios una serie de alternativas para que la interactividad sea mayor.

3. También se pueden incorporar otras propuestas del mismo tipo que son fonotecas con documentos sonoros históricos, cuentos populares, etc.

4. Nadie puede recordar que aquella incipiente y nueva forma de comunicarse entre los hombres se ha convertido, con el paso del tiempo, en una caja de sonidos que nos informa, nos entretiene, nos educa, nos acompaña en nuestros viajes, despierta nuestra imaginación o nos hace reír, llorar o cantar.

5. La radio ha tenido, tradicionalmente, una serie de características que, en algunos casos, se han convertido en limitaciones: no podía emitir imágenes; sus mensajes eran fugaces, es decir, no había posibilidad de volverlos a escuchar a no ser que se grabaran previamente; sus emisiones eran secuenciales, lo que significaba que debían escucharse en el orden en el que se programaban, etc.

Da tu opinión

- ¿Eres consumidor de radio? ¿Qué programas te interesan más?
- ¿Consideras que la radio actual es diferente que hace una década?, ¿qué te parece su evolución?
- ¿La televisión o la prensa suponen un peligro para la radio? ¿Qué ventajas e inconvenientes tiene con respecto a estas?

Interactúa

- En parejas, pensad en cosas que han evolucionado notablemente en el s. XX. Elegid la que consideráis más importante y presentad vuestras razones al resto de la clase. Ganará quien mejor argumente su elección.

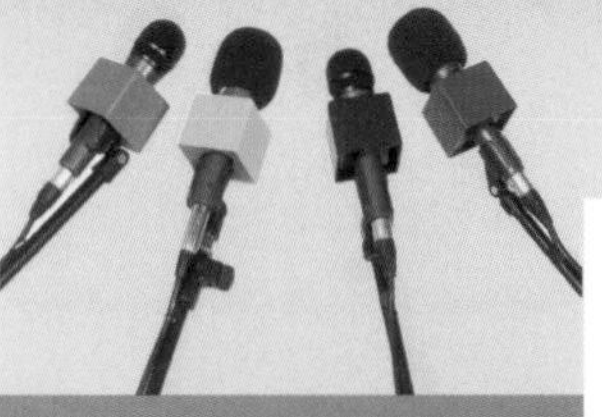

EN LAS ONDAS

PERIODISTAS EN LA RADIO

1 En el mundo de la radio hay grandes figuras como los españoles Luis del Olmo y Carlos Francino.

6 Vas a escuchar dos fragmentos de unas entrevistas que les realizaron sobre su profesión. Elige la respuesta correcta.

Luis del Olmo

1. **Considera que la radio es el medio...**
   - a. que más impacta. ☐
   - b. más elaborado. ☐
   - c. menos predecible. ☐
2. **Piensa que la conciencia medioambiental...**
   - a. va creciendo. ☐
   - b. está presente en todos los medios. ☐
   - c. es algo que los políticos no tienen en cuenta. ☐
3. **Sobre el periodismo, cree que...**
   - a. debe ser equivalente a verdad. ☐
   - b. requiere una mente inquieta para descubrir. ☐
   - c. es algo poco emocionante. ☐

Carlos Francino

1. **Para él el periodismo...**
   - a. tiene los días contados con las nuevas tecnologías. ☐
   - b. ha mejorado con los tiempos. ☐
   - c. está en un momento delicado. ☐
2. **Opina que, al entrevistar, el periodista...**
   - a. tiene que pelearse con sus entrevistados. ☐
   - b. ha de sacar lo mejor de cada entrevistado. ☐
   - c. debe estar atento a lo que le diga el entrevistado. ☐
3. **Comenta que cuando lo llamaron para la radio se negó porque...**
   - a. es un medio que da respeto. ☐
   - b. tenía miedo. ☐
   - c. prefería la televisión. ☐

2 Ahora, contesta estas preguntas.

- ¿Tienen la misma idea de lo que es la radio?
- ¿Qué papel juegan, para ellos, las nuevas tecnologías en la radio?
- ¿Qué piensan de la figura del periodista?

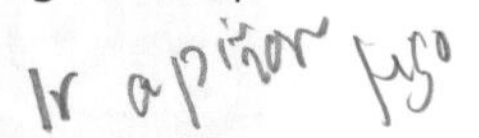

Interactúa

- ¿Qué figuras radiofónicas existen en tu país? ¿Qué las caracteriza?
- ¿Crees que un locutor es imparcial?

Crea con palabras

TÉRMINOS PARA CADA SITUACIÓN

En español, hay algunos *verbos comodín* que se corresponden con términos más precisos. Mira estos que te presentamos aquí.

1 Relaciona cada verbo con su definición. Después, sustituye el verbo *haber* por el adecuado.

Haber

1. **celebrar(se)**	a. presentar algo para que sea visto
2. **existir**	b. realizar un acto; conmemorar una fecha o acontecimiento
3. **ocurrir**	c. suceder un hecho
4. **exponer(se)**	d. ir o asistir a un lugar
5. **acudir**	e. ser real; tener vida

1. Siempre **ha habido** programas informativos.
2. **Hubo** muchos asistentes a las conferencias sobre periodismo.
3. Puedes seguir lo que **habrá** en este congreso en directo.
4. Este año **habrá** un programa especial para conmemorar el centenario.
5. En las paredes **hay** numerosas fotos de las figuras radiofónicas de la emisora.

2 Relaciona cada verbo con su definición. Después, elige qué términos usarías con cada uno.

Tener

1. **disfrutar (de)**	a. conservar algo
2. **padecer**	b. sufrir un daño, un perjuicio
3. **poseer**	c. guardar o tener en su interior otra cosa
4. **contener**	d. estar en poder de alguien
5. **experimentar**	e. gozar de un beneficio o situación favorable
6. **mantener**	f. vivir una situación o proceso nuevo

1. Una enfermedad, una pena, una situación complicada, una tortura…
2. Información, un elemento, líquido, un componente determinado, una emoción…
3. Un fármaco, un invento, una fórmula, un retroceso, un avance…
4. Un objeto, una gran fortuna, unas tierras, una casa, una finca…
5. Unas vacaciones, un viaje, una ventaja, una oferta, buena salud, la comida…
6. Unas normas, unos hábitos, el contacto, una buena relación, una conversación…

3 Relaciona cada verbo con su definición. Después, sustituye el verbo *decir* por el adecuado.

Decir

1. **manifestar**	a. dar la noticia o aviso de algo
2. **declarar**	b. explicar, relatar un hecho
3. **formular**	c. decir algo ante una autoridad o ante un público
4. **contar**	d. nombrar, recordar a alguien o algo
5. **mencionar**	e. expresar claro y preciso algo para evitar equívocos
6. **anunciar**	f. decir algo que se mantenía en secreto; darlo a conocer
7. **reconocer**	g. expresar que algo no deseado por el hablante es cierto

1. El ministro **dijo** su deseo de abandonar la política.
2. Hoy, en el programa, **hemos dicho** todo lo que ocurrió en el día del juicio.
3. En la entrevista, usted **ha dicho** tres puntos que son la clave de lo que ocurre ahora.
4. **Vamos a decirle** algunas preguntas y le pedimos que conteste con la mayor franqueza.
5. El presidente **dijo** que las acusaciones de malversación de fondos eran ciertas y dejará el cargo en…
6. «No soy culpable» **ha dicho** Julián esta mañana ante nuestros oyentes.
7. El presidente, en su comparecencia ante los medios, **ha dicho** que habrá nuevos recortes en los próximos presupuestos anuales.

EN LAS ONDAS

Así se habla

DÉJATE DE HISTORIAS

1 Hay diferentes expresiones que tienen que ver con el acto de hablar. ¿Conoces alguna de estas? Marca la opción que consideres que la explica. Después, escucha estos diálogos y comprueba si has acertado. (Audio 7)

1 **Dejarse de historias.** Se dice cuando queremos que alguien...
- a. No diga mentiras. ☐
- b. Deje de dar rodeos o excusas sobre un asunto. ☐
- c. No haga bromas. ☐

2 **Cantarle (a alguien) las cuarenta.** Se usa cuando alguien...
- a. Regaña a otro por algo que no tiene excusa posible. ☐
- b. Felicita a alguien por una acción. ☐
- c. Anima a otro a explicar algo malo que ha hecho. ☐

3 **Decir amén a todo.** Se utiliza cuando alguien...
- a. Dice que sí a todo, aunque no le guste. ☐
- b. No quiere dar su opinión sobre algo. ☐
- c. Dice que no a todo lo que le proponen. ☐

4 **Hablar largo y tendido.** Se dice cuando varias personas...
- a. Hablan detalladamente sobre algo. ☐
- b. Charlan relajadamente de algo. ☐
- c. Enseñan sus conocimientos sobre algo. ☐

5 **Hablar por boca de otro.** Se emplea cuando alguien...
- a. Imita la voz de otra persona. ☐
- b. Afirma conocer la opinión de otro. ☐
- c. Repite la opinión de otra persona. ☐

6 **Echar (a alguien) en cara.** Se usa cuando alguien...
- a. Explica cosas inconfesables. ☐
- b. Reprocha a alguien una acción. ☐
- c. Siente que tiene que comentar algo. ☐

2 En parejas, imaginad una situación en la que podríamos usar una de estas expresiones y decidla ante el resto de la clase, sin mencionar la expresión. Deberán adivinar de cuál se trata.

¡ASÍ ES!

3 En el programa de hoy un experto en radiofonía informa sobre algunos aspectos técnicos de este medio. Lee y escucha lo que dice y relaciona las expresiones marcadas con la función adecuada. (Audio 8)

1. **¿Dices que** es posible crear una ilusión de movimiento del locutor dentro de la radio?
2. **¿Pero cómo** se consiguen estos efectos?
3. **¡Así es!**
4. ¿Una obra teatral radiofónica, **dices?**
5. **Sí, sí, lo sé.**
6. **¿Sabes qué son?**
7. **No,** a mí por lo menos... **¡Ni me suenan!**
8. **¡Ponnos al día!**
9. **Ya, como ocurre** al principio de las canciones...
10. **Efectivamente.**
11. **Mejor dicho...**

A. Pedir o dar información (o que se aclare la información)

B.1. Comprobar que se comprende la información (o la conoce de antes)

B.2. Indicar que se comprende o no la información (o la conoce de antes)

C. Confirmar

D. Reformular

4 Haz lo mismo con las siguientes expresiones.

a. Entre nosotros, ¿esto implica que…
b. Perdone, ¿por casualidad sabría usted...?
c. No sé si me sigues/comprendes…
d. A ver si me aclaro: entonces dice usted que…
e. No sé si me explico/¿Me explico?…
f. (O) Dicho de otro modo/de otra manera…
g. ¿Ves por dónde voy?
h. ¿Podría hacer el favor de repetirlo?
i. A ver, para que me comprendas…
j. ¡Ah! ¡Ya caigo!/Ya lo tengo/Ya lo he pillado (coloquial)
k. ¿Te das cuenta?/¿Lo ves?
l. ¿Ves adónde quiero llegar?
m. Sí, sí, ya estamos sobre aviso, gracias…
n. ¿Cómo dice? *(a veces indicando incredulidad)*
o. A ver si lo he entendido: usted quiere decir que…
p. Sí, algo de eso he oído…
q. ¿Podría explicarlo de una manera más simple, que no lo entiendo…?
r. Para que lo entiendas, esto equivale/viene a decir que…
s. Como ya he dicho/como acabo de decir…
t. A ver si me puedes ayudar, necesitaba saber…

Así se habla

Y si la información es muy larga y te has despistado…
- Lo siento, me he perdido, ¿(qué) decías…?
- Se me ha ido el santo al cielo, ¿por dónde iba?
- Se me ha ido la olla/pinza… ¿Qué decías? (muy coloquial)

5 En parejas. Buscad información sobre un tema que os interese y exponedlo en clase. Después, simulad un diálogo usando las expresiones anteriores.

... QUÉ?

6 Observa cómo hacemos en español para pedir que nos repitan algo que no hemos entendido por completo.

1. ► El día 3 *llega Luis de Suiza*.
   ► ¿Que el día 3 **qué**?
   ► ¡**Que llega Luis de Suiza**!
2. ► *El día 3* llega Luis de Suiza
   ► ¿Que llega Luis **cuándo**?
   ► ¡**El día 3**!
3. ► El día 3 llega *Luis* de Suiza.
   ► ¿Que el día 3 llega **quién**?
   ► **Luis**
4. ► El día 3 llega Luis *de Suiza*.
   ► ¿Que el día 3 llega Luis **de dónde**?
   ► **De Suiza**

Ahora dile estas frases a tu compañero pronunciando muy rápido lo marcado. Él te pedirá que repitas lo que no ha entendido.

1. Al final, *mi hermano de 5 años* viene también al cine.
2. Estoy pensando que podíamos ir de vacaciones *al Sáhara*… a tomar el sol.
3. No sé si *comprarme este descapotable de lujo o no…*
4. Oye, acuérdate de que *esta noche* vienen a cenar Tino y Katia…
5. No sé si quedarme aquí o irme a casa de *Marcos* a dormir…
6. ¿Te crees que voy a quedarme aquí sentada viendo cómo tú *ligas con otro/a*?
7. No puedo llamarte ahora porque *me estoy pintando las uñas*.

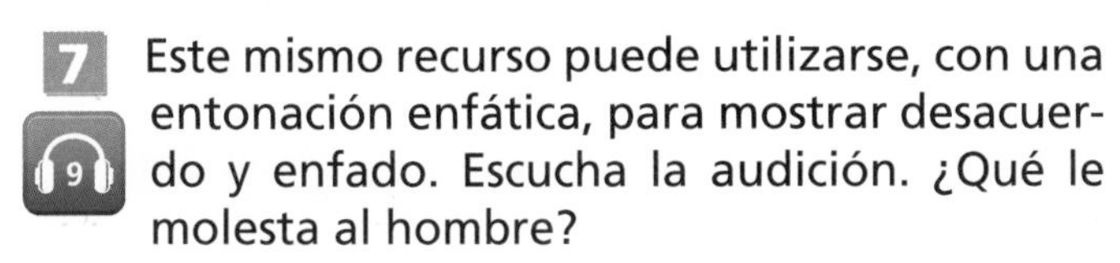

7 9 Este mismo recurso puede utilizarse, con una entonación enfática, para mostrar desacuerdo y enfado. Escucha la audición. ¿Qué le molesta al hombre?

EN LAS ONDAS

Reflexiona y practica

Perífrasis verbales

Muchas veces, para matizar el tiempo en que se realiza una acción, utilizamos las perífrasis verbales o diferentes combinaciones de verbo y adjetivo. Aquí tienes algunas.

DARLE A UNO POR + infinitivo	
▶ Expresa acción espontánea o impulsiva no habitual en esa persona.	*¡Cuando **les da por repetir** lo mismo, no hay quien los aguante!*
VENIR A + infinitivo	
▶ Con verbos de lengua indica aproximación o suposición.	***Nos vino a decir que** la libertad de expresión está limitada por los intereses políticos.*
LLEVAR /PASARSE SIN + infinitivo + periodo de tiempo	
▶ Indica un periodo durante el que no se ha realizado algo. Con *llevar* indica acción no terminada.	*Se pasó/llevaba **sin utilizar la voz un mes entero por afonía…***
IR + gerundio	
▶ Expresa desarrollo progresivo o gradual de una acción.	*El hombre **fue relatando** la historia con gran lujo de detalles.*
EMPEZAR/TERMINAR + gerundio	
▶ Indica el primer y último paso de una acción.	*El locutor **empezó comentando** el partido y **terminó dando** los resultados.*
ANDAR + gerundio	
▶ Enfatiza la duración de una acción. Es como *estar + gerundio.*	***Anduvimos buscando** noticias originales, pero no fue fácil.*
ANDAR + adjetivo	
▶ Enfatiza la duración de un estado. Es como *estar + adjetivo.*	*Cuando nos dijeron que la emisora podía cerrar, **anduvimos preocupados.***
TENER + participio	
▶ Indica acción acabada realizada más de una vez de forma insistente. Es como el *pret. perf. compuesto o pluscuamperfecto.*	*Le **tengo dicho** que las bromas son muy pesadas, pero sigue gastándolas.*
TENER (a alguien) + adjetivo	
▶ Destaca el estado de alguien por las consecuencias de una acción. Es como *estar + adjetivo.*	***Me tenía muy preocupada** con sus comentarios por la radio.*
DEJAR (a alguien) + adjetivo	
▶ Indica resultado de una acción destacando un hecho a través de las consecuencias que provoca.	*El programa sobre el tráfico de armas **me dejó desmoralizado**.*
QUEDAR(se) + adjetivo	
▶ Indica resultado de una acción destacando el estado final como consecuencia de un suceso.	*Al oír la noticia **me quedé desconcertado**.*
DAR POR + participio	
▶ Marca o enfatiza que la acción se considera acabada.	*Con un hasta luego, el presentador **dio por terminada** la charla.*
LLEVAR + participio	
▶ Indica el resultado de una serie de acciones acabadas. Es como el *pret. perfecto compuesto o pret. pluscuamperfecto de indicativo.*	***Llevábamos emitidos** varios programas cuando la audiencia bajó.*

EN LAS ONDAS

Reflexiona y practica

1 Lee el siguiente texto y sustituye las expresiones marcadas por una de las perífrasis anteriores.

«Después de hablar con Pol, **me apeteció hacer** el trabajo sobre la radio. El profesor nos había dicho que escribiéramos unas tres mil palabras, que **son más o menos** cinco páginas... Yo **ya había hecho** varios trabajos sobre el periodismo, pero ninguno sobre la radio, así que para mí era un reto.

Para hacer el trabajo **estuve escuchando** varios programas de radio hasta que di con uno que me gustó. **Al principio escuché** las noticias que daban varias veces, y algunas **me resultaron muy sorprendentes**. Aun así, **estuve** un tiempo **sin hacer** nada, porque no sabía cómo empezar. Luego, **poco a poco me hice** una idea de lo que necesitaba destacar en mi análisis. **Estuve** unos días nervioso porque cuando **había redactado** ya la mitad, me trabé y no sabía cómo seguir, pero al final, la comparación entre el lenguaje radiofónico y el de la prensa salió bien.

Al final, escribí unas conclusiones y la verdad es que **terminé muy satisfecho** con los resultados. **Consideré** el trabajo **acabado**, ¡y hasta saqué buena nota!».

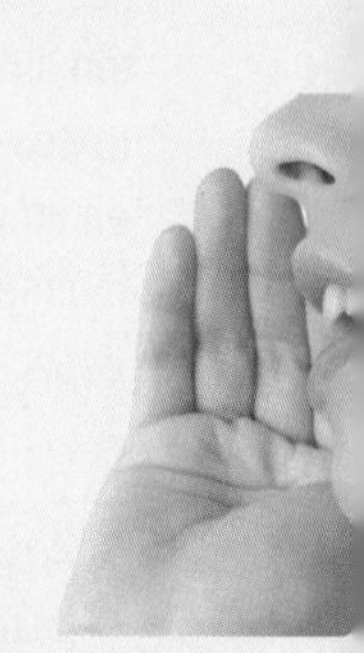

Verbos de habla

2 Hay una serie de verbos relacionados con el acto de hablar que pueden usarse en indicativo o en subjuntivo.

anunciar • avisar • decir • decidir • determinar • expresar • gritar • insinuar • insistir en • mencionar • opinar • repetir • sostener • sugerir • recordar

Indicativo	Subjuntivo
Cuando hacemos una declaración, una explicación de un hecho. *Nos repitió, una y otra vez, que la situación era grave.*	Cuando queremos influir en la conducta de una persona. *Nos repitió, de malos modos, que lo dejáramos en paz.*

Lee las frases y elige el verbo en el tiempo adecuado.

1. Sugirió que .... nuestras cosas y que .... lo más rápido posible.
   a. tomáramos/salimos b. tomamos/saliéramos c. tomáramos/saliéramos
2. Gritó que la situación .... insostenible y que no lo .... más.
   a. fuera/soportara b. sea/soportaba c. era/soportaría
3. Han determinado que la causa de la muerte .... la asfixia.
   a. fuera b. sería c. fue
4. Expresó con la mirada que .... en él, que no me ....
   a. confiemos/defrauda b. confiáramos/defraudaría c. confiaba/defraude
5. Sostengo que .... a la calle ahora, que .... mucho que conseguir.
   a. saldremos/tenemos b. salgamos/tengamos c. salgamos/tenemos
6. He decidido que unas vacaciones ahora no .... buena opción y que mejor las .... para otro momento.
   a. sean/dejemos b. son/dejamos c. serán/dejáramos

3 Continúa las frases con una declaración o una intención.

1. Recuérdales que .... (D)
2. Cuando puedas, recuérdales que .... (I)
3. Ayer, todo el tiempo le repetía que .... (D)
4. Siempre le repetía que .... (I)

TALLER DE ESCRITURA

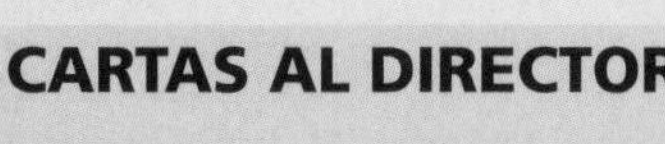

CARTAS AL DIRECTOR

Es un texto de carácter periodístico, en el que los lectores comentan o dan su opinión sobre los textos o los temas que aparecen en un periódico o revista. Normalmente se reserva una sección específica del periódico para ello.

Son de extensión muy variable, pero será más fácilmente publicada si no es muy larga.

En la carta se pueden incluir anécdotas personales y toques de humor e ironía, pero debe buscarse la veracidad.

Puede usar las fórmulas y la estructura de las cartas formales: introducción, presentación del redactor y exposición del motivo de la carta; cuerpo, se da información con más detalle, propuesta de soluciones o demandas y, finalmente, despedida.

1 Aquí tienes un modelo de carta al director. Completa los huecos con una de las opciones propuestas abajo y después, ordénalo.

◯ Pues bien, desde hace unas semanas, empezaron a elevarse por encima de este *skyline* unas altas grúas que hacían presagiar que, tras ellas, ... la construcción de un edificio: la Torre Pelli. Así empezó a despuntar el monstruo que se .... gestando, y a mostrarse unos encofrados que acabarán dejando plantada una gigantesca figura de cuarenta y tres plantas, que desbancará por estatura a la hasta ahora dueña de los cielos de Sevilla, y afeará .... siempre la vista de la que tanto turistas como sevillanos disfrutábamos.

◯ Sr. Director:

◯ Atentamente,

◯ Con esto, la ciudad de Sevilla perderá la mejor referencia visual de su identidad, la Giralda, que .... empequeñecerá y ya no llamará la atención cuando se baje por la Cuesta del Caracol o por tantos otros paseos característicos. Será entonces cuando solo veremos la estaca que va a quedar clavada, si nadie lo ...., en el costado de Triana. Desde aquí, me gustaría pedir una mayor concienciación de la gente sobre este tema. Nuestras ciudades históricas son un legado del pasado que debemos respetar y preservar. Los cambios en el tiempo son necesarios pero deben hacerse de una manera coherente, sin estropear la belleza de nuestros lugares.

◯ En primer lugar me gustaría expresarle mi agradecimiento por la presencia de esta sección en su revista, ... –dicho sea de paso– soy fiel lectora. Me llamo Amelia Chamorro y le escribo porque quería denunciar la total falta de respeto del trazado urbanístico a la conservación de la ciudad histórica y al arte.

◯ Vivo en un ático de Sevilla y desde la ventana puedo ver la bella panorámica de esta ciudad: la magnífica silueta de la Giralda, los tejados de las casas y los caseríos de las afueras, las lomas de Camas que asoman recortando el horizonte…

1. vino - vendría - viniera	4. la - le - se
2. había - empezaba - iba	5. remedia - protesta - promueve
3. por - hasta - desde	6. de la cual - de que - en la que

2 Elige un tema de actualidad y escribe una carta al director. Puedes denunciar una situación o mostrarte de acuerdo con la misma. Aquí te proponemos algunos:

- ▶ La poca difusión que tiene la radio como medio.
- ▶ La venta en el mercado de productos nocivos para la salud y el medio ambiente.
- ▶ El poco respeto de las grandes empresas hacia el pequeño comerciante.

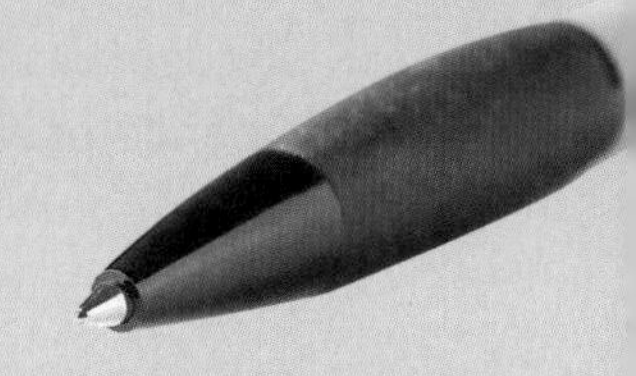

PROGRAMA DE RADIO

Actúa: Intervienes en un programa de radio

Vamos a dividir la clase en dos grupos para simular dos programas de radio.

- Deberéis hablar un mínimo de 7 minutos cada uno.
- Trabajad conjuntamente en la elección de un estilo de programa.
- Tratad temas que os interesen y sobre los que podáis obtener información fácilmente.

Algunas propuestas:

Si estáis viviendo en un país de habla hispana, un programa para dicho país en el que contéis vuestras experiencias viviendo en él como extranjeros.

Una simulación autobiográfica de un viaje en el tiempo, imaginando que sois un grupo de jóvenes que venís de la Edad Media y describís lo que veis.

Un programa de música con información sobre festivales y conciertos al que la gente llame para hablar sobre distintos tipos de música.

Un programa de historias o anécdotas curiosas, asombrosas, divertidas... anécdotas de vuestra infancia, de vuestros viajes, cosas que os han contado...

Si sois valientes, un programa comentando los resultados de encuestas que haréis en la calle sobre temas actuales.

Un programa con pequeñas entrevistas a personajes actuales, ficticios (de un libro, una película) o reales.

Un programa informativo con las noticias del día. Podéis partir de un periódico o podéis añadir noticias inventadas sobre vuestros compañeros...

Un programa con pequeñas entrevistas a personajes metafóricos: *el amor, la amistad, España, un canario, una iglesia, un cepillo de dientes, el mar...*

Un programa de opinión donde se denuncien situaciones que no os gustan o se hable de temas de actualidad.

Una vez elegido el tema...

- Buscad la información que necesitéis, haced las entrevistas, etc.
- Preparad un guion de lo que vais a decir. Es fundamental seleccionar bien la información pues el tiempo es limitado. El guion es la base de un buen programa de radio. ¡Sed creativos!
- Organizad el orden de intervenciones para que haya una buena coordinación.
- Practicad jugando con el tono y el volumen de vuestra voz...
- Exponedlo ante la clase. Después vuestros compañeros os comentarán sus opiniones.

Consejos

- Es mejor cambiar de locutor cada 3 minutos para dar dinamismo, interrumpir los monólogos largos con anécdotas, música, publicidad...
- La clave de un buen programa, además del guion, es el juego que se hace con la palabra, la música, el ruido de fondo y el silencio. Todos son fundamentales y aportan significados... Se puede poner música de fondo con el cambio de los interlocutores, etc.
- El oyente no puede volver atrás si «se le escapa» algo. Repetid las ideas y no deis demasiada información seguida.

REFUERZA Y CONSOLIDA EL LÉXICO

Vocabulario

La radio

1 Señala qué palabra no está relacionada con un receptor de radio.

- ☐ aguja
- ☐ dial
- ☐ altavoz
- ☐ emisora
- ☐ antena
- ☐ mando a distancia
- ☐ auriculares
- ☐ pantalla
- ☐ cargador
- ☐ pila

2 Completa el siguiente diálogo con la palabra o expresión adecuada en la forma correcta.

1. cuña publicitaria
2. índice de audiencia
3. escuchar la radio a todo volumen
4. franja horaria
5. estar enganchado (a un programa)
6. locutor
7. récord de audiencia
8. sintonizar esta emisora

► Oye, Luis, ¿no te parece que estás ....? La oigo desde mi cuarto.

▻ Calla, calla, que no oigo y no quiero perderme ni una palabra de lo que dicen en este programa. .... ¡No me pierdo ni uno! Fíjate si es bueno, que en los dos últimos meses ha tenido .... y es que es el mejor en esta .... Ya puedes buscar en el dial, que no encontrarás nada tan divertido.

► Ya, pero tú no eres muy imparcial. ¿Desde cuándo llevas ....? Desde que vivo contigo oigo siempre las mismas .... de esa marca de chocolate que patrocina este programa.

▻ Es que esta emisora es la mejor. Da igual lo que escuches: la retransmisión de un partido de fútbol o la retransmisión en diferido de la gala de unos premios de cine... Siempre estás muy informado y te entretienen un montón... yo siempre me río con estos .... Por algo será que siempre consiguen en esta emisora los mejores ....

La noticia

3 Relaciona cada palabra con su definición y después piensa un momento en el que podrías oírlas.

1. aviso
2. comunicado
3. declaración
4. parte (informativo/meteorológico/médico...)
5. primicia

Ej: *Un aviso podría darse ante la amenaza de un temporal, aconsejando a los ciudadanos quedarse en sus casas.*

a. Nota que se lee para conocimiento público.
b. Anuncio o advertencia de algo que va a ocurrir que se notifica a los oyentes.
c. Noticia que se da a conocer por primera vez.
d. Noticia(s) breve(s) que informa(n) en pocos minutos sobre un determinado tema.
e. Manifestación de alguien ante determinadas preguntas.

4 ¿Con qué adjetivos relacionarías estas palabras?

a. comunicación
b. crítica
c. noticia
d. rumor

1. impactante/bomba/de última hora/alarmante...
2. alarmante/infundado/falso/insistente...
3. feroz/implacable/constructiva/positiva...
4. fluida/continua/efectiva/digital...

REFUERZA Y CONSOLIDA EL LÉXICO

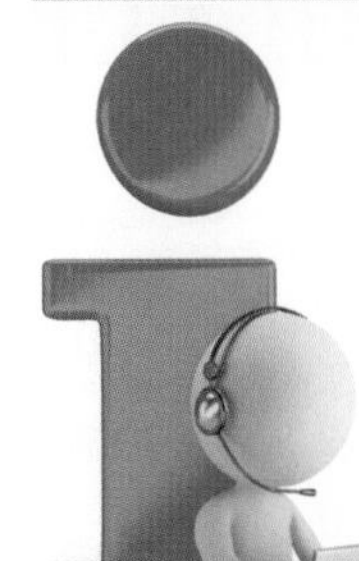

5 Define con tus propias palabras las siguientes expresiones.

1. Acallar un rumor/la noticia.
2. Correr un rumor/la noticia.
3. Desmentir un rumor/la noticia.
4. Hacer oídos sordos a un rumor/una noticia.
5. Hacerse eco de un rumor/una noticia.
6. Rumorearse (una información/noticia).
7. Ser un bulo.
8. Ser una habladuría.
9. Una información/noticia fidedigna.
10. Una información/noticia de primera mano.

El verbo *decir*

6 Coloca estos sinónimos de *decir* en el lugar adecuado.

- dejar caer
- exponer
- intervenir
- manifestar
- precisar
- recalcar

a. En la reunión todos .... su opinión sin que hubiera presión por nuestra parte.
b. Una vez .... los motivos por los que lo hizo, es el momento de que nos paremos a pensar en las consecuencias de sus actos.
c. ¿Puedes .... un poco más de lo que hablaremos hoy?
d. Me gustaría .... una vez más, y para que quede absolutamente claro, que no vamos a consentir ningún tipo de violencia.
e. Mientras estábamos hablando en la entrevista ...., como quien no quiere la cosa, que no pensaba seguir en el equipo el próximo año. Fue un bombazo.
f. Una vez hechas las presentaciones de los contertulios, les voy a pedir que .... de la forma más educada posible, respetando los turnos.

7 Observa las expresiones marcadas en cada frase. ¿Qué matiz crees que aportan?

1. Afirma que se comparte la idea.
2. Confirma lo expresado por otro.
3. Explica un hecho.
4. Muestra extrañeza ante lo dicho.
5. Matiza que algo se da por sabido.
6. Muestra rechazo ante la petición de otro.

▶ Y Roberto… ¿qué hace ahí?
▷ Aunque no es el director es *como si dijéramos/como quien dice/por así decir* el que manda allí.

▶ Marcela dice, *y dice bien*, que la situación está cambiando. Es más, yo podría aportar más pruebas, si fuera necesario.
▷ Pues estaremos encantados de que se las presentes a nuestros radioyentes.

▶ Oye, Marcial, prepara el parte meteorológico de esta tarde, que yo tengo que salir ahora.
▷ Sí, hombre, voy a hacerlo *porque tú lo digas*. No tenía otra cosa en la cabeza que hacer tu trabajo.

▶ No nos queda otra solución. Hay que ir a la huelga y esta noche no emitimos.
▷ Vale, pero… *ni que decir tiene* que estas acciones traerán consecuencias para todos nosotros.

▶ Pablo, mi vecino, es jugador de baloncesto de la Liga ACB.
▷ Dices que es deportista profesional, pues *cualquiera lo diría/quién lo diría*.

▶ Valentín es un impresentable. ¿Has visto lo que ha hecho hoy?
▷ *Y que lo digas*, impresentable del todo.

Tema 4

L MUNDO DE LA CIENCIA

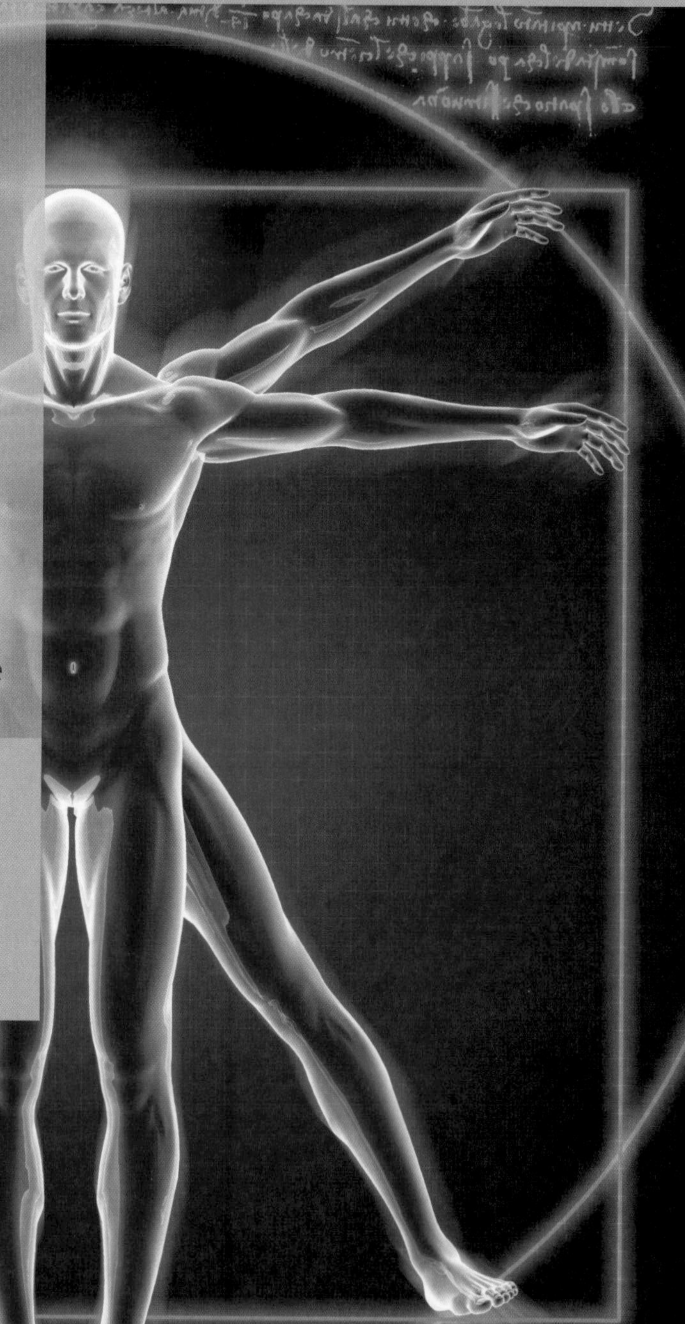

«La ciencia, a pesar de sus progresos increíbles, no puede ni podrá nunca explicarlo todo. Cada vez ganará nuevas zonas a lo que hoy parece inexplicable. Pero las rayas fronterizas del saber, por muy lejos que se eleven, tendrán siempre delante un infinito mundo de misterio».

Gregorio Marañón (médico y escritor)

Los inventos son objetos, técnicas o procesos que poseen características novedosas o transformadoras.

Aquí tienes algunos de origen hispano. Relaciona cada uno con su descripción.

Alfombrilla de ratón
Armando M. Fernández (México)

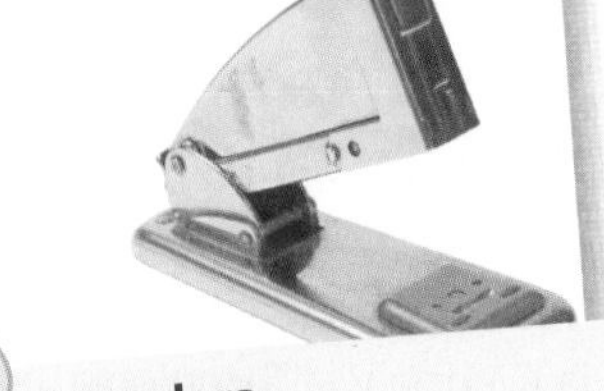

Grapadora
Juan Solozábal y Juan Olive (España)

Bastón de ciegos
José M. Fallótico (Argentina)

1. Se usa para captar las microscópicas gotas de agua de la neblina que el viento impulsa hasta las redes. Este agua se condensa, cae y se recoge en un recipiente. Se usa en regiones desérticas con presencia de niebla, como el desierto del Néguev (Israel) o el de Atacama (Chile).

Fregona
Manuel Jalón Corominas (España)

2. Está fabricado con fibras sintéticas y guía los pasos de la persona al hacerle notar sobre qué tipo de superficie está caminando. El contacto del puntero con el suelo remite unas vibraciones, que son más intensas cuanto más dura es la superficie sobre la que se encuentra.

3. En su origen, consistía en un palo en cuya parte inferior había un penacho de tiras de algodón (la mopa) que se escurrían en un cubo con unos rodillos accionados por un pedal. En 1965 empezó a fabricarse en plástico y con la apariencia que a todos nos es familiar.

Sistema Dactiloscópico
Juan Vucetich (Argentina)

Atrapanieblas
Carlos Espinoza (Chile)

4. Este método de clasificación fue impulsado por la cantidad de crímenes sin resolver de la policía argentina. Las investigaciones de su inventor establecieron que, en las figuras dactilares, hay cuatro formas fundamentales que se repiten: arco, presilla interna, presilla externa y verticilo, denominaciones de uso mundial.

5. Se comercializó en 1979, gracias a Xerox. La acumulación de partículas en la bola-rodadora causaba que el puntero fuera inexacto e impreciso. Con este invento se le otorgó al ratón la precisión y velocidad de respuesta que no tenía y evitó las marcas sobre las mesas de trabajo.

6. En 1920 se fundó la sociedad El Casco, cuya actividad era la producción de revólveres. La crisis económica mundial (1929) les obligó a reconvertirse y a mediados de los 30, sus fundadores lanzaron al mercado este invento diseñado por ellos mismos. Se convirtió en el modelo más utilizado en la oficina a mediados del siglo xx.

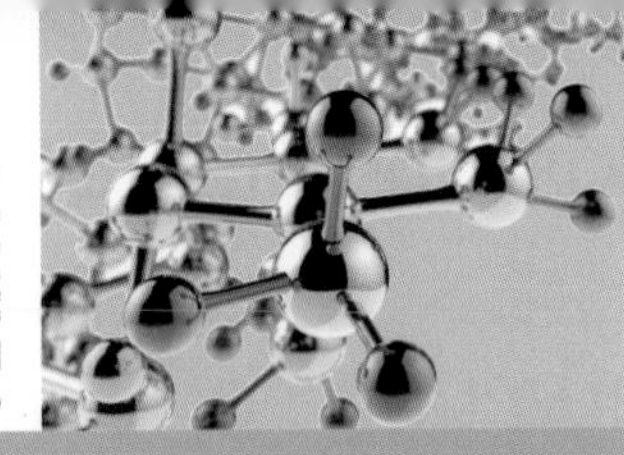

EL MUNDO DE LA CIENCIA

Infórmate

EL LEONARDO ESPAÑOL

1 Lee la biografía de este gran inventor español y complétala con una de las opciones propuestas.

TORRES QUEVEDO, EL LEONARDO ESPAÑOL

Leonardo Torres Quevedo (Cantabria 1852 – Madrid 1936) ocupa un lugar de excepción en la historia universal de la Ciencia y la Tecnología.

Tras acabar sus estudios como ingeniero, trabajó unos meses en el **1.** .... ferroviario, pero gracias a la herencia recibida de unas tías, se dedicó a viajar e instruirse por Europa (especialmente Francia y Suiza). En 1901, ya instalado en Madrid, puso en **2.** .... un laboratorio de mecánica aplicada, que se llamaría más tarde de automática.

Este ingeniero fue, sobre todo, inventor. Su primer invento fue el **transbordador** para el transporte de personas y lo construyó en su pueblo natal, Molledo, en 1887: *el transbordador de Portolín*, de unos 200 metros de longitud y con **3.** .... animal. Poco después mejoró la técnica y construyó el *transbordador de río León*, un poco más largo y **4.** .... motor. Patentó ese mismo año, con el nombre de aerotransbordador o Aerocar un nuevo sistema de camino funicular aéreo de cables dobles. La estabilidad del sistema permitía que la **5.** .... de uno de los cables no fuera peligrosa. Así pues, el primer teleférico de la historia lo construyó Torres Quevedo en San Sebastián, en 1907.

El transbordador donostiarra le dio tanta **6.** .... que pronto le llamaron de otros lugares del mundo y así hizo el de Chamonix (Francia) o el de Río de Janeiro (Brasil), entre otros. Aunque el que más fama le ha dado es el que construyó sobre las cataratas del Niágara. El funicular, de 580 metros de longitud, realizado por una empresa española, la Niágara Spanish Aerocar Co. Limited, todavía funciona.

En 1902 presentó una nueva patente que mejoró las prestaciones del **globo dirigible** permitiendo a este mayor estabilidad y el empleo de motores pesados, **7.** .... hacía posible una mayor carga. En 1905 construyó, junto al ingeniero militar Alfredo Kindelán, el España, primer dirigible nacional, registrando la patente. Torres Quevedo **8.** .... perfeccionó en 1909 y se lo ofreció a la firma francesa Astra. Dos años más tarde empezó la **9.** .... en serie del dirigible Astra-Torres y en la Primera Guerra Mundial (1914-1918) el artefacto fue muy usado por los ejércitos aliados.

También se interesó por las máquinas de calcular buscando la traslación física de ecuaciones matemáticas. Realizó varios estudios brillantes sobre máquinas algébricas, una especie de **calculadoras analógicas**. **10.** .... varios estudios sobre la materia, desarrolló varias calculadoras.

Siguiendo con su interés en la automática, en 1912, inventó el primer **autómata ajedrecista**. Ya habían existido antes otras máquinas jugadoras de ajedrez, pero la de Torres Quevedo es la primera real, presentada en la feria de París, en 1914. Se jugaba solo con 3 piezas y un sistema de imanes. El autómata jugaba con blancas con el rey y una torre y respondía con precisión **11.** .... cualquier movimiento del rey negro.

El invento más universal de Torres Quevedo es, junto al funicular, el ***telekino***, el primer aparato de telecontrol de la historia, **12.** .... inmediato del mando a distancia. Durante sus investigaciones con el dirigible, **13.** .... un artefacto que permitiera pilotarlo a distancia para evitar el riesgo de accidentes de los pilotos. Es un aparato de radio dirección sin cables que ejecuta órdenes a distancia mediante ondas hertzianas. Fue presentado en la Academia de Ciencias de París en 1903. El primer experimento se realizó el 7 de noviembre de 1905 en Bilbao, desde la terraza del club marítimo. Casi un año después, el 6 de septiembre de 1906, y desde

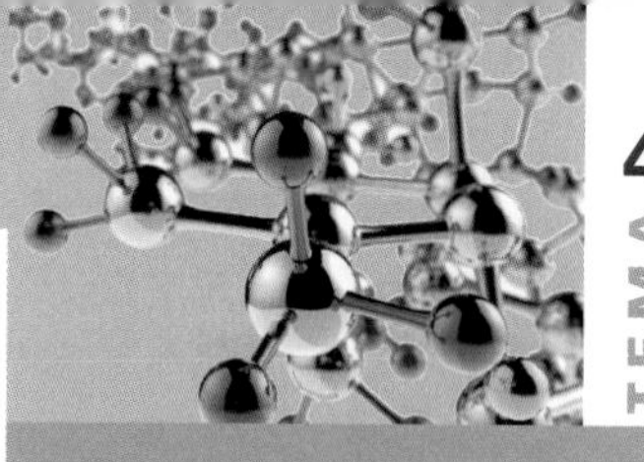

Infórmate

el mismo lugar, hizo otra demostración del *telekino* maniobrando la barcaza Vizcaya. Esta segunda ex-
45 hibición fue todo un acontecimiento, con la ciudad **14.** .... y la presencia del rey Alfonso XIII y de otras autoridades.

Más tarde intentó aplicar *el telekino* a dirigibles y torpedos pero el proyecto no acabó **15.** ....
50 cuajar por dificultades de financiación, pero, sobre todo, por problemas técnicos. Como no existía ningún tipo de cifrado, nada impedía que el enemigo, con otro *telekino*, redirigiera tus propios torpedos.

El *telekino* fue reconocido por el Institute of Electrical
55 and Electronics Engineers (IEEE) en el año 2006 como «Hito de la Historia de la Ingeniería».

Hombre interesado en la pedagogía, también patentó otros inventos menores, como mejoras en las máquinas de escribir, así como también la creación de un **puntero proyectable**, antecedente del puntero láser.

Adaptado de www.miguelgarciavega.com

	a.	b.	c.
1.	a. mundo	b. sector	c. grupo
2.	a. camino	b. función	c. marcha
3.	a. tracción	b. tiro	c. esfuerzo
4.	a. por	b. en	c. a
5.	a. rotura	b. rota	c. brecha
6.	a. renombre	b. celebridad	c. aprobación
7.	a. esto	b. por eso	c. lo que
8.	a. se	b. le	c. lo
9.	a. explotación	b. fabricación	c. manufactura
10.	a. Después	b. Tras	c. Luego
11.	a. a	b. en	c. por
12.	a. fundador	b. adelantado	c. precursor
13.	a. pensó	b. percibió	c. concibió
14.	a. dedicada	b. volcada	c. situada
15.	a. de	b. por	c. sin

2 Contesta las preguntas.

1. ¿Qué le permitió dedicarse a sus investigaciones?
2. ¿Qué diferenciaba sus últimos transbordadores de los primeros?
3. ¿Qué caracterizaba a su autómata ajedrecista?
4. ¿En qué consistía la innovación del *telekino*?
5. ¿Cuáles de sus inventos se pueden considerar antecesores de los actuales?

Interactúa

- ¿Qué crees que caracteriza a un inventor? ¿Qué necesita tener para poder crear y patentar algo?
- ¿Qué invento, aún inexistente, crees que sería necesario para la humanidad?
- Conviértete en inventor y créalo junto a tu compañero. Después, explica cómo funcionaría.

Da tu opinión

- ¿Cuál de estos inventos te parece más importante?, ¿por qué?
- ¿Conoces algún invento de tu país? Explica su utilidad.

EL MUNDO DE LA CIENCIA

Para saber más

FÍSICA CUÁNTICA

1 Vas a escuchar una conferencia sobre física cuántica y las líneas de investigación actuales. Elige una de estas opciones y completa las notas.

- nanotubos
- paulatinamente
- razones
- modificarla
- metamateriales
- exponencialmente
- la estructura del ADN
- campos magnéticos
- posibilidad de comprender
- capacidad de manipular
- diminutos
- fábricas
- domésticos
- reconocerla
- despensas

1. La tasa de progreso tecnológico actual está creciendo .... cada año.
2. La física cuántica ha permitido grandes descubrimientos como los satélites de comunicaciones, Internet, el láser o ....
3. Lo que hace que podamos transformar la realidad es la .... el comportamiento de las partículas a nivel subatómico.
4. Un superconductor es un material capaz de impulsar/inducir .... que contrarrestan la gravedad.
5. Hasta el momento, se ha logrado crear un material que, en el futuro, podría hacer que la luz pase a través de la materia sin ....
6. La idea de construir un ascensor espacial es, hoy en día, posible gracias al descubrimiento de los ....
7. La nanotecnología pretende crear robots .... para realizar tareas específicas.
8. En el futuro, es posible que la gente tenga en casa sus propias .... de alimentos, ropa y objetos.

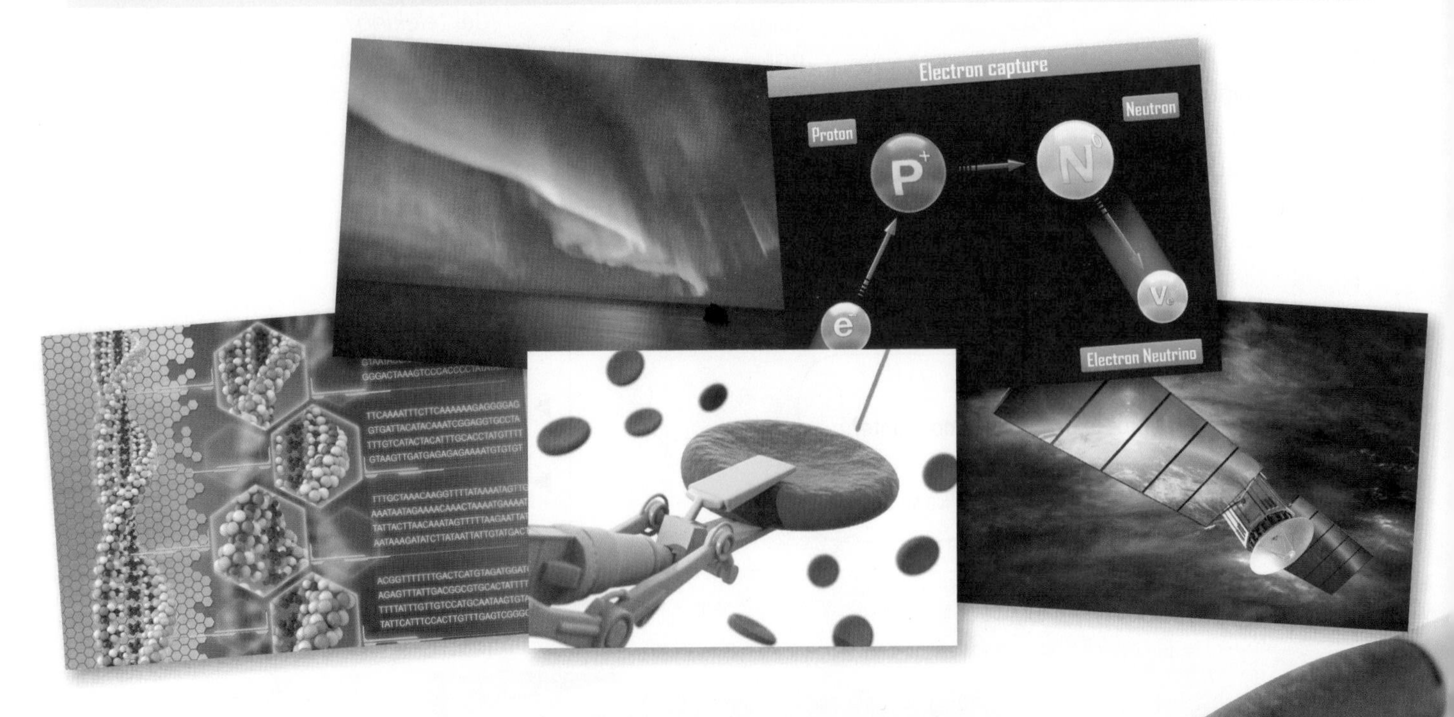

2 Basándote en lo que has escuchado, redacta una breve argumentación exponiendo tu punto de vista, a favor o en contra, sobre los avances científicos. No olvides poner ejemplos para justificarla.

EL MUNDO DE LA CIENCIA

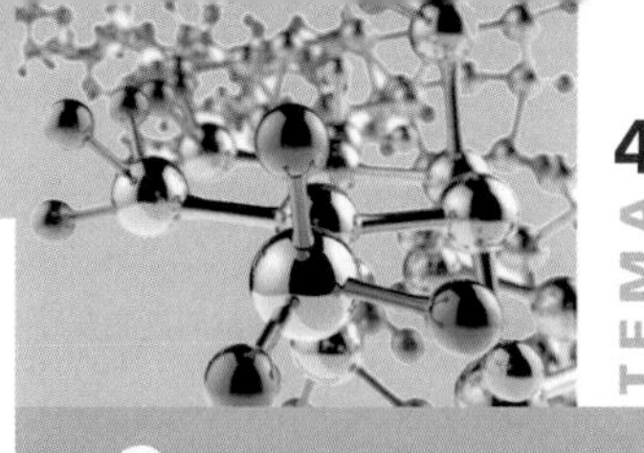

INVENTORES

1 Para ser inventor se deben seguir algunos pasos. Completa el texto con las palabras del recuadro.

¿Quieres ser inventor?

Pues bien, lo primero es pensar en una cosa que tenga alguna utilidad, porque si no, se va a convertir en un trasto que nadie va a querer. Y eso es algo que no deseamos.

Una vez hecho esto, debemos .... sobre cómo va a funcionar y luego, habrá que .... Eso nos ayudará a que el experimento tenga un buen principio. A partir de ahí, entra en juego nuestra inventiva para que no sea un cacharro y funcione como nosotros queremos.

Para .... inicial, tendremos que hacer un .... de todos los detalles de nuestras pruebas, pues si no lo hacemos así, fácilmente nos .... y eso será fatal para nuestro chisme. Por tanto .... todas las veces necesarias que nuestro artilugio funciona.

Es necesario un .... para que nadie pueda .... el fin para el que lo hemos creado. Y una vez hecho esto, solo nos queda .... nuestro artefacto y cruzar los dedos para que tenga éxito.

Crea con palabras

1. Análisis exhaustivo
2. Buscar un principio sólido o fundamentado
3. Comprobar/demostrar científicamente
4. Corroborar el planteamiento
5. Echar por tierra la teoría
6. Patentar
7. Plantear una hipótesis
8. Poner en duda
9. Procedimiento analítico

En el texto aparecen cinco términos para referirse a una *cosa o máquina*, ¿cuáles son?

CIENCIA

2 Los siguientes términos se usan al hablar de ciencia. Clasifícalos en las distintas disciplinas.

1. agujero negro
2. cartílago
3. despejar una incógnita
4. fusión
5. glóbulos rojos/blancos
6. lanzamiento espacial
7. nebulosa
8. restar
9. anillo planetario
10. cromosoma
11. efectuar un cálculo
12. electricidad estática
13. hacer la media
14. materia inflamable
15. número par/impar
16. sumar
17. astronave
18. destilación
19. gen
20. glándula
21. licuación
22. materia oscura
23. pipeta
24. tejido

astronomía	biología	física y química	matemáticas

Interactúa

- ▶ Con tu compañero completa cada apartado con tres palabras más.
- ▶ ¿En cuál de estas ciencias eres mejor? ¿Cuál te interesa más?

3 Relaciona estos verbos que utilizamos para hablar de ciencia con algunos sustantivos que suelen acompañarlos.

1. alcanzar
2. acarrear/desencadenar
3. barajar
4. desarrollar
5. desempeñar

a. un tema, un proyecto, una idea, un producto, un plan de trabajo...
b. las posibilidades, las opciones, una hipótesis, las cartas...
c. unas consecuencias, una catástrofe, inconvenientes, dificultades...
d. unos objetivos, un sueño, un acuerdo, el éxito, la gloria...
e. un cargo, una función, un puesto, un trabajo, un papel...

1. formular
2. extraer
3. llegar a
4. llevar a cabo
5. establecer

a. unas pautas, unas normas, unos parámetros, unos principios...
b. un acuerdo, una conclusión, una meta, la cima...
c. una hipótesis, un deseo, un diagnóstico, una pregunta, un problema...
d. conclusiones
e. una acción, un experimento, un trabajo, una misión, un ensayo...

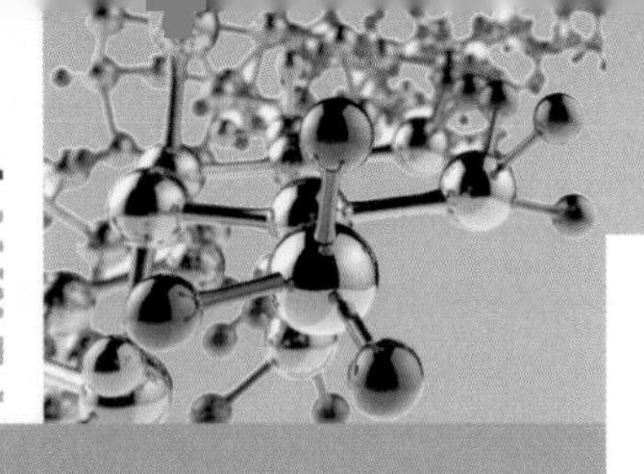

EL MUNDO DE LA CIENCIA

Así se habla

ÉXITO CIENTÍFICO

1 Cuando un científico pone en práctica una teoría, tiene que intentarlo muchas veces. Fíjate en las expresiones que se usan para indicar...

Éxito

- **Dar en el clavo**
  Al final di en el clavo y encontré la fórmula.
- **Llegar y besar el santo**
  Pues llegó y besó el santo, porque llevaban años estudiándolo y nada. Y él, en dos días, lo consiguió.
- **Salir de chiripa**
  No me preguntes cómo lo he hecho, no lo sé. Me ha salido de chiripa.

Insistencia

- **Mantenerse en sus trece**
  Yo me mantengo en mis trece, os digo que es necesario añadir sulfato.
- **Erre que erre**
  Y él, erre que erre con su teoría.
- **Hacer algo a toda costa**
  Si de verdad vale la pena hacer algo, hay que hacerlo a toda costa.

Fracaso

- **No dar (ni) una**
  Todo le sale mal al pobre, no da una.
- **Ni a la de tres**
  Este aparato no funciona ni a la de tres.
- **¡No hay tu tía!**
  Yo venga a probarlo y ¡no hay tu tía!; nunca sale.

2 Lee y relaciona las siguientes frases con las expresiones anteriores adecuadas.

1. Es muy importante para los niños disponer de un buen laboratorio escolar. Hay que conseguir uno como sea.
2. Era la primera vez que lo hacía y puso los números al azar. ¡Pero acertó!
3. Da igual que demuestres que está equivocado. Él no cambia de opinión nunca.
4. ¡Estoy harta! He probado todas las combinaciones y no consigo dar con la fórmula.
5. No sé qué me pasa hoy. Haga lo que haga siempre meto la pata.

3 🎧 11 Para conseguir un éxito científico es necesario hacer muchos cálculos. Escucha estos diálogos y deduce su significado.

1 Ajustar las cuentas (a alguien)
a. Calcular los gasto de algo. ☐
b. Vengar o castigar una mala acción hecha a alguien. ☐

2 Caer en la cuenta
a. Llegar a una deducción por uno mismo. ☐
b. Comprender tras una detallada explicación. ☐

3 Rendir cuentas
a. Explicar una situación a alguien que tiene derecho a saberla. ☐
b. Entregar una factura por una compra. ☐

4 Echar cuentas
a. Dejar de pagar algo. ☐
b. Calcular el coste de algo. ☐

5 Perder la cuenta
a. Pedir explicaciones a alguien. ☐
b. Una situación se repite tanto que no se recuerda cuántas veces ha ocurrido. ☐

6 Traer/salir (a alguien) a cuenta
a. Ser provechoso, beneficioso. ☐
b. Llevar las cuentas de alguien. ☐

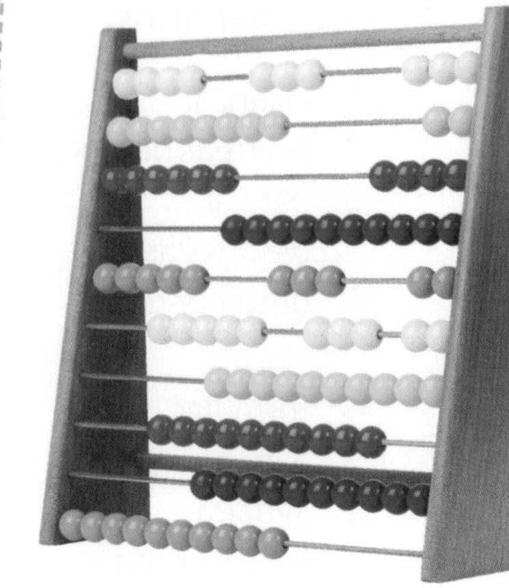

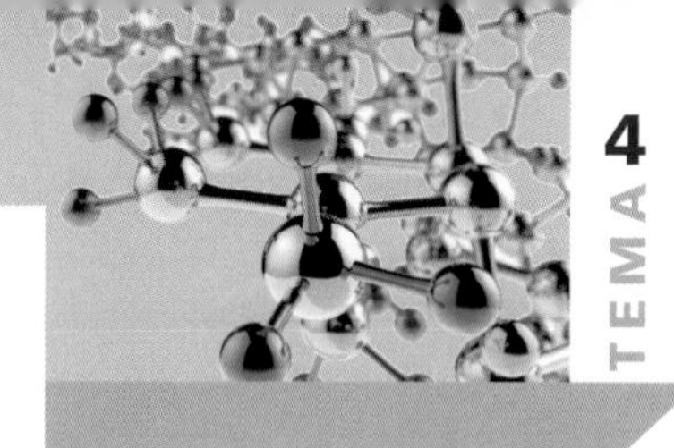

CON TODA SEGURIDAD

4 Seguramente conoces expresiones para mostrar probabilidad o certeza como *a lo mejor, quizá, es posible que...* Aquí te presentamos otras. Marca las que conoces.

Expresar certeza

- Con toda seguridad, + *ind.*
- Estoy convencido de que + *ind.*
- No me cabe la menor duda de que + *ind.*
- No creo que pueda haber ninguna duda de que + *ind.*
- Sé a ciencia cierta que + *ind.*
- Pongo la mano en el fuego.
- ¡Ya verás como tengo razón!
- Va a ocurrir esto, como que me llamo...

Expresar improbabilidad y duda

- Tengo mis serias dudas al respecto.
- Es (muy) dudoso que + *subj.*
- No es fácil que + *subj.*
- La verdad, me sorprendería bastante que + *subj.*
- No parece (muy/nada) probable que + *subj.*
- ¡Quién sabe!/¡Vete tú a saber!
- No estoy del todo convencido.
- No las tengo todas conmigo.
- No me atrevería a afirmarlo.
- No pondría la mano en el fuego.

Expresar posibilidad...

- (Bien) pudiera/podría ser que + *subj.*
- Todo hace presumir/parece indicar que + *ind.*
- Todo esto entra dentro de lo posible.
- Esto entra dentro de nuestros cálculos.
- Hay perspectivas de que + *subj.*
- El día menos pensado... *(enfático).*
- ¡Cualquier día...! *(enfático).*
- No podemos excluir la posibilidad de que + *subj.*

Expresar imposibilidad...

- Esto resulta imposible de creer.
- Es del todo imposible que + *subj.*
- No existe ni la más remota posibilidad de que + *subj.*
- Creo que deberíamos descartar la posibilidad de que + *subj.*

5 **Ahora lee estas anotaciones sobre diferentes líneas de investigación y usa las expresiones anteriores para indicar cuáles te parecen ciertas, probables, posibles y cuáles no.**

La robótica está ya empezando a diseñar máquinas que trabajen por nosotros. En el futuro, el turno laboral será más corto y tendremos mucho tiempo libre... Y los trabajos más desagradables los realizarán los robots...

El reactor nuclear experimental internacional que se está haciendo en Francia permitirá el uso del magma para obtener de él energía barata, limpia e inagotable con la que se podrían sustituir los combustibles fósiles, controlar el calentamiento global, y cubrir todas las necesidades del planeta...

Con la mejora de los viajes espaciales, podremos extraer recursos de otros planetas para utilizarlos en la Tierra.

Ya es posible teletransportar átomos de luz de un prisma a otro, y de hecho se está haciendo. ¿Pero podremos en el futuro llegar al teletransporte de seres vivos?

Se teme que las nanomáquinas puedan diseñarse para tomar moléculas del entorno y reproducirse. Serían inteligentes y autónomas y podrían «escaparse de nuestras manos».

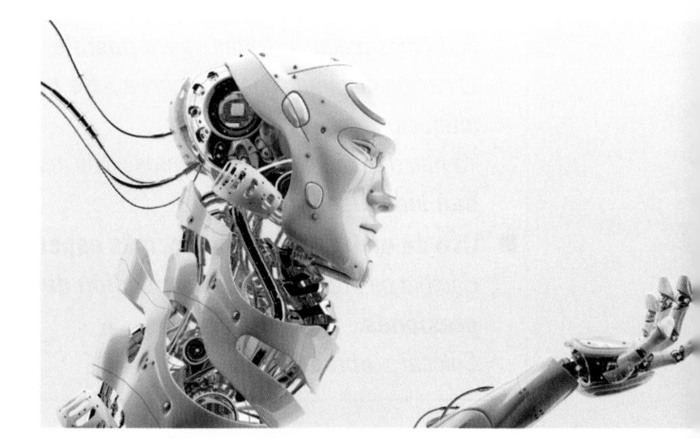

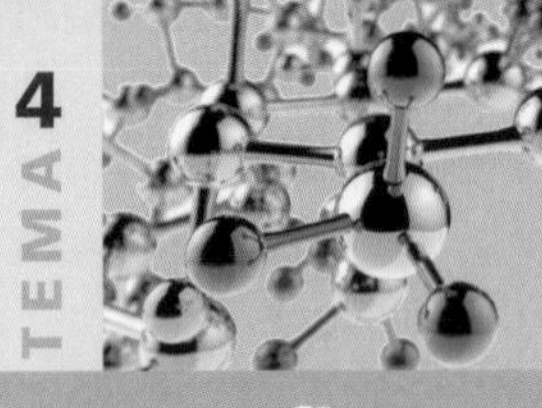

EL MUNDO DE LA CIENCIA

Reflexiona y practica

Textos formales: sus características

1 Aquí tienes dos versiones de un texto de carácter científico. Una es formal y la otra informal. ¿Cuál es cuál? Justifica tu respuesta.

(1)

A. Pronto será posible la predicción de sismos desde el espacio. Cierto tiempo previo a un movimiento sísmico, tiene lugar una redistribución de las presiones del interior del planeta, y especialmente cerca de la superficie. Como resultado, en estas últimas aparece un exceso de cargas y se produce una alteración en el campo geoeléctrico, –fenómeno conocido como efecto baroeléctrico–.

B. Pronto podremos predecir movimientos de tierra desde el espacio. Cuando va a haber un terremoto, las presiones dentro de nuestro planeta cambian, y más aún las que están bajo la superficie. Por eso esta se carga demasiado y cambia el campo geoeléctrico, lo que llaman efecto baroeléctrico.

(2)

A. Entonces, para predecir terremotos solo tenemos que colocar los puntos de observación necesarios y controlar desde allí los campos electromagnéticos de la Tierra. ¡Eso sí!, es caro y difícil, pero podemos conseguirlo de forma indirecta observando cómo cambia la polarización de la luz solar en el planeta. Date cuenta de que la polarización cambia allí donde crece la intensidad del campo eléctrico, y si colocamos en satélites meteorológicos instrumentos adecuados, podremos detectarlo. Y ya han diseñado estos instrumentos. Yo creo que es genial para el futuro.

B. Según lo expuesto, para la predicción de terremotos es suficiente ubicar cierta cantidad de puntos de observación desde los cuales controlar los campos electromagnéticos de la Tierra. Por ahora, esto es técnicamente difícil por su elevado coste y las dificultades que conlleva; no obstante se podría lograr de forma indirecta mediante la observación de los cambios en la polarización de la luz solar reflejada en la superficie de la Tierra. El hecho de que siempre cambie la polarización en aquellas áreas donde aumenta la intensidad del campo eléctrico, hace que estos cambios se puedan detectar fácilmente con el instrumental adecuado, ubicado en satélites meteorológicos. El necesario equipamiento ya ha sido diseñado. Indudablemente, esto supondrá un gran adelanto.

2 Los textos formales se caracterizan por los siguientes aspectos. Intenta localizarlos en el texto que has marcado como formal.

Características de los textos formales

- **Uso de construcciones impersonales y de la pasiva**
  Podremos predecir > pronto ***será posible*** *la predicción.*
  El campo electromagnético cambia > ***Se produce*** *una alteración en el campo…*
  Ya han diseñado los instrumentos > Los instrumentos ya ***han sido diseñados.***
- **Uso de un lenguaje técnico, más específico**
  Cambio de presiones > ***redistribución de las presiones.***
  Colocar > ***ubicar.***
- **Uso de adverbios que matizan la información**
  Especialmente *cerca de la superficie.*
  Indudablemente *esto supone un gran adelanto.*
  Esencialmente *es lo mismo.*
  Comparativamente *es mejor que antes.*
- **Uso de organizadores propios del discurso formal**
  Como resultado/no obstante/asimismo…
  De la misma manera/en cambio/dado/a/os/as
  Allí > ***en aquellas áreas donde…***

Reflexiona y practica

3 Busca ahora ejemplos que confirmen la siguiente información y márcalos.

Uso del sustantivo en el registro formal

- Hay preferencia por el uso de estructuras sustantivadas:
  - *Pronto podremos prevenir terremotos > Pronto será posible* ***la prevención de terremotos.***
  - *Es un tema complicado > Es un tema* ***que presenta complicaciones.***
  - *El reiki puede complementar algunas terapias > El reiki puede* ***servir de complemento a*** *algunas terapias.*
  - *La terapia se aplica a pacientes en coma y da buen resultado >* ***La aplicación de la terapia*** *a pacientes en coma da buen resultado.*
- El uso del nombre conlleva otra serie de cambios:
  - A veces se **sustantiva un verbo** *(prevenir > prevención);* o **un adjetivo** *(complicado > complicaciones).*
  - Se necesita **añadir otro verbo**: *ser* (con o sin adjetivos): *podremos > será posible, presentar: presenta complicaciones, dificultades, etc.; servir: sirve de complemento, ayuda, refuerzo, etc.*
  - Si se sustantiva un verbo, **el complemento del nombre requiere el uso de una preposición**, normalmente *de: La prevención de riesgos laborales...*
- Se prefiere ***por*** **+ nombre** en lugar de *porque*: *porque es muy hermoso > por su gran hermosura;* **durante** a *mientras*: *mientras se investiga > durante la investigación; y* ***para*** **+ nombre** a *para* + verbo: *para obtener recursos valiosos > para la obtención de recursos valiosos.*
- A menudo se pone el **adjetivo delante del sustantivo**: *por su enorme labor investigadora, para la notable mejora del medio.*
- Si el verbo está en infinitivo y se desconoce el derivado de él, se opta por añadir **el hecho de (+ subj.)**: *Poseer un don > El hecho de poseer/El hecho de que se posea/ La posesión de un don.*

4 Completa la tabla para ver la sustantivación de adjetivos y verbos.

verbos	sustantivos	adj./participios
alterar		
		acordado/a
aplicar		
costar		
detectar		
		desarrollado/a
	la posesión	
		propuesto/a
	la redistribución	
		reducido/a
requerir		

5 Ahora expresa de un modo más formal estas ideas.

1. Para **trabajar** más cómodamente, procederé a **proponer un plan**.
2. **No se usan mucho** los paneles solares de silicio **porque cuestan bastante dinero**.
3. **Mientras es candidato al premio**, no puede **informar** sobre el proyecto.
4. Ahora **vamos a leer** este artículo científico porque en él **se descubre algo importante**.
5. Es necesario **invertir** en investigación porque esta **ayuda a desarrollar** nuestro mundo.
6. **Acordar** cómo repartirse el trabajo **va a ser muy difícil**.
7. **Mientras se propaga el fuego**, es urgente que los bomberos **actúen con rapidez**.

TALLER DE ESCRITURA

ARTÍCULOS CIENTÍFICOS

Este tipo de artículos son informes que describen los resultados de una investigación de carácter científico. Contienen y/o se basan en tablas de estadísticas elaboradas con los resultados de la investigación.

Según los siguientes datos, redacta un informe sobre la emigración y la inmigración en España. Añade los detalles que consideres necesarios.

a. Número de inmigrantes en España

	Europa			Asia		
	Total	**Varón**	**Mujer**	**Total**	**Varón**	**Mujer**
A	2 309 315	1 213 841	1 095 474	356 569	202 341	154 228
B	3 055	973	2 082	8 928	3 974	4 954

	África			América		
	Total	**Varón**	**Mujer**	**Total**	**Varón**	**Mujer**
A	1 116 604	693 994	422 610	1 509 223	666 901	842 322
B	3 807	2 223	1 584	35 729	15 179	20 550

Leyenda para la tabla: A. Total de inmigrantes con tarjeta de residencia en vigor. B. De estos, los que están en España con visado de estudio. NOTA: N.º de inmigrantes de Oceanía: 1 869; hombres: 1 047; mujeres: 822. *Datos extraídos de la Secretaría General de Inmigración y Emigración del Gobierno de España.

b. Número de emigrantes españoles en el extranjero

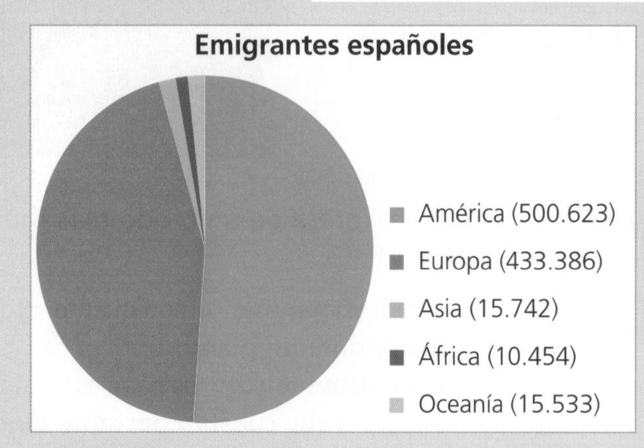

Países de origen del mayor número de inmigrantes, en orden:

- De Europa: Rumanía, Reino Unido, Italia, Bulgaria y Alemania (todos de la UE).
- De América: Ecuador, Colombia, Bolivia y Perú.
- De África: Marruecos, Argelia y Senegal.
- De Asia: China, Pakistán, Filipinas e India.
- De Oceanía: Australia.

Países de destino del mayor número de emigrantes, en orden:

- De Europa: Francia, Alemania, Suiza, Reino Unido e Italia.
- De América: Argentina, Venezuela, México, Brasil y EE. UU.
- De África: Marruecos, Sudáfrica y Guinea Ecuatorial.
- De Asia: China, Filipinas, Israel y Japón.
- De Oceanía: Australia.

Reflexión para tu informe:

- Explica cómo se ha obtenido la información de las tablas.
- ¿De qué continentes y países viene el mayor número de inmigrantes? ¿Por qué crees que es así? ¿Son los mismos a los que van el mayor número de emigrantes españoles? Y si no, ¿por qué?
- ¿Emigran más los hombres o las mujeres?, ¿por qué?
- ¿Recoge esto la realidad de los movimientos migratorios?
- Explica las principales causas de la emigración.

TALLER DE COMUNICACIÓN

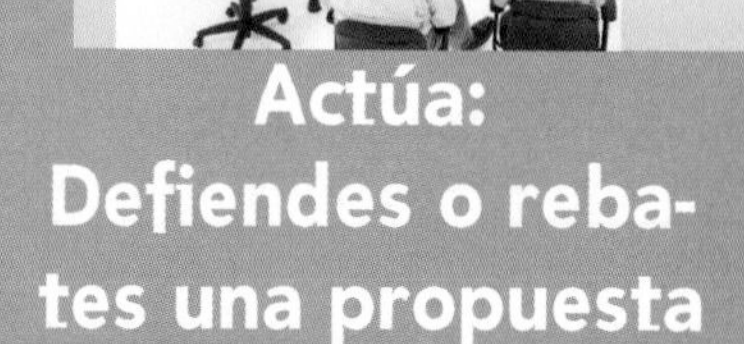

NOTICIAS DE PRENSA

Imagina que lees estas noticias en la prensa. ¿Qué implicaciones sociales tendrían? ¿Cómo reaccionaría la gente? ¿Se cambiarían los libros de texto en las escuelas? ¿Cambiaría la política internacional? ¿Se salvarían mejor las diferencias entre los países? ¿Sería un cambio positivo para el hombre? ¿Se podría volver atrás?

1

¡La Tierra está viva!

Los científicos han descubierto que debajo de la corteza terrestre la materia presenta conexiones unidas a su núcleo que podrían considerarse similares a las de nuestro sistema nervioso. ¡Podría ser que los antiguos tuvieran razón y que el Sol, y los demás astros, incluido el nuestro, sean verdaderamente seres vivos con conciencia sobre sí mismos! La Tierra, Gaya, sería, según esto, un ser de una gran evolución capaz de crear todas las manifestaciones de vida que conocemos, incluyendo la nuestra: ¡una verdadera madre que nos lo da todo de manera absolutamente desinteresada!

2

¡No estamos solos!

Los gobiernos de los países más poderosos del mundo han hecho una declaración histórica: existe la vida extraterrestre inteligente, y ya se ha establecido un contacto directo con ellos. Estos seres, procedentes de una civilización mucho más avanzada en tecnología que la nuestra, afirman que el origen del hombre está en las estrellas, y que nuestro ADN tiene mezcla de su propio ADN. Llevan siglos observándonos sin intención de intervenir en nuestra evolución pero ahora afirman que estamos ya preparados para el contacto, y se manifiestan dispuestos a comunicarse abiertamente con nosotros...

Actúa: Defiendes o rebates una propuesta

Teniendo en cuenta estos textos, en grupos de tres, suponed que estáis en estas situaciones:

EXPOSICIÓN SOBRE UN TEMA

Los científicos descubridores de esta novedad os piden que hagáis un manifiesto para dar a conocer este hito y concienciar a los humanos de que debemos tratar mejor a la Tierra. En grupos, pensad en cosas que dañan a este cuerpo terrestre y cómo llegar a la conciencia de todos para que esto cambie. Después exponedlo en clase.

DEFENDER UNA PROPUESTA

Se acerca el día del contacto y los extraterrestres han decidido que solo se reunirán con tres personas que hayan aportado algo a la humanidad. Dividid la clase en grupos. Cada miembro del grupo elegirá uno de los inventos que aparecen en este tema u otro invento destacado de la historia. Defended por qué tenéis que ser vosotros los que acudáis al primer encuentro y no otro inventor, con todos los argumentos necesarios.

REBATIR UNA PROPUESTA

Cuál de los siguientes obsequios sería el más adecuado para dar a los participantes en un congreso científico celebrado en España según las condiciones que te indicamos. Tu compañero tendrá que rebatir tu propuesta.

- 300 participantes
- diferentes especialidades
- 50 países diferentes

Sesión spa

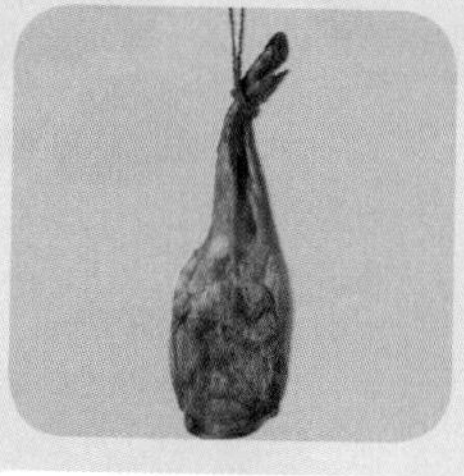
Jamón ibérico

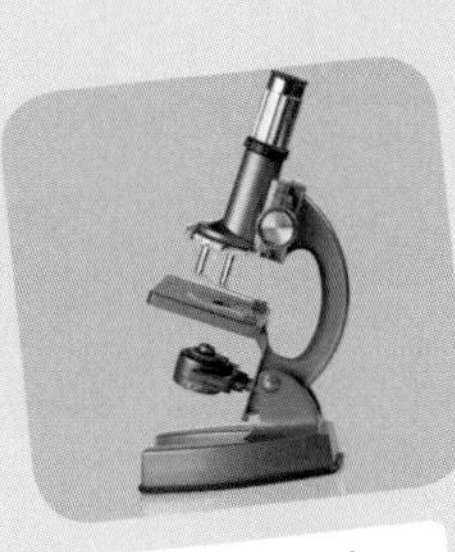
Microscopio

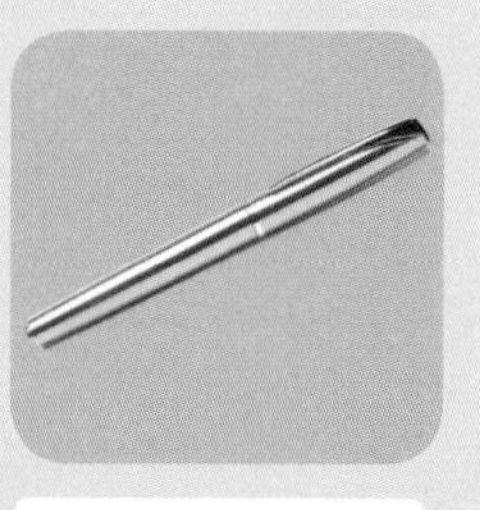
Bolígrafo de plata

Tablet

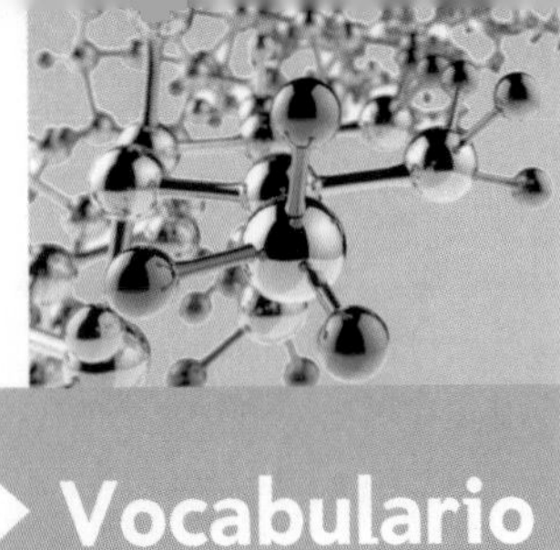

REFUERZA Y CONSOLIDA EL LÉXICO

Vocabulario

Disciplinas

1 ¿Puedes enlazar estas ciencias con sus ramas o disciplinas?

a. Biología
b. Geografía
c. Geología

1. Climatología
2. Botánica
3. Geografía urbana
4. Ecología
5. Espeleología
6. Genética
7. Hidrografía
8. Mineralogía
9. Vulcanología
10. Zoología

2 Clasifica los siguientes términos con la disciplina en la que se utilizan.

1. ácido sulfúrico
2. ADN
3. amoniaco
4. anhídrido carbónico
5. bacteria
6. biodiversidad
7. clorofila
8. cloroformo
9. combustión
10. cristalización
11. depresión
12. destilación
13. ecosistema
14. elemento
15. erosión
16. estuario
17. falla
18. fiordo
19. fotosíntesis
20. fundición
21. geoda
22. lava
23. licuación
24. magma
25. macizo
26. marisma
27. mutación
28. placa tectónica
29. refracción
30. sedimento

Física y Química	Geología y Geografía	Biología

3 Relaciona cada flecha con el término correspondiente.

1. fusión
2. evaporación
3. solidificación
4. condensación

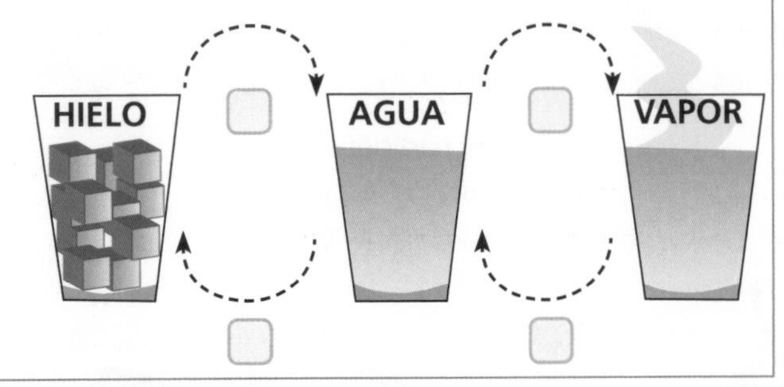

4 Elige de entre todas las palabras el nombre adecuado para cada mineral o cristal.

1. jade
2. rubí
3. cuarzo
4. amatista
5. plomo
6. esmeralda
7. turquesa
8. zafiro
9. mercurio

REFUERZA Y CONSOLIDA EL LÉXICO

Vocabulario

Matemáticas

5 Indica qué se está haciendo en cada operación.

a. **Calcular el porcentaje/tanto por ciento** de…
b. **Despejar la incógnita** de una ecuación.
c. Dividir: diez **dividido por** cinco **son** dos.
d. **Hacer la media**
e. Multiplicar: cuatro **por** tres **son** doce.
f. **Resolver una raíz cuadrada**.
g. Restar: cinco **menos** cuatro **es igual a** uno.
h. Sumar: dos **más** tres **es igual a** cinco.

4 x 3 = 12

10 : 5 = 2

El 70 % de 10 es 7

2 + 3 = 5

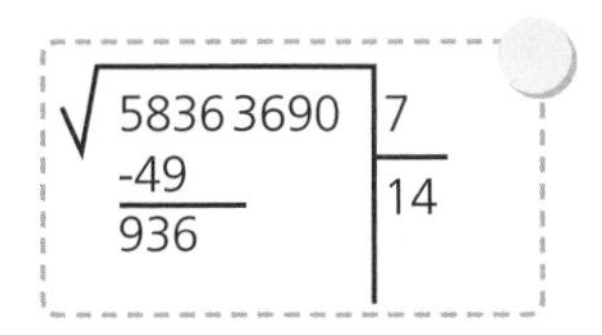

x + 1 = 2 + 3
Por tanto, x = 2 + 3 - 1

5 - 4 = 1

En una oficina trabajan 20 personas de estas edades: 5 de 25 años; 3 de 37 años; 1 de 38 años; 2 de 43 años; 9 de 50 años.
5 x 25 = 125; 3 x 37 = 111; 1 x 38 = 38; 2 x 43 = 86; 9 x 5 = 450
125 + 111 + 38 + 86 + 450 = 810 años
810 : 20 = 40,5 años

6 ¿Qué es…? Da un ejemplo de cada uno.

1. una cifra
2. una fracción
3. un número cardinal/ordinal
4. un número entero/decimal
5. un número par/impar
6. un número primo
7. un número romano
8. un dígito
9. una unidad, decena, centena

Astronomía y Física

7 Completa las siguientes frases con una palabra del cuadro.

1. Una ley de Newton establece que la Fuerza = ………… x Aceleración. (F= m x a)
2. La Tierra y los ………… del sistema solar giran sobre sí mismos (movimiento de …………) y alrededor del Sol (movimiento de …………).
3. Los astrofísicos postulan que si uno pudiera entrar en un ………… y salir de él, viajaríamos en el tiempo.
4. La física ………… estudia el comportamiento de la ………… a nivel del átomo, y distingue entre el comportamiento de la materia como ………… o como onda.
5. Los días de la semana deben su nombre a los ………… conocidos en la época del Imperio Romano, a saber, la Luna, …………, Mercurio, Júpiter, ………… y, aunque en español se han cambiado, Saturno y el Sol.
6. La fuerza puede ser ………… o centrípeta. La electricidad, estática o dinámica.
7. A través de los ………… astronómicos, se han podido estudiar fenómenos muy interesantes, como el comportamiento de las ………… o la explosión de las supernovas.
8. Orión es una ………… de la Vía Láctea.
9. Saturno, Urano y Neptuno tienen ………… planetarios hechos de ………… y gases.
10. Ahora ya sabemos que la materia de un átomo (protones, neutrones y electrones) es ínfima en relación al ………….

- vacío
- partícula
- agujero negro
- masa
- rotación
- cuántica
- Marte
- asteroides
- planetas
- observatorios
- materia
- astros
- centrífuga
- nebulosas
- anillos
- traslación
- constelación
- Venus

Tema 5

SON COMO FIERAS

- **Infórmate**
  - Diseños naturales. La biónica
- **Para saber más**
  - El Oceanográfico de Valencia
- **Crea con palabras**
  - Los animales y su anatomía
- **Así se habla**
  - Expresiones relacionadas con animales
  - Fórmulas para presentaciones formales
- **Reflexiona y practica**
  - Conectores para un registro formal
- **Taller de escritura**
  - El informe científico
- **Taller de comunicación**
  - Actúa: Haces una presentación en público
- **Refuerza y consolida el léxico**

«Si un ser sufre, no puede existir justificación moral para no tomar ese sufrimiento en consideración. No importa la naturaleza del ser, el principio de igualdad requiere que su sufrimiento se considere igual al sufrimiento de otro ser... Llegará el día en el que los animales adquirirán los derechos que jamás se le podrían haber negado a no ser por obra de la tiranía».

Adaptado Jeremy Bentham (filósofo)

Lee y completa el texto sobre estas especies animales. Para ello relaciona cada animal con el número adecuado.

Lobo

Cabra

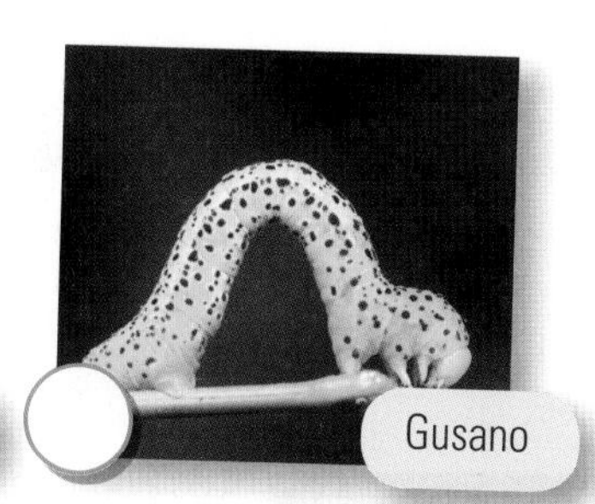
Gusano

Ganso

ESPECIES ANIMALES

Los animales se pueden clasificar de diferentes maneras.

- Según lo que comen podrían ser **herbívoros**, si solo ingieren plantas, como la (1) ...., **carnívoros** si solo comen carne, como el (2) .... u **omnívoros**, si se alimentan de carne y plantas, como el (3) ....
- Según cómo se reproducen, si lo hacen mediante huevos, son **ovíparos**, como la (4) .... y si lo hacen a través del vientre de la madre y son amamantados son **vivíparos**, como el (5) ....
- Según su estructura, pueden ser **vertebrados**, si tienen una columna vertebral, como el oso, o **invertebrados**, si no tienen un esqueleto interno, como el (6) ....

Los vertebrados, a su vez, se dividien en **mamíferos** terrestres, como el elefante, o marinos, como el delfín; en **aves** que tienen alas, como el (7) ....; en **reptiles** con sus escamas, como la (8) ....; en **anfibios** que tienen sangre fría y viven cerca del agua, como el (9) ....; y los **peces**, que respiran por branquias, como el tiburón.
Los invertebrados también se subdividen en categorías: **equinodermos**, recubiertos de púas, como el (10) ....; **moluscos**, que suelen tener conchas que recubren su cuerpo blando, como el mejillón, aunque no siempre, como por ejemplo el (11) .... También están los **insectos**, que pueden tener antenas, como la (12) .... o alas, como la mosca; los **crustáceos**, con su caparazón y sus diez patas, como el cangrejo; o los **arácnidos** con sus ocho patas y aguijón, venenoso muchas veces, como el escorpión.

Cerdo

Pulpo

Gallina

Sapo

Hormiga

Ratón

Víbora

Erizo

SON COMO FIERAS

Infórmate

DISEÑOS NATURALES

Lee este texto sobre algunas características curiosas sobre los animales. Después, elige la opción adecuada.

CUANDO LOS ANIMALES TIENEN EL *COPYRIGHT*

El hombre ha intentado siempre imitar a la naturaleza, ya que frecuentemente representa soluciones óptimas a muchos problemas (por ejemplo, las celdas hexagonales de las abejas son así porque recubren el panal con un mínimo gasto de cera). Antiguamente, muchos diseños de la naturaleza no se podían copiar, porque los seres vivos usan materiales de los que no disponemos o porque sus fuentes de energía son más eficientes que las nuestras (por ello fracasó el intento de volar como 5 los pájaros).

Tela de araña

Los humanos hemos optado por los metales como base de muchas de nuestras estructuras que necesitan resistencia y rigidez, pero los organismos optan por materiales compuestos, construidos a escala nanométrica (por ejemplo, la tela de araña, formada por proteínas, es más 10 fuerte que el acero). La reciente y efervescente disciplina de la nanotecnología (ciencia aplicada al control y manipulación de la materia a nivel de átomos y moléculas o nanomateriales) está ya capacitada para construir algunos de estos materiales complejos, dotados de propiedades fantásticas.

15 Los moluscos pueden enseñarnos mucho en este sentido. Por ejemplo, la oreja de mar, un caracol marino que come algas en sustratos rocosos, posee una concha nacarada muy fuerte, que está construida en un 95 % de losetas de carbonato cálcico y en un 5 % de una proteína adhesiva. La estructura altamente ordenada creada por el molusco es la 20 más dura disposición de losetas teóricamente posible y se está estudiando copiar su diseño para armaduras antibalas. La proteína adhesiva es suficientemente fuerte como para mantener juntas las distintas capas, pero lo bastante débil como para permitir que estas se deslicen, absorbiendo la energía de un golpe fuerte. Estos animales rellenan rápida25 mente las fisuras que se forman en sus conchas debido a los impactos.

Oreja de mar

Una manera de reducir el impacto ambiental podría ser el uso de piel de tiburón en los aviones. Los científicos constataron que estos peces nadan más rápido de lo que les permitiría la forma de su cuerpo y su fuerza impulsora. La clave a la esto se encuentra en unas líneas longitu30 dinales muy delgadas en la piel del pez que canalizan la corriente en la capa de contacto, reduciendo la resistencia por fricción.

Tiburón

La empresa americana 3M desarrolló *Riblet*, una película delgada provista de un fino perfil aserruchado similar al de los tiburones, con la que se cubrieron diversas partes de un avión de pasajeros. Durante un 35 año se efectuaron ensayos, verificando que reducía la resistencia por fricción de un 6 % a un 8 %. De manera que se podría lograr un ahorro importante de combustible en un avión de larga distancia provisto de esta piel de tiburón.

La industria de los adhesivos está viviendo una auténtica revolución gra40 cias a los mejillones. Un mejillón resiste el duro embate del oleaje bien aferrado a su roca por medio de unos delgados filamentos que acaban en unas pequeñas placas adhesivas. Los materiales que usan están inspirando una nueva generación de pegamentos con un abanico enorme de aplicaciones potenciales. A un mejillón le lleva solo cinco minutos 45 fabricar la placa adhesiva, y usa unas 20 o más placas de este tipo para anclarse. En una noche puede quedar perfectamente estabilizado. La formación de la sustancia adherente utilizada por el mejillón requiere hierro, un metal que nunca anteriormen-

Mejillón

te se había encontrado en una función biológica semejante. Los bioadhesivos están casi todos basados en proteínas. Su aspecto inicial, antes de secarse, es el de una gelatina. Cuando se añade hierro, las proteínas se conectan entre sí y el material se endurece. Pueden así pegarse a casi cualquier superficie, incluido el teflón, la sustancia que hace que no se adhieran los alimentos a las sartenes.

Tucán

Otro artista en aunar fuerza y ligereza es el tucán, cuyo pico a la vez largo y grueso llamó la atención de los científicos ya que está optimizado en un grado asombroso para lograr alta resistencia y muy bajo peso. El secreto es un biocompuesto inusual. El interior del pico está formado por una «espuma» rígida, hecha de fibras óseas y membranas como las de un tambor, intercaladas entre las capas exteriores de queratina, la proteína que forma las uñas, el pelo y los cuernos. El biocompuesto del ave podría inspirar el diseño de aeronaves ultraligeras y de componentes para los vehículos, a partir de espumas sintéticas hechas con metales y polímeros.

Adaptado de http://mundobiologia.portalmundos.com

1. **Animales y humanos...**
   a. hemos buscado lo mismo. ☐
   b. usamos elementos parecidos para desenvolvernos. ☐
   c. no disponemos de los mismos recursos. ☐
2. **La nanotecnología está...**
   a. desarrollándose en el estudio de creación de nuevos materiales. ☐
   b. en estado embrionario. ☐
   c. totalmente desarrollada para formar elementos biológicos. ☐
3. **La oreja de mar...**
   a. es estudiada para ver su capacidad de adaptación. ☐
   b. no es completamente rígida. ☐
   c. se regenera con lentitud. ☐
4. **El tiburón...**
   a. obtiene velocidad, gracias a la textura de su piel. ☐
   b. nada según la forma de su cuerpo. ☐
   c. es imitado por su forma de nadar. ☐
5. **Los mejillones...**
   a. están inspirando nuevos y diferentes tipos de hierros. ☐
   b. son copiados para obtener un único y potentísimo pegamento. ☐
   c. utilizan el hierro para unir sus filamentos. ☐

Da tu opinión

- ¿Qué beneficios obtiene el hombre de los animales? ¿Y los animales de los hombres?
- ¿Qué piensas de la investigación científica con animales?, ¿crees que se puede evitar?
- ¿Qué crees que se debería hacer contra el maltrato animal? ¿Qué tipo de maltrato animal conoces?, ¿se considera igual el maltrato en todas las especies: insectos, reptiles, etc.?
- ¿Podría vivir el ser humano sin matar o usar animales?
- ¿Conoces alguna curiosidad sobre alguna especie animal?

SON COMO FIERAS

Para saber más

EL OCEANOGRÁFICO DE VALENCIA

1 Antes de escuchar una presentación sobre el Oceanográfico de Valencia, haz una lista con el posible contenido de los temas de la presentación. Después, coméntalos en clase y justifica tu respuesta.

2 Ahora, escucha la presentación y contesta las preguntas.

12

1. **La estructura del parque...**
   - a. cuenta con algunos espacios bajo tierra. ☐
   - b. consiste en una serie de edificios rodeados por un gran lago. ☐
   - c. ofrece medios de transporte para personas con movilidad reducida. ☐
2. **El túnel submarino...**
   - a. tiene 30 metros de largo. ☐
   - b. permite ver algunos tipos de peces. ☐
   - c. está en el área de los pingüinos. ☐
3. **En el parque hay...**
   - a. un hotel donde alojarse. ☐
   - b. animales de diferentes ecosistemas. ☐
   - c. espectáculos nocturnos. ☐
4. **También hay actividades especiales...**
   - a. si eres submarinista profesional. ☐
   - b. en caso de pagarlo aparte. ☐
   - c. si tienes la edad permitida para hacerlas. ☐

3 Compara la información de la audición con tus temas. ¿Son los mismos?

4 Para acabar...

- dinámica
- técnica
- larga
- abstracta
- correcta
- monótona
- informal
- divertida
- improvisada
- directa
- clara
- breve
- seria
- vaga
- práctica

▶ Elige algunos de estos adjetivos y define la presentación.
▶ ¿Te parece adecuada?
▶ ¿Se da la información que el público espera?
▶ ¿Crees que todas las presentaciones deben tener las mismas características? ¿Por qué?

Interactúa

▶ ¿Hay algún parque zoológico o acuario que te guste especialmente?
▶ ¿Te parece bien que existan este tipo de parques donde los animales están en cautividad?
▶ En India, el Ministro de Medio Ambiente ha declarado que los delfines, por su inteligencia y sensibilidad, han de ser considerados «personas no humanas» y han prohibido su uso en espectáculos y delfinarios. ¿Qué piensas de ello?

SON COMO FIERAS

Crea con palabras

DESCRIPCIONES DE ANIMALES

1 Aquí tienes algunas palabras que usamos para describir animales. Relaciona cada una con el animal o animales correspondientes.

a. aguijón	f. colmillos	k. garras	p. plumas
b. alas	g. crin	l. hocico	q. púas
c. aletas	h. cuernos	m. patas	r. rabo/cola
d. antenas	i. escamas	n. pezuñas	s. tentáculos
e. branquias	j. espinas	o. pico	t. zarpas

1. cocodrilo

2. mariquita

3. pulpo

4. mariposa

5. erizo

6. atún

7. escorpión

8. gaviota

9. rinoceronte

10. libélula

11. zorro

12. águila

13. lince

14. yegua

15. cacatúa

2 ¿Sabes que el ornitorrinco es un animal singular porque es un mamífero que pone huevos? Lee su descripción.

Tiene el cuerpo cubierto de pelo de color marrón. La cola es plana; solo la utiliza para maniobrar en el agua y como almacén de reservas de grasa. Tiene patas palmeadas y un gran hocico ancho y plano. La membrana que posee entre los dedos le permite desplazarse durante el buceo. Cuando se mueve por tierra pliega dicha membrana hacia atrás, dejando expuestas sus fuertes uñas.

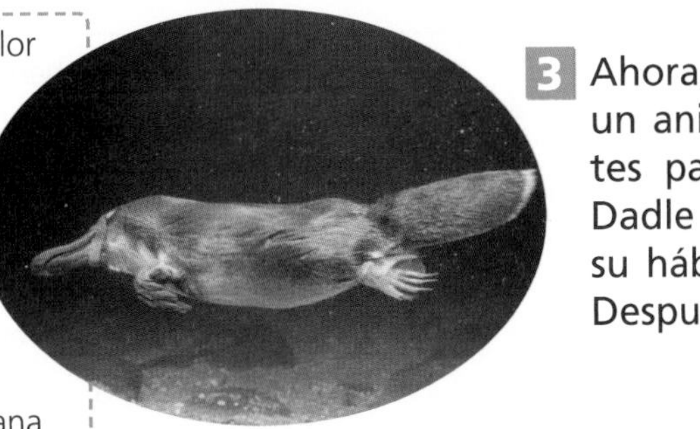

3 Ahora, en parejas, imaginad un animal creado con diferentes partes de otros animales. Dadle un nombre y pensad en su hábitat y su modo de vida. Después presentadlo a la clase.

4 Completa los nombres de los lugares en los que viven algunos animales añadiendo las vocales.

a. M _ D R _ G _ _ R _ : cueva, agujero o túnel, generalmente excavado en el suelo.
b. C _ R R _ L : lugar cerrado y descubierto en las casas o en el campo para guardar el ganado o los animales domésticos.
c. N _ D _ : lo utilizan aves, reptiles y peces, para refugiarse, procrear y criar a su descendencia.
d. C _ _ D R _ / _ S T _ B L _ : espacio destinado para vacas, caballos, asnos…

SON COMO FIERAS

Así se habla

ES UN BICHO RARO

1 Muchas veces utilizamos el nombre de algunos animales para referirnos al **carácter** de las personas. Une cada expresión con su significado.

1. Ser un **bicho**
2. Ser un **bicho** raro
3. Ser una **víbora** (solo mujeres)
4. Ser un **gallina** (solo hombres)
5. Ser una **hormiguita**
6. Ser un **ratón** de biblioteca
7. Ser un **cerdo**
8. Ser un **zorro**
9. Ser (un) **perro** viejo
10. Ser un **lobo** de mar
11. Ser un **gallito**
12. Ser un **rata**

a. Ser un gran marinero.
b. Ser un empollón, alguien que estudia mucho.
c. Ser un sucio, en su aspecto o en sus actos.
d. Ser una persona muy trabajadora y ahorradora.
e. Ser astuto y hábil, difícil de engañar.
f. Ser un cobarde.
g. Ser una mala persona, cruel y sin escrúpulos.
h. Ser muy experimentado en algo.
i. Ser una persona extraña, diferente a lo normal.
j. Ser una persona con malas intenciones.
k. Ser muy tacaño.
l. Ser un chulo, buscar pelea fácil.

2 Existen expresiones con nombres de animales para referirnos a acciones. Escucha estos diálogos y elige la opción correcta.

13

1. Hacer el **ganso**
   a. caminar mal
   b. hacer el tonto
   c. bailar bien
2. Dormir como un **lirón**
   a. dormir poco
   b. dormir profundamente
   c. dormir acurrucado
3. Buscarle tres pies al **gato**
   a. conocer secretos de otros
   b. descubrir algún misterio
   c. complicar las cosas sin necesidad

¿Conoces más expresiones relacionadas con animales?

PRESENTACIONES ORALES FORMALES

3 En una presentación oral, hay que tener clara y organizada la información que queremos trasmitir, por eso es necesario un esquema.
Aquí tienes el que el guía del Oceanográfico ha utilizado. Relaciona las frases de la derecha con el apartado al que pertenecen.

OCEANOGRÁFICO

Presentación para grupos

1. Bienvenida al público y auto presentación
2. Introducción del tema: presentación del acuario
3. Desarrollo de la presentación:
   - 3.1. Itinerario recomendado
     - a. visión de conjunto de las instalaciones
     - b. facilidades para personas con minusvalías
     - c. las distintas áreas para visitar
   - 3.2. Horarios del delfinario
   - 3.3. Restaurantes y otros servicios
   - 3.4. Actividades de carácter especial
4. Turno de preguntas
5. Despedida y agradecimiento por la visita

- ▶ Como saben, el Oceanográfico forma parte de la Ciudad de las Artes y las... ☐
- ▶ Y ahora les voy a contar un secreto: es posible visitar algunas zonas restringidas... ☐
- ▶ Hola. Buenos días a todos. Vayan colocándose a mi alrededor, por favor... ☐
- ▶ Y ya, si no hay más preguntas, solo me queda agradecerles su visita y esperar... ☐
- ▶ Las instalaciones están preparadas para el acceso a personas con discapacidad... ☐
- ▶ Los animales están divididos en 9 áreas diferentes en las que se reproducen... ☐
- ▶ Hay dos sesiones, una a las 14:00 h y otra a las 17:00 h, no se olviden... ☐
- ▶ Y ahora, si tienen alguna pregunta... ☐

Así se habla

4 En el esquema anterior, ¿crees que la información se estructura bien? Fíjate en estas fórmulas y relaciona cada una con el cuadro adecuado.

1. Presentación de los ponentes
2. Saludos y presentaciones
3. Agradecimientos
4. Comienzo
   Para involucrar al público
   - Con preguntas (retóricas o no)
   - Con el uso de los pronombres: *Me gustaría explicarles...*
   - Con alusiones directas: *Miren ustedes/ Como ustedes saben...*
   - Con humor (moderado): *¿A ver qué rollo me cuenta este señor...*
5. Apoyo gráfico y técnico
6. Turno de preguntas
7. Despedida

- En fin, espero que esta charla haya sido de su agrado. Gracias por su atención.
- Y esto es todo por hoy. Podríamos hablar horas sobre este tema, pero se me ha acabado el tiempo. Espero al menos haberles aclarado algunas ideas. Muchas gracias.
- Y ahora, después de esto, solo me queda agradecerles su paciencia y su atención, y decirles que estoy encantado de haber podido compartir estos datos con todos ustedes. Muchas gracias.

- Buenos días, como bien ha dicho..., soy... y estoy aquí para hablarles de un tema que espero les resulte tan fascinante como a mí:...
- Buenos días a todos, me llamo..., trabajo para... y he sido invitado a este simposium para hablar de...

- ¡A ver! ¿Atrás se oye bien? ¿Todo el mundo puede oírme?
- En las fotocopias que se les han entregado al comienzo... ¿Todo el mundo las tiene?
- Como pueden ver en el gráfico,...
- Si van a la página 12 verán...
- En la tabla aparece la correspondencia entre...
- Les dejo unos minutos para que observen...
- Si quieren ver detalladamente los datos, están en...

- A continuación, me gustaría presentarles...
- Tengo el gusto de presentarles...
- El profesor García Herrero está hoy aquí con nosotros para...
- Tenemos el honor/placer de tener hoy a nuestro lado...

- Voy a empezar haciéndoles una pregunta: ¿Cuántos de ustedes piensan que el maltrato a los animales está aumentando?
- Antes que nada quiero explicarles el porqué de esta presentación:
- Miren ustedes, cuando elegí el tema de esta presentación me planteé varias cosas: en primer lugar.
- Dicho esto, ahora llega el momento de comenzar con lo que nos ocupa esta tarde: ¿Cómo puede...

- Quería empezar dándole las gracias al Sr.... por invitarme a compartir los resultados de mi investigación hoy con ustedes...
- Antes que nada, me gustaría expresar mi (más profundo/sincero) agradecimiento a la Srta..., directora de..., porque sin su apoyo esta investigación no habría sido posible...

- Y de esta manera hemos llegado al final de esta presentación. Si hay alguna pregunta, contestaré con gusto/no tendré inconveniente en responderla.
- Ahora para terminar, si alguien tiene alguna pregunta, estaré encantado de responderlas en la medida en que pueda.
- Y esto es todo por mi parte. Si necesitan alguna aclaración...

SON COMO FIERAS

Reflexiona y practica

Conectores para el discurso formal

Estos son algunos nexos para el discurso formal, tanto para textos de carácter oral como escrito.

CONECTORES FORMALES	
En/Por lo que respecta a... **En/Por lo que se refiere a...** **En lo referido a...**	▶ *Ya he hablado de los machos;* ***en/por lo que respecta/se refiere*** *a las hembras,...* ▶ ***En todo lo referido*** *a la cría, se ha abierto un...*
Dado que... **Dado/a/os/as** + artículo + nombre **Puesto que...** **La causa va después del nexo.*	▶ *Estas hormigas son bien recibidas* ***puesto que*** *limpian de insectos el campo.* ▶ ***Dadas las pocas muestras*** *de adaptación, es necesario seguir el programa.*
Es por esta razón por la que... **Es por ello por lo que...** **La causa precede al nexo.*	▶ *Somos responsables del maltrato;* ***es por esta razón por la que*** *hemos creado...*
Con motivo de... **En conmemoración de...**	▶ *El estudio se realizó* ***con motivo del*** *centenario del nacimiento de Darwin.*
Por culpa de... *(idea negativa)* **Gracias a...** *(idea positiva)*	▶ *Muchos animales mueren* ***por culpa del*** *fanatismo.* ▶ *El rescate fue posible* ***gracias a*** *los voluntarios.*
A petición de... *(persona o institución)*	▶ *El informe fue elaborado* ***a petición del*** *Ministerio.*
En definitiva, **Por consiguiente,** **Por (lo) tanto,** **Luego...** **Esto implica/supone (que)...** **De ahí que...** + subjuntivo	▶ ***En definitiva****, considerar que son seres vivos.* ▶ *Se han establecido relaciones con animales salvajes;* ***luego*** *es necesario reconsiderar el concepto de salvaje.* ***Esto implica*** *atender a sus necesidades emocionales.*
En cambio, **Por el contrario,** **Hay oposición entre 2 realidades.*	▶ *Una especie se extinguía;* ***en cambio*** *la otra se multiplicaba en exceso.*
No obstante, **Ahora bien,** **Aun así/Así y todo...** **Presentan conclusiones contrarias a las esperadas.*	▶ *Los osos panda iban a desaparecer;* ***no obstante****, su rápida adaptación al medio les permitió sobrevivir.*
A pesar de (que)... **Pese a (que)...**	▶ ***A pesar del*** *peligro que supone, algunas personas lo hacen...*

REFORMULAN O MATIZAN	**Dicho de otro modo,** **En otras palabras,** **Esto es,** **Esto significa que...** **Con esto pretendo decir que...**	▶ *Los resultados fueron positivos.* ***Esto es****, sí que es posible establecer...* ▶ *La temporada para la pesca del bonito se ha adelantado.* ***Esto significa que*** *ya hay bonito en las costas...*
CONCRETAN, ESPECIFICAN	**A saber,** *(más la enumeración de los casos)*	▶ *El estudio se realizó con tres tipos de roedores,* ***a saber,*** *cobayas, ardillas y hurones.*
INTRODUCEN EXCEPCIONES	**Salvo...** **Con la excepción de...**	▶ *Todos desaparecieron* ***salvo*** *un tipo de araña capaz de soportar altas temperaturas.*

Terapia con animales

Lee los fragmentos de este informe sobre terapia con animales y complétalo con los nexos que aparecen en el recuadro.

1. puesto que	6. con motivo de	11. por tanto
2. en otras palabras	7. dicho de otro modo	12. salvo
3. a saber	8. luego	13. en definitiva
4. en lo que respecta a	9. por consiguiente	14. en cambio
5. a petición de	10. dada	15. no obstante

TERAPIA CON ANIMALES

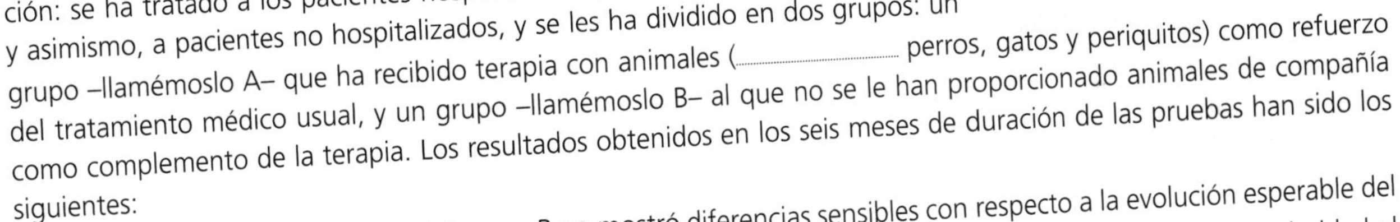

El presente informe se propone mostrar los resultados de una investigación llevada a cabo ______ del Ministerio de Salud Pública en el periodo de enero a junio de 2012. La investigación, financiada por esta institución, pretendía realizar un estudio detallado de la influencia de los animales de compañía en la evolución de las personas que padecen enfermedades cardiovasculares y otras enfermedades de carácter psicológico. Como la influencia positiva de los animales en la recuperación de algunas enfermedades ya ha sido demostrada en investigaciones anteriores, se trataba, ______, de profundizar en estos conocimientos y estudiar maneras de aplicar con más provecho los resultados. [...]

______ los experimentos llevados a cabo con personas que padecen trastornos fisiológicos, se ha operado con el método que se describe a continuación: se ha tratado a los pacientes hospitalizados por dolencias cardiovasculares, y asimismo, a pacientes no hospitalizados, y se les ha dividido en dos grupos: un grupo –llamémoslo A– que ha recibido terapia con animales (______ perros, gatos y periquitos) como refuerzo del tratamiento médico usual, y un grupo –llamémoslo B– al que no se le han proporcionado animales de compañía como complemento de la terapia. Los resultados obtenidos en los seis meses de duración de las pruebas han sido los siguientes:

- La evolución en los pacientes del grupo B no mostró diferencias sensibles con respecto a la evolución esperable del tratamiento que se les estaba aplicando. ______, los resultados de los análisis hechos con posterioridad al tratamiento fueron los habituales.
- ______, los pacientes del grupo A, que habían recibido una mascota como refuerzo terapéutico, mostraron una notable e inmediata mejoría con respecto a los pacientes del grupo B, tanto en la terapia aplicada en casa como en el caso de los pacientes internos. ______ se ha podido constatar una relación directa entre la recuperación del ritmo cardiaco normal de los pacientes y la terapia alternativa aplicada. [...]

______, y a modo de conclusión, podemos constatar que los resultados de nuestro experimento coinciden con los estudios llevados a cabo por el profesor Filipo de la Universidad de México D.F. ______ del IV Congreso Internacional de Médicos y Terapias Alternativas. ______, debe indicarse que el número de pacientes cuyo caso se expone en el presente informe dista mucho de acercarse al del Dr. Filipo, ya que en el hospital de Madrid se trató solo a 2 000 pacientes, en contraste con los 10 000 del profesor mexicano. Además, ______ la limitación de medios de que se dispone en nuestro caso y ______ se han encontrado reticencias a nuestra terapia por parte del personal del hospital, cabe apuntar que, ______ en el caso de los pacientes externos, ______, de los pacientes atendidos en casa, las condiciones en que se han llevado a cabo las terapias no han sido siempre las más indicadas. ______, y teniendo en cuenta los asombrosos resultados, no podemos concluir sino que esta investigación corrobora los estudios previos y la tesis de que las terapias con animales son altamente efectivas, por lo que deben ser aplicadas en nuestro país en breve.

TALLER DE ESCRITURA

INFORMES CIENTÍFICOS

Son documentos de carácter técnico que tienen como fin exponer los resultados de una investigación. Es, pues, un texto de tipo expositivo.

Estructura

- **Introducción.** Se expone el tema de la investigación, el motivo que la originó, quién la realizó y cuándo, y el fin que se pretende con ella.
- **Desarrollo.** Se exponen extensamente la metodología, el procedimiento que se ha llevado a cabo, los trabajos previos en que se apoya, las personas implicadas, los medios, las condiciones en que se realizó el estudio, las dificultades con que se han encontrado, los resultados obtenidos y su grado de fiabilidad, etc.
- **Conclusión.** Se extraen las conclusiones y se proponen medidas que hay que tomar, soluciones, ideas para aplicar lo aprendido en la investigación, etc.

Características

1. **Registro formal:** requiere **nexos de carácter formal, lenguaje específico, estructuras nominales...**
2. Pretende **objetividad:** de lo contrario, carecería de rigor científico; de ahí la importancia de ser exhaustivo con los detalles y de una tendencia al uso de la **impersonalidad.**
3. También suelen aparecer:
   - Definiciones: ***Se entiende*** *por* Entomología *la ciencia que estudia los insectos/La ciencia que estudia los insectos* ***se denomina****...* Podemos describir también las partes que componen algunos objetos descritos: *Una colonia de abejas* ***está constituida/consta/se compone*** *de tres castas...*
   - Preguntas retóricas: *¿Cómo estudiar la vida de los insectos en su propio hábitat?*
   - Comparaciones y ejemplificaciones: *No todos los mamíferos tienen pelaje para protegerse del frío.* ***(Tal) es el caso de*** *los mamíferos marinos, que...*
   - Citas: *El profesor Ramírez* ***señala/indica/sugiere*** *en su obra* ***que...***
   - Deixis: a veces es necesario hacer alusión a otras partes del texto. *En la cita* ***arriba/anteriormente mencionada,...****; En* ***dicho*** *texto/en el texto* ***citado****...; Como* ***hasta aquí*** *se ha venido desarrollando...; Como se explica* ***más adelante/ más abajo****...; En el* ***presente*** *trabajo...*

Elige una de estas propuestas y redacta un breve informe.

A

Para una revista científica.

La relación del hombre con los animales salvajes

- Tradicionalmente: se considera a los animales salvajes como seres extraños al ser humano, que se pueden «adiestrar» a veces, mediante la violencia, pero sin entablar relaciones de amistad. (Ej: el circo, espectáculos, trabajo, fiestas tradicionales...).
- En la actualidad: se estudian cada vez más casos de personas que establecen una relación emocional con estos animales[1].
- Conclusiones y medidas a tomar: ¿Reconsideración del término *salvaje*?

1 (Ver en Youtube: *El encantador de leones, El templo de los tigres, El toro que conmovió a Hong Kong, Amazing Hug*).

B

De una sociedad protectora de animales.

El maltrato animal

- Casos que conoces sobre el maltrato animal.
- Justificación por la que no debe existir y consecuencias de este maltrato.
- Alternativas o soluciones para combatirlo.
- Medidas a tomar si no se soluciona.

TALLER DE COMUNICACIÓN

Actúa:
Haces una presentación en público

PRESENTACIÓN BREVE

Elige un tema que te parezca interesante: tu ciudad, una asociación, un grupo musical, un movimiento artístico... Utilizando los recursos aprendidos, prepara una breve presentación de 10 minutos. Para ello, es importante seguir una serie de pasos.

Antes...

- Reúne la información necesaria según los destinatarios a quienes te diriges.
- Elabora un esquema para apoyarte en él durante la presentación.
- Prepara el léxico, los nexos y las estructuras gramaticales necesarias. El léxico debe ser específico (evita la palabra *cosa*). Las frases breves son más fáciles de seguir en el discurso oral. Quizá necesites definir términos que tus oyentes desconozcan o sean difíciles de entender en español, o escribirlos.
- Ensaya. Imagina las palabras que usarías para hablar con tu público, busca la mejor manera de exponer las ideas y de explicar los aspectos más difíciles, etc. Nunca saldrá como lo has planificado, pero saldrá mucho mejor que si no está preparado.

Durante...

- Preséntate y presenta brevemente el tema que has elegido.
- Concéntrate en el objetivo de tu presentación: trasmitir la información de la manera más clara posible. Lo importante es comunicar tus ideas.
- Observa las caras de tu audiencia y pregúntales si entienden, parafrasea si ves dudas y explica los conceptos difíciles de otra manera; pregunta directamente al público para mantener su atención.
- Mira a cada persona a los ojos, muévete con naturalidad, no te quedes parado sujetando el papel o detrás de la mesa.
- No pasa nada si te equivocas, lo importante es salir del paso. Reformula lo que necesites.
- Habla despacio y claro, vocalizando; usa los silencios para ganar tiempo y planificar tus palabras, o en los conceptos difíciles para que el público pueda asimilarlos.
- Antes de despedirte y dar las gracias propón un turno de preguntas. Escúchalas con atención y sé sincero si no sabes responder a alguna.

Después...

- Comenta los resultados en clase. ¿Qué se podría mejorar de tu actuación?

DEBATE

En parejas. Acabáis de entrar a trabajar en una tienda de animales y os han encargado que elijáis la mascota para una familia, con dos niños de 10 y 7 años, que vive en un apartamento de 70 m^2. Discute con tu compañero la elección de una de las mascotas en función de estos aspectos:

- limpieza
- fácil mantenimiento
- docilidad
- espacio
- comunicación

Vocabulario

REFUERZA Y CONSOLIDA EL LÉXICO

La fauna

1 Relaciona estos animales con la categoría a la que pertenecen.

1. animal invertebrado
2. animal vertebrado

a. berberecho
b. caracol
c. cucaracha
d. cuervo
e. gorrión
f. mofeta

1. animal carnívoro
2. animal herbívoro
3. animal omnívoro

a. ardilla
b. foca
c. gaviota
d. gorila
e. oso
f. reno
g. tiburón
h. tortuga
i. zorro
j. hormiga

2 Lee los textos y complétalos con las palabras del recuadro.

- aletas
- antenas
- branquias
- caparazón
- concha
- escamas
- hocico
- garras
- mamíferos
- patas
- piel
- pulmones
- vísceras ✓

1. **Moluscos:** invertebrados de cuerpo blando no segmentado, con bolsa, que contiene las vísceras. Puede estar desnudo o revestido de una ....

2. **Anfibio:** animal vertebrado que sufre una transformación en su desarrollo. Para respirar, tiene .... de pequeño y .... de adulto. Vive dentro y fuera del agua.

3. **Cetáceos:** .... marinos que tienen las aberturas nasales en la parte superior de la cabeza, por las que expulsan el aire. Tienen los miembros anteriores transformados en .... y el cuerpo terminado en una sola aleta horizontal. No tienen .... como los peces, sino ....

4. **Crustáceos:** animales que respiran por branquias, cubiertos generalmente de un .... duro o flexible y con dos pares de .... generalmente.

5. **Felinos:** mamíferos carnívoros, de cabeza redondeada y .... corto, ... delanteras con cinco dedos y traseras con cuatro y .... agudas y retráctiles.

3 Ahora clasifica estos animales según las definiciones anteriores.

orca

lince

delfín

langosta

rana

salamandra

cangrejo

pulpo

puma

mejillón

REFUERZA Y CONSOLIDA EL LÉXICO

Sonidos animales

4 Completa las columnas con el término que falta. Después relaciónalas con el animal que emite esos sonidos.

1. abeja
2. asno
3. yegua
4. canario
5. cerdo
6. gallina
7. gato
8. león
9. lobo
10. oveja
11. pato
12. perro
13. serpiente
14. vaca

Verbo	Nombre		Verbo	Nombre	
1.	aullido	....	8. cacarear	....	....
2. balar	....	....	9.	gruñido	....
3.	graznido	....	10. maullar	....	....
4.	mugido	....	11.	silbido	....
5. rebuznar	....	....	12. ladrar	....	....
6. relinchar	....	....	13.	trino	....
7.	rugido	....	14. zumbar	....	....

Grupos

5 Enlaza cada término con su significado.

a. banco
b. bandada
c. camada
d. enjambre
e. jauría
f. manada
g. piara
h. rebaño

1. Conjunto de abejas, con una abeja reina.
2. Conjunto de animales de una misma especie que andan juntos.
3. Conjunto de aves que vuelan juntas.
4. Conjunto de cerdos.
5. Conjunto de crías que paren de una vez las hembras de algunos animales mamíferos.
6. Conjunto de peces que van juntos en gran número.
7. Conjunto de perros o lobos.
8. Conjunto o grupo de ganado, especialmente lanar.

Objetos

6 Completa las frases con el término adecuado.

• bebedero • bozal • comedero • correa • jaula • pecera • terrario

▶ ¿Has visto que .... más bonita le ha comprado Chus a los loros?
▶ Pues sí que es bonita, sí. Además tiene un .... enorme. ¡Así seguro que no pasan sed nunca!
▶ En los transportes públicos dejan viajar a perros pero con una .... y un ...., ¿verdad?
▶ Claro, así evitas que muerdan a alguien.
▶ Oye, tengo una duda… para mi iguana ¿qué es mejor que compre: un .... o una ....? Los dos son de cristal y no sé muy bien cuál es mejor.
▶ Hombre, uno es para reptiles y la otra para peces o tortugas, porque la llenas de agua.
▶ ¿Has visto qué .... he puesto para los pajaritos que vienen cada día a nuestro jardín?

Tema 6

¡A COMER!

«Yo tengo la sensación de que al ofrecer un plato nuevo en tu carta, un plato pensado, medido, afinado, ensayado, organizado para que salga siempre igual, pasas por el mismo sufrimiento y el mismo rigor de trabajo que un artista cuando presenta su obra. Por tanto, ese sufrimiento, ese esperar la respuesta del que recibe, es lo que hace de la cocina un arte».

Carme Ruscalleda (cocinera)

Estos son algunos platos típicos de la cocina latinoamericana. Lee los textos y relaciona cada uno con su país y su foto correspondiente.

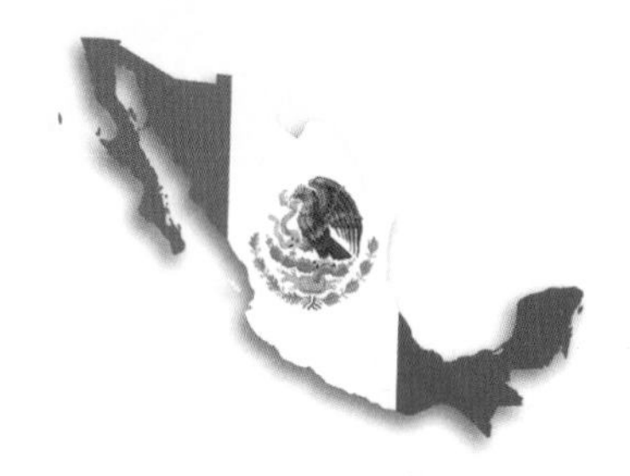

HALLACA ☐

En Navidad, en el país de las telenovelas, es habitual preparar esta masa de maíz rellena de carne con aceitunas, uvas pasas, cebolla... Se envuelve de forma rectangular en hojas de plátano y se hierve en agua.

CEVICHE ☐

En el país de los incas piensan que este plato es precolombino. Sus ingredientes son trozos de pescado, cebolla, jugo de limón, ají (una especie de guindilla picante) y sal. Se sirve con yuca, maíz, plátano frito, lechuga, etc.

DULCE DE LECHE ☐

Un dulce postre del país de los tangos.
Está hecho a base de leche, azúcar, chaucha de vainilla y una pizca de bicarbonato de sodio. Suele acompañar dulces o puede comerse solo.

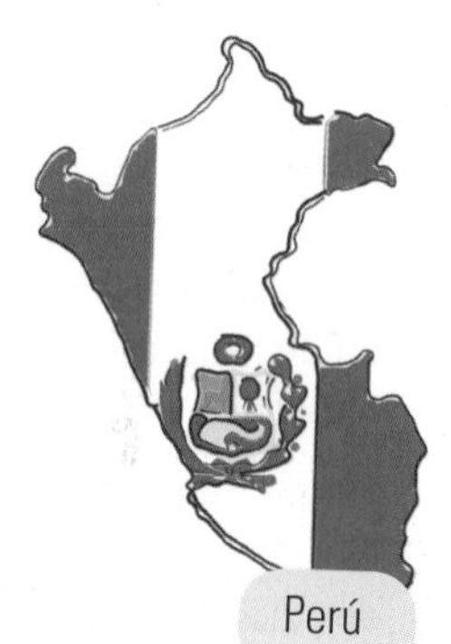

ENCHILADAS ☐

Es un plato típico del país de las rancheras. Consiste en una tortilla de maíz rellena de un ingrediente principal, que se enrolla, fríe, y adereza con salsa de chile y otros ingredientes.

SANCOCHO ☐

Este país conocido por su sabroso café, también se destaca por este caldo espeso a base de tubérculos o legumbres a los que se agrega algún tipo tanto de carne como de pescado.

¡A COMER!

Infórmate

LA COCINA DE FERRAN ADRIÀ

1 Lee este texto sobre Ferran Adrià, conocido cocinero español y marca la opción correcta.

EL COCINERO DE LOS SENTIDOS

Entre 1987 y 2011 el cocinero Ferran Adrià creó 1846 recetas. Su última *fondue* fue servida el 30 de julio de 2011. *El Bulli* había sido durante cuatro años consecutivos el mejor restaurante del mundo, según el criterio de fuego de *The Restaurant Magazine*. Cada temporada, dos millones de personas trataban de hacer reservas 5 y solo ocho mil obtenían sitio. Convertido en el chef más mediático de la historia, ha impartido cátedra en Harvard y ha logrado una **hazaña** en la cultura de masas: aparecer en Los Simpson.

La cocina se ha transformado con las esferificaciones y las deconstrucciones del maestro de Cala Montjoi: un queso fue presentado en forma de globo, el aceite 10 en forma de caviar y la tortilla de patatas en forma de sorbete. Esta **revuelta** ante lo establecido solo podía tener un límite: el éxito.

Si **rastreamos** los orígenes de *El Bulli* nos encontraremos con el Dr. Schilling, homeópata alemán, que compró unos terrenos en los 60 y su mujer, amante de los perros, que llenó el lugar de bulldogs a los que llamaba «bullis»; con cómo pasó de 15 ser un minigolf a un **chiringuito** y con cómo de *grill-room* a restaurante. Desde 1984, Ferran Adrià fue el jefe de cocina. Pero no sería hasta 1994 cuando lo cambió todo con una «Menestra de verduras en texturas»: el emblema de la revolución gastronómica española, que le quitó la corona a la *nouvelle cuisine* francesa.

Aunque Ferran Adrià sea una estrella y un mediático icono mundial, aún sigue 20 siendo ese chico de L'Hospitalet (Barcelona) que se quería ir a Ibiza, que trabajó de lavaplatos y que, en la mili, conoció a Fermí Puig, otro recluta que trabajaba en un restaurante de la Costa Brava llamado *El Bulli*. Y, ahora, Hollywood quiere hacer una película sobre él y *El Bulli*.

Sin embargo el empresario Adrià es ante todo un buscador de novedades. En 25 el momento en que podía convertir su restaurante en una **lucrativa** franquicia decidió cerrarlo. Pero *El Bulli* regresará como *Bullifoundation*, zona franca de la exploración gastronómica. Desde que **rebanó** su primer ajo, Adrià ha guardado recetario. No pierde un apunte ni un menú. Esto le ha permitido crear un insólito archivo: una enciclopedia virtual que acumula todo el saber culinario generado 30 durante la historia de *El Bulli*, y que está a disposición de todos. Esto es la *Bullipedia*. De momento, el equipo trabaja diseñando sus **tripas** y digitalizando todos los libros publicados hasta ahora, en los que se catalogan los descubrimientos y recetas de *El Bulli* en cada una de sus etapas. También han sido escaneados los cuadernos del equipo creativo, *10 000 páginas de ideas*, que estarán a disposición 35 de todos a través de esta plataforma. «Para alguien que haga cocina esto es genial porque pueden desarrollar ideas que nosotros hicimos de otra manera», ha explicado el chef.

Los contenidos audiovisuales relacionados con el restaurante también estarán en ella, desde el catálogo audiovisual de *El Bulli* a la película que ahora se estrena, o 40 los documentales *Un día en El Bulli*, *El último vals* y *Documenting Documenta: El Bulli en Kassel*.

Las palabras de este cocinero son como sus guisos: una espuma indefinida. Resumo las **ráfagas** con que explicó la *Bullipedia*: «No es un programa para jugar ni para aficionados, sino para cocineros. Todos los materiales han sido clasificados; 45 tenemos su definición científica, pero no los ordenamos así. En el caso de los vege-

tales no vamos por un orden botánico sino gastronómico. Lo que importa no es encontrar una receta sino una idea. Nos interesa el paladar mental. Hay cosas que todo cocinero sabe; por ejemplo, que el apio y la espinaca son tiranos, cada uno tira por su lado. Normalmente no se mezclan, pero eso puede ser un problema de proporción. Lo decisivo es llegar a lo que 50 no existe, lo que no está aquí. No hay que buscar una receta, sino una idea para crear recetas», desvió la vista y añadió: «La mejor palabra para escribir es la que no has encontrado».

Las paredes del estudio están cubiertas con portadas de revistas. No todas tienen que ver con el dueño de casa. Llama la atención un ejemplar de la guía *Gault-Millau* de 1973, dedicado a la *nouvelle cuisine*. En aquel entonces Adrià era niño en un país de **inmodificables** 55 cochinillos. Esa publicación señala el inicio de un cambio cultural que llevaría al «café irlandés de espárragos verdes».

Durante la visita le pregunté si la *Bullipedia* llevará registro de sus usuarios. «Es igual», dijo Adrià, «Las ideas que están ahí son de todos. Las ideas interesantes son las que no existen». Se atribuye a Leonardo da Vinci la creación de la servilleta. Gracias a su genio, el hombre 60 dejó de **chuparse** los dedos en la mesa. Gracias a otro genio, volvió a chupárselos. Los explosivos merengues de Ferran Adrià se comen con las manos. Toda gran idea produce otra: inventar la servilleta ha sido tan importante como inventar maneras de ensuciarla.

Adaptado de http://www.elsiglodedurango.com.mx

Infórmate

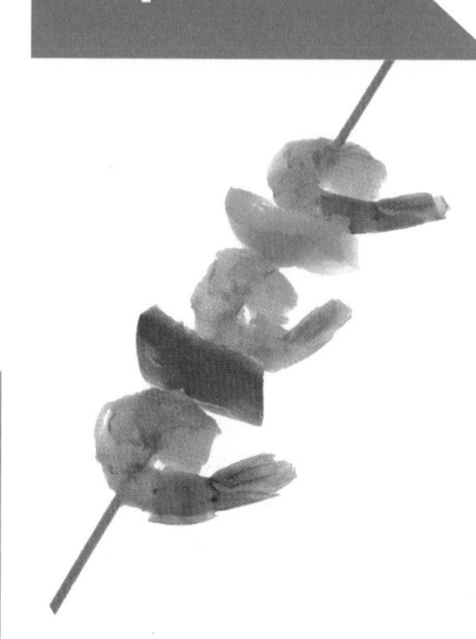

1. **¿Qué diferenció al *Bulli* del resto de restaurantes españoles?**
   - a. Su clientela superaba el millón de personas anualmente. ☐
   - b. Se había destacado discontinuamente en una prestigiosa revista culinaria. ☐
   - c. Se trabajaba la comida de una manera innovadora. ☐
2. **¿A qué debe el nombre el restaurante?**
   - a. A la llegada del cocinero después de la mili. ☐
   - b. A las aficiones de la primera dueña del terreno. ☐
   - c. A la mujer del dueño del restaurante. ☐
3. **Con la «menestra de verduras en texturas», Ferran Adrià...**
   - a. se coloca a la cabeza de la vanguardia gastronómica mundial. ☐
   - b. lleva a la fama un plato tradicional español. ☐
   - c. se convierte en un icono a seguir por la cocina francesa. ☐
4. **La *Bullipedia* será...**
   - a. una enciclopedia exclusiva de recetas de *El Bulli*. ☐
   - b. recetas para interesados en la cocina. ☐
   - c. todo el material originado en *El Bulli* del mundo de la cocina. ☐
5. **Para Adrià, las ideas que se dan...**
   - a. servirán para poder cocinar sus platos. ☐
   - b. ayudarán a pensar en nuevas ideas. ☐
   - c. podrán obtenerse al inscribirse en el registro de usuarios. ☐

2 Busca en esta lista el sinónimo de los términos marcados en el texto.

1. Bar de playa
2. Cortó
3. Interior de algo
4. Invariables
5. Investigamos siguiendo pistas
6. Limpiarse o quitar con los labios el jugo o líquido de algo
7. Motín, rebelión
8. Proeza, logro importante
9. Frases dichas de manera corta e intermitente
10. Rentable

Interactúa

▶ Piensa en la oferta en los restaurantes (*menú del día, tapas...*); el orden y el número de platos (*entrantes, platos fríos, postres*) la fruta en la comida; el acompañamiento (*pan, patatas, arroz*); cómo y cuándo se brinda; quién invita a quién y cuándo; la propina; los horarios; qué se lleva de regalo a una casa si te invitan a comer; la sobremesa (el café, el chupito, las infusiones).

Da tu opinión

▶ ¿Cuál es tu cocina favorita?, ¿qué alimento te gusta más/menos?, ¿qué no puede faltar en una buena comida para ti?

▶ ¿Conoces la cocina española o de Hispanoamérica?, ¿qué diferencias hay con la de tu país? ¿Y entre las costumbres culinarias?

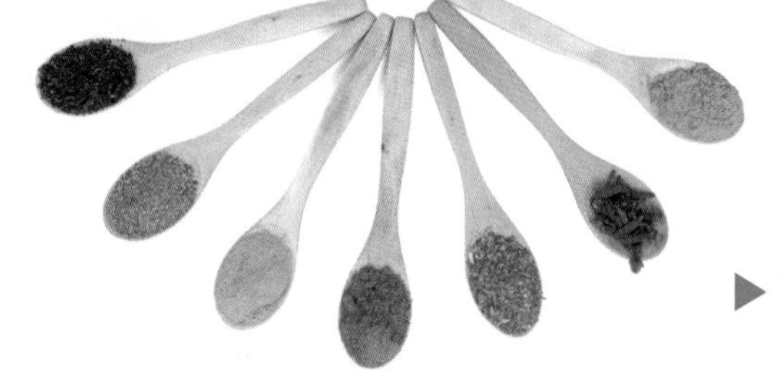

¡A COMER!

Para saber más

ARTE CULINARIO PERUANO

¿Sabes qué es la *geo-gastronomía*? Son las estrategias de países o grupos para promocionar su cocina. Y esto es lo que está pasando con la cocina peruana.

En Perú, la cocina se ha convertido en el motor económico y social del país, y esto se debe, en parte, a Gastón Acurio, reconocido cocinero peruano. El imperio Acurio acumula 30 restaurantes repartidos por Perú, Argentina, Brasil, Chile, Estados Unidos, España, Reino Unido, México, Colombia, Venezuela, Panamá y Ecuador.

Además, Acurio es el creador de una escuela de cocina para niños sin recursos en Pachacutec. Se trata de un ejemplo de la cocina como herramienta social, el nuevo parámetro que Gastón ha introducido en la gastronomía mundial.

Su libro *500 años de fusión* ganó el premio al mejor libro gastronómico del mundo en los Gourmand World Cookbook Awards.

Escucha esta entrevista al cocinero Gastón Acurio y marca si las afirmaciones son verdaderas o falsas.

	V	F
1. El cocinero lamenta que la cocina peruana vaya a tardar bastantes generaciones en poder transformar su país.	☐	☐
2. Acurio cree que no hay un solo restaurante que pueda ser recomendado.	☐	☐
3. El entrevistado considera que el arte de cocinar es un gesto de altruismo.	☐	☐
4. Para Acurio, la cocina aporta muchos valores que no se ven a simple vista y que le han hecho llegar a donde está ahora.	☐	☐
5. Acurio considera que la cocina ha supuesto un cambio en el país porque se ha unido y relacionado con el ejército.	☐	☐
6. Para Acurio, la cocina peruana, sin embargo, no ha cambiado la manera de pensar de la gente.	☐	☐
7. El cocinero afirma que la idea de la escuela de cocina se hizo pensando en dar una salida a jóvenes abocados al fracaso por la falta de oportunidades.	☐	☐
8. A Gastón no le importa de dónde procedan los productos con los que cocina.	☐	☐

¡A COMER!

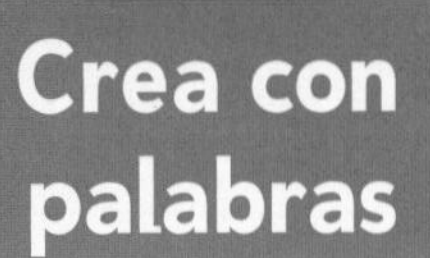

Crea con palabras

TEMA 6

UTENSILIOS DE COCINA

1 Aquí tienes algunos objetos de cocina. Escribe debajo sus nombres y relaciona cada uno con un verbo del recuadro.

1. machacar	3. picar	5. rallar	7. calentar	9. pesar
2. cortar	4. escurrir	6. licuar	8. colar	10. trasvasar

Un colador para colar la leche

Una .... para ....

Un escurridor para ....

Un .... para ....

Un .... para ....

Una báscula para ....

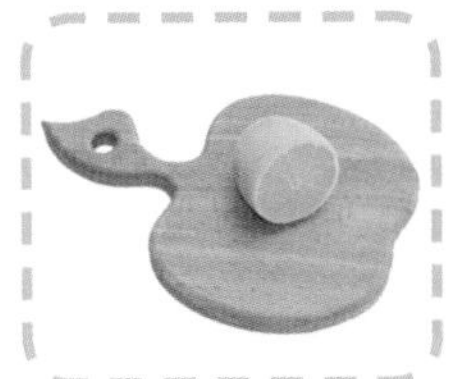

Una .... para ....

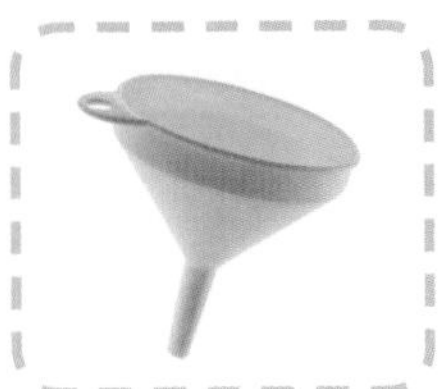

Un embudo para ....

Un .... para ....

Una .... para ....

Verbos relacionados con cocinar

Sabores/texturas

Nombres relacionados con la comida

PICOTEO

2 Clasifica las siguientes palabras en el cuadro correspondiente.

1. picoteo	7. esponjoso	13. tapeo	19. aperitivo
2. agridulce	8. rebozar	14. empanar	20. amasar
3. sofreír	9. sabroso	15. entremeses	21. jugoso
4. piscolabis	10. refrigerio	16. empalagoso	22. remover
5. batir	11. apetitoso	17. derretir	23. aderezar
6. aceitoso	12. al baño maría	18. adobar	24. pegajoso

3 Completa los huecos con una palabra de las que acabamos de ver.

1. El pollo al horno estaba crujiente, y le pusieron una salsa riquísima que lo hacía estar j............ .
2. ¡El bizcocho tenía una pinta exquisita! Estaba suave y e............ .
3. A............ durante bastante tiempo para hacer el hojaldre de la tarta de almendra.
4. Para ese plato debes s............ la cebolla; tiene que quedar bien dorada.
5. Como era su último día, nos hemos despedido con un p............ que ha traído él.
6. El caramelo era muy p............ y difícil de masticar. Solo lo podías chupar sin tocarlo con los dientes.

¡A COMER!

Así se habla

COCINERO ANTES QUE FRAILE

1 «El que fue cocinero antes que fraile, lo que pasa en la cocina bien lo sabe» es un refrán español. ¿Sabes qué significa?

a. La experiencia ayuda a prever cosas. **b.** La experiencia no sirve de nada.

2 **Además de refranes, existen expresiones relacionadas con el mundo de la gastronomía. Fíjate en estas y defínelas, extrayendo el significado por el ejemplo.**

1. Ser un amargado/estar amargado
2. Ser (alguien) muy salado
3. Darle a alguien las uvas
4. Importarle a alguien algo un comino/pepino/rábano
5. Ser la guinda del pastel
6. Tener/coger la sartén por el mango
7. Ser (alguien) soso
8. No dártela (alguien) con queso

1. Desde que la dejó su marido, Margarita *está amargada*. Tiene una rabia enorme contra todo.
2. Mónica *es muy salada*, y a todos les cae bien. Siempre hace bromas.
3. Como no termines de prepararte para salir, *nos van a dar las uvas*...
4. ¡Me da igual si te quedas o te vas...! La verdad... *¡me importa un comino!*
5. El concurso final *fue la guinda del pastel*. ¡La gente lloraba de risa!
6. En su casa es Pepe el que *tiene la sartén por el mango*, así que pregúntale a él.
7. ¡Pero baila con más gracia, hombre, *no seas tan soso*!
8. Ya me has engañado una vez, y será la última. *¡A mí no me la das con queso!*

3 **Ahora, lee estas frases y completa las expresiones según las pistas del cuadro.**

1. Probar o comer algo es *hincar el* ....
2. Si desconfías de alguien, crees que *no es* .... *limpio.*
3. Mojarte mucho significa *ponerte como una* ....
4. Estar muy delgado es *estar como un* ....
5. Si alguien se enfada mucho y fácilmente, decimos que *tiene mala* .... Si está de mal humor, que *está de mala* ....
6. Comer mucho y disfrutándolo es *ponerse las* ....
7. Cuando crees que se está ocultando algo puedes decir: *¡Aquí hay* ....!
8. Si te *sacan las* .... *del fuego* te solucionan problemas.
9. Cuando algo es muy viejo, *es del año de la* ....
10. Cuando te pegan con la mano abierta *te dan una* ....
11. Cuando se descubre una mala acción *se descubre el* ....
12. Si alguien tiene mucho dinero, *tiene mucha* ....
13. Cuando se espera mucho de algo y al final no es tanto, decimos: *mucho ruido y pocas* ....
14. Estar muy nervioso es *estar como un* ....

1. están dentro de la boca
2. cereal con que se hace el pan
3. primer plato común en invierno
4. un tipo de pasta
5. se extrae de las vacas/fruta de la que se hace el vino
6. un tipo de calzado alto
7. verdura muy común que se toma en ensaladas y en salsa.
8. fruto seco marrón, típico del otoño
9. fruta común verde o amarilla
10. alimento de forma plana y redonda, normalmente pan
11. dulce muy común, se come también en los cumpleaños
12. se dice que Marco Polo la llevó a Italia desde China
13. fruto seco con forma de cerebro
14. postre hecho con huevo

4 Relaciona cada texto con una de las expresiones de los ejercicios 2 y 3. Luego, crea otras situaciones para que tus compañeros hagan lo mismo.

> En el buffet del hotel había todo tipo de cosas para desayunar... ¡Me hinché a comer!

> ¡No me afectan tus reproches! Es mi vida y lo que los demás opinéis me es indiferente.

> Dijo que hablaría con Sonia, pero al final, como siempre, no dijo nada... Ya lo sabía yo... a mí no me engaña...

> ¡Puedes protestar todo lo que quieras, pero como el que manda aquí es tu padre...!

> Habla sin pensar y mete la pata, y luego tengo que ser yo el que llame a la gente para pedir disculpas.

¡HOY POR TI, MAÑANA POR MÍ!

5 Aquí tienes diferentes expresiones que se suelen utilizar para formular peticiones, aceptarlas y denegarlas. Observa estos cuadros.

Pedir

(de manera directa)
- Oye, ¿me ayudas con esto?
- Venga, ¡échame una mano con esto, por favor!

(de manera menos directa)
- ¿Estás libre esta tarde? Es que tengo un problemilla y...
- Oye, ¿tú me podrías hacer un favor? ¿A ti te importaría...?

(con enfado disimulado)
- ¿Sería mucho pedir que me echaras una mano?

(con contrapartida)
- Si lo haces, te prometo que...
- ¡Venga!, y yo a cambio...

Denegar

(de manera suave)
- Es que no puedo... Date cuenta de...

(de manera enérgica)
- ¿Pero cómo te atreves ni siquiera a pedírmelo?
- ¿¡Pero tú te crees que puedes venir así, tan tranquilo, y pedirme eso!?
- ¡¡¡No, no, y no!!! ¡Y no quiero volver a oír hablar de este asunto!
- ¡Pues va a ser que no! Porque...
- ¡Sí, ya! ¿Y qué más?
- ¡Sí, ya...!, ¿y un descapotable rojo, también quieres?
- ¡Ni lo sueñes!

Aceptar

- Vale, ¿a qué hora?
- Sí, no te preocupes que ya me encargo yo...
- Sí, mujer/hombre, por mí no hay ningún problema...
- Sí, cómo no, si eso no es nada...
- ¡Pues claro que sí! ¡Tú tranquilo!
- ¡Por supuesto, hombre!
- ¡Cuenta conmigo!
- Encantado... Tú pídeme lo que necesites, que yo si puedo te ayudo...
- Pero bueno, ¿cómo no me lo has pedido antes? ¡Si no me cuesta nada ayudarte!
- ¡Con tal de que no me pidas dinero...!

(con reticencias)
- ¡Si te empeñas!/¡Si insistes!
- Vale, pero no será mucho rato ¿no?

6 Ahora escucha estos minidiálogos y marca en cuál de ellos...

1. se niega tajantemente la ayuda. **1 2 3 4 5**
2. se está harto del comportamiento del otro. **1 2 3 4 5**
3. la petición de ayuda es directa, y la respuesta, inmediata. **1 2 3 4 5**
4. se duda si conceder o denegar la ayuda. 

5. se muestra dispuesto a ayudar, pero hay una condición. 

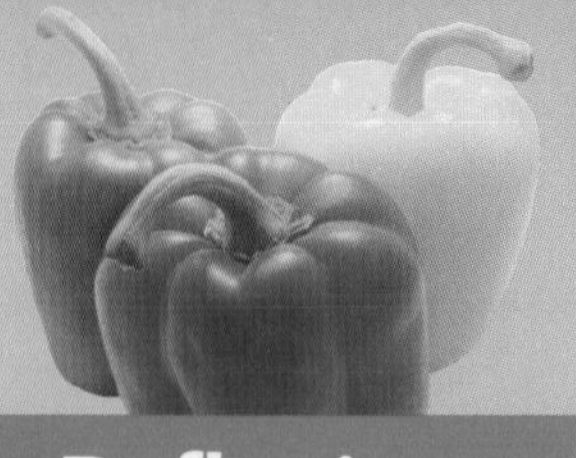

Reflexiona y practica

¡A COMER!

Palabras derivadas

1 Las palabras derivadas son las que contienen prefijos o sufijos. Estos son algunos de ellos.

PREFIJOS (delante de la palabra)

prefijos	significado	ejemplo
a-	negación, falto de...	*amoral*
anti-	contrario	***anti**oxidante*
bi-	dos, doble	***bi**color*
co(n/m/l)-	unión, actuación conjunta	***co**propietario*
en (m)-	cubierto por..., dentro de...	***en**vasar*

a. Escribe la definición con el prefijo correspondiente.

- Alimento dentro de una lata:
- Operar (actuar) con otra persona:
- Algo contra la higiene es:
- Algo que no es normal:

prefijos	significado	ejemplo
de(s)-	negación	***des**ubicado*
ex-	ha dejado de ser	***ex**presidente*
extra-	fuera de..., más allá	***extra**terrestre*
i-(r/n/m)-	privación, negación	***in**comible*
inter-	entre, en medio de...	***inter**costal*
multi-	muchos	***multi**color*

b. Haz lo mismo con los prefijos de este grupo.

- Asunto que no tiene remedio:
- Alguien que no es cortés:
- Asunto fuera de la versión oficial:
- Con muchas posibles formas:

prefijos	significado	ejemplo
poli-	abundancia, muchos	***polí**glota*
re-	volver a, acción repetida	***re**organizar*
sub-	debajo de...	***sub**marino*
super-	encima de...	***super**puesto*
trans (tras)-	a través de, al otro lado de...	***trans**atlántico*
viz (vice)-	en lugar de...	***vice**presidente*

c. Escribe la definición de estas palabras con prefijo.

- Recargar:
- Subsuelo:
- Superdotado:
- Translúcido:
- Polivalente:

SUFIJOS (detrás de la palabra)

sufijos	significado	ejemplo
-acho(a)/-aco(a)/-ajo(a)/-ejo (a)/-ucho(a)	despectivo, de mala calidad	*pueb**lucho**, lib**raco**, anima**lejo***
-ito(a)/-ín (a)/-ico(a)/-illo(a)	diminutivo, afectivo, ironía	*pequeñ**ito**, chiquit**ín**, mentiro**silla***
-ón(a)	aumentativo	*cas**ona**, hombret**ón***

d. Cómo llamarías...

- a tu querido papá.
- a alguien con una cabeza grande.
- a alguien un poco tramposo.
- a alguien que duerme mucho.

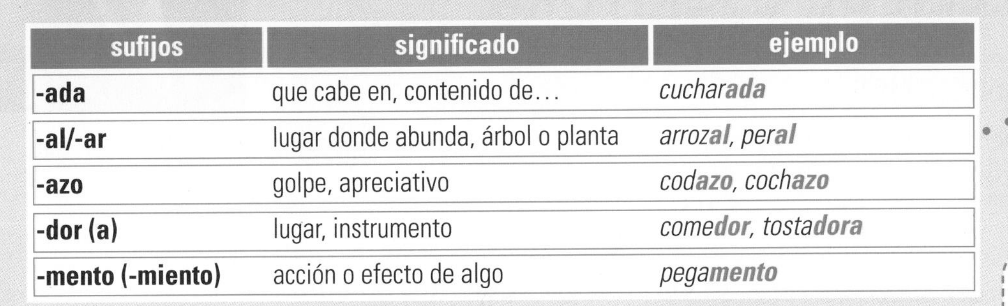

sufijos	significado	ejemplo
-ada	que cabe en, contenido de...	*cucharada*
-al/-ar	lugar donde abunda, árbol o planta	*arrozal, peral*
-azo	golpe, apreciativo	*codazo, cochazo*
-dor (a)	lugar, instrumento	*comedor, tostadora*
-mento (-miento)	acción o efecto de algo	*pegamento*

Reflexiona y practica

e. Escribe la definición de estas palabras con sufijo.

- Freidora:
- Palada:
- Rosal:
- Cargamento:
- Portazo:

sufijos	significado	ejemplo
-ble	que puede	*comestible*
-ento (a)/-izo (a) /-dizo(a)	con tendencia a..., que puede...	*violento, enfermizo*
-ero (a)/-dero (a)	que contiene, lugar donde...	*aceitera, fregadero*
-oso (a)/-udo (a)	con abundancia de...	*aceitoso, peludo*

f. ¿Qué es...

- algo sangriento?
- alguien canoso?
- alguien huidizo?
- algo amarillento?
- alguien casposo?

sufijos	significado	ejemplo
-ismo	afición, movimiento	*ciclismo, modernismo*
-manía	gusto o afición por algo	*melomanía*

g. Piensa en 3 deportes acabados en *–ismo*.

h. ¿Qué les gusta a los que tienen... futbolmanía, documanía, Bardemanía?

Palabras compuestas

2 Las palabras compuestas están formadas por dos palabras simples. Une dos palabras para obtener una nueva. Su definición te ayudará.

1. agua	a. cargas
2. casca	b. fiestas
3. escurre	c. lámparas
4. mani	d. lenguas
5. monta	e. nueces
6. pasa	f. pantallas
7. pisa	g. papeles
8. porta	h. platos
9. salva	i. purés
10. traba	j. roto

- Ascensor destinado a mercancías.
- Persona que estropea con comentarios o actitudes la diversión de otros.
- Lugar en el que se enrosca una bombilla.
- Palabra o frase difícil de pronunciar, en especial cuando sirve de juego para hacer que alguien se equivoque.
- Instrumento de hierro o madera para partir nueces.
- Imagen que se activa automáticamente en un ordenador encendido cuando no está siendo utilizado.
- Objeto que se pone sobre los papeles para que no se muevan.
- Utensilio para poner a escurrir los cacharros fregados de la cocina.
- Utensilio de cocina que convierte en crema las patatas, verduras, etc., después de cocidas.
- Persona que gasta demasiado.

3 Fíjate en estas palabras. ¿Cómo se han formado? ¿Puedes definirlas?

altibajos: *adjetivo+ adjetivo* · duermevela · malpensado · metomentodo · telaraña

buscavidas · hierbabuena · malquerer · sinvergüenza

TALLER DE ESCRITURA

DEFINICIONES

1 A veces queremos mencionar realidades y objetos cuyo nombre desconocemos. Entonces necesitamos describirlos o definirlos. Para ello, fíjate en estas estrategias.

1. Clasificarlos: *Un lavavajillas es un electrodoméstico* (un utensilio o útil/una herramienta/un aparato) para...

Clasifica las siguientes palabras.

1.	langosta	a.	un aparato eléctrico
2.	paella	b.	un mueble
3.	picadora	c.	una pieza de una vajilla
4.	tarro	d.	un texto con instrucciones
5.	jarrón	e.	un plato español
6.	cuchillo	f.	un crustáceo
7.	plato	g.	un recipiente de cristal
8.	delantal	h.	una prenda de ropa
9.	receta	i.	un adorno
10.	armario de cocina	j.	un cubierto

2. Describir las partes o las piezas que los componen: *Una bicicleta es un medio de transporte que* ***consta de*** *dos ruedas, un sillín, dos pedales y un manillar.*

Relaciona estas palabras con las piezas (si son platos, ingredientes) de que se compone:

1.	olla	a.	tomate, pepino, agua, aceite, pan, sal
2.	sartén	b.	manecillas, esfera, números, correa
3.	gazpacho	c.	fichas, dados, cubilete, tablero
4.	reloj	d.	objetivo, lente, disparador, flash, zoom
5.	cámara	e.	recipiente, tapa, dos asas
6.	parchís	f.	plato metálico, mango

3. Describir su forma, tamaño, textura, color, y sus materiales...

Describe cómo son estos objetos...

4. Comparar sus características con otros objetos similares: *Una fuente es* ***una especie de*** *plato alargado y grande que...; Un estropajo es* ***como*** *una esponja, pero...*

5. Explicar su uso: *Una fuente es una especie de plato grande que* ***se utiliza/se usa/sirve*** *para servir comida.*

6. Si no consigues lo anterior, inventa un nombre para el objeto con las técnicas de derivación y composición vistas: *Un agarrafiletes > unas pinzas; un enfriador > una nevera.*

Invéntate otro nombre para...

- ▶ una despensa:
- ▶ un gorro de cocinero:
- ▶ el menú:
- ▶ un cuchillo:
- ▶ un cucharón:
- ▶ una servilleta:

2 Elige cuatro de estos objetos y, sin nombrarlos, defínelos. Tu compañero marcará el objeto correcto.

- porrón
- espátula
- palillos
- molde
- sacacorchos
- cascanueces

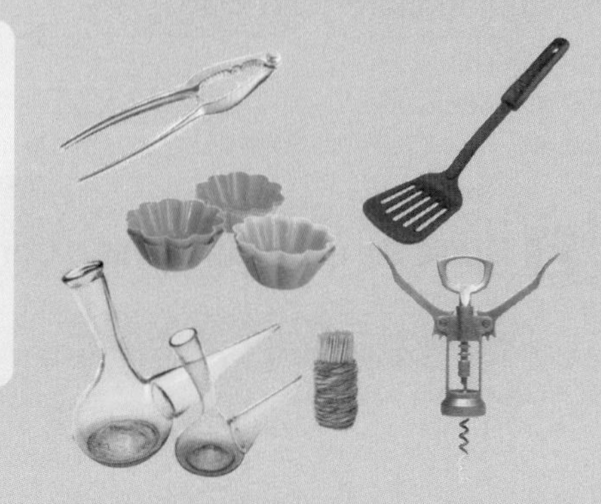

Actúa: Debates un tema

ALIMENTOS TRANSGÉNICOS

Lee estas afirmaciones sobre los alimentos transgénicos. Después dividid la clase en dos grupos. Cada uno debe elegir una de las siguientes posturas.

A favor

- Cultivos más resistentes a los ataques de virus, hongos o insectos sin emplear productos químicos > menor daño al medio ambiente.
- Cultivos más resistentes a la sequía o a problemas del suelo > reducción de hambruna en muchas zonas.
- Cultivos más rentables porque se reduce el número y la cantidad de productos empleados.
- Posibilidad de consumir alimentos con más vitaminas, minerales y proteínas, y menores contenidos en grasas, puesto que los diseñamos.
- Mayor tiempo de conservación.

En contra

- Cruce de plantas con ADN de bacterias o virus para hacerlas inmunes > especímenes estériles.
- Efectos que podría tener en la salud humana > posible esterilidad, alergias o resistencia frente a antibióticos.
- Introducción en el mercado por grandes compañías alimentarias > imposibilidad de conocer su consumo.
- Las mutaciones genéticas de insecticidas en las plantas para combatir bacterias > campos yermos para otro tipo de cultivo.

1

- Investigador
- Representante industria alimentaria
- Agricultor
- Economista

2

- Investigador
- Representante grupo ecologista
- Agricultor
- Médico

En grupos de tres, leed esta noticia, y explicad la información al resto del grupo. Después pensad en cinco soluciones a estos problemas.

Un tercio de los alimentos producidos en el mundo se pierde o se desperdicia, según un estudio de la FAO.

Alumno 1

El informe distingue entre pérdidas y desperdicio de alimentos. Las pérdidas que ocurren en la producción, cosecha y procesamiento son más importantes en los países en desarrollo, debido a la pobre infraestructura, tecnología escasa y la baja inversión en los sistemas de producción de alimentos. Los desperdicios es más un problema en los países industrializados, causado con mayor frecuencia por los minoristas y los consumidores.

Alumno 2

A nivel minorista, grandes cantidades de alimentos se desperdician debido a los estándares de calidad que sobre enfatizan la apariencia (el producto debe tener una medida o una forma determinada), por ejemplo, no quieren pepinos curvados porque no caben en las cajas con las que se venden en el supermercado.

Alumno 3

A nivel consumidor, se compran más alimentos de los que se necesitan. Por ejemplo, promociones como «Compre tres, pague dos» o restaurantes que ofrecen a los clientes menús que difícilmente puede acabar por un precio fijo. Otro problema es no saber planificar las compras de alimentos adecuadamente, por lo que muchas veces se tira comida que ha sobrepasado la fecha de consumo preferente.

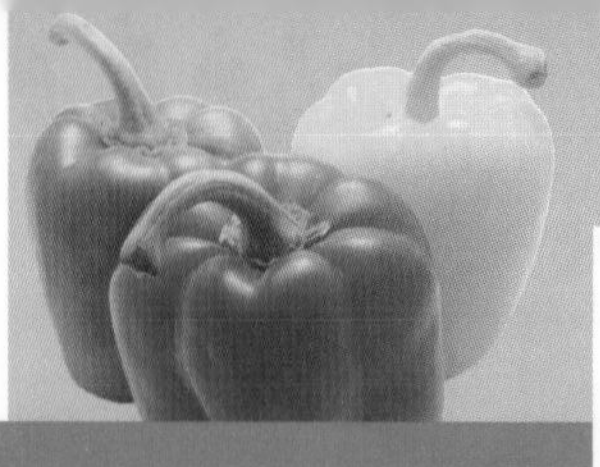

REFUERZA Y CONSOLIDA EL LÉXICO

Vocabulario

La comida

1 Clasifica estos alimentos según lo haría un nutricionista.

1. aceite de girasol
2. aceite de oliva virgen
3. acelgas
4. alubias
5. arándanos
6. avena
7. azúcar moreno
8. boniato
9. castañas
10. cigala
11. clara
12. cochinillo
13. col
14. cuajada
15. pan de centeno
16. higos
17. pasas
18. lenguado
19. manteca de cerdo
20. margarina
21. perdiz
22. piñones
23. requesón
24. sémola
25. soja
26. macarrones
27. yema
28. yuca

Grupo			
Grupo I (aportan proteínas animales)	**leche y derivados**		
Grupo 2 (aportan proteínas animales)	**carnes**	**pescados y mariscos**	**huevos**
Grupo 3 (aportan proteínas, vitaminas y minerales)	**tubérculos**	**legumbres**	**frutos secos**
Grupo 4 (aportan vitaminas y minerales)	**verduras y hortalizas**		
Grupo 5 (aportan vitaminas y minerales)	**fruta**		
Grupo 6 (aportan carbohidratos)	**cereales**	**azúcar**	
Grupo 7 (aportan lípidos)	**mantecas**	**aceites**	

Los alimentos y su estado

2 Explica con tus propias palabras qué ocurre si un alimento…

- es perecedero
- está en mal estado
- está caducado
- se ha echado a perder

3 Escribe el nombre de un alimento que puedes encontrar de esta manera.

1. ahumado: ....
2. confitado: ....
3. congelado: ....
4. curado: ....
5. deshidratado: ....
6. en almíbar: ....
7. en conserva: ....
8. en escabeche: ....
9. en salazón: ....
10. encurtido: ....
11. envasado al vacío: ....
12. embotellado: ....

REFUERZA Y CONSOLIDA EL LÉXICO

Vocabulario

4 Une estos verbos con el alimento con el que lo puedes relacionar.

1. aliñar	a. huevos	g. estofado	7. escurrir
2. amasar	b. masa	h. espaguetis	8. guisar
3. asar	c. cordero	i. verduras	9. gratinar
4. batir	d. ensalada	j. mezcla	10. rehogar
5. colar	e. mantequilla	k. queso	11. rebozar
6. derretir	f. salsa	l. pescado	12. verter

Formas de comer

5 Relaciona estos verbos con su definición. Después explica cómo fue la última vez que realizaste estas acciones y con qué.

1. atiborrarse (de algo)
2. beber a sorbos
3. catar/degustar
4. engullir
5. ingerir
6. paladear
7. sorber
8. zampar

a. Beber una cantidad pequeña de un líquido.
b. Comer, consumir un alimento.
c. Mantener un alimento en la boca durante un tiempo para apreciar su sabor.
d. Tragar la comida casi sin masticar.
e. Beber un líquido aspirando.
f. Probar alimentos para apreciar su sabor.
g. Comer muy rápido, apresuradamente y muchas veces, una gran cantidad de comida.
h. Comer o beber en exceso (un alimento).

6 Completa las frases con estas expresiones relacionadas con el acto de comer o beber.

a. abrir el apetito
b. comer sin medida
c. darse a la bebida
d. producir acidez
e. darse un atracón
f. matar el gusanillo
g. ponerse las botas
h. ser abstemio
i. subirse (una bebida) a la cabeza
j. tener buen saque

1. Me he traído estas galletas para .... A esta hora siempre me entra un hambre...
2. Yo nunca bebo vino tinto porque me .... y luego me paso toda la tarde con antiácidos.
3. ¿Sabes lo de Alberto? .... Lo han visto varias veces bebido en la escalera de su casa.
4. ¿Que vas a invitar a Javi a comer? Pues ya puedes preparar la cartera porque .... La última vez que comimos juntos se comió su plato y parte del mío.
5. Muchas personas cuando dejan de fumar, ... , para aliviar la ansiedad. Esto les provoca problemas de sobrepeso.
6. ¡Ay, Miguel! No me pongas más cava que ya .... y estoy empezando a decir tonterías.
7. ¿Qué te parece si antes de comer vamos a picar algo para .... ?
8. Este fin de semana .... en casa de mis suegros. Mi suegra cocina divinamente y nos puso: entremeses, una sopa de pescado y luego estofado de ternera... Y para acabar, ¡pastelitos!
9. ¿Va a invitar a Laura a tomar una copa para ver si congenian? Pues va a fracasar, porque ....
10. En el banquete de bodas de mis primos había marisco y yo, como me encanta, ... y me comí casi una bandeja.

Tema 7

¿ESTÁS EN FORMA?

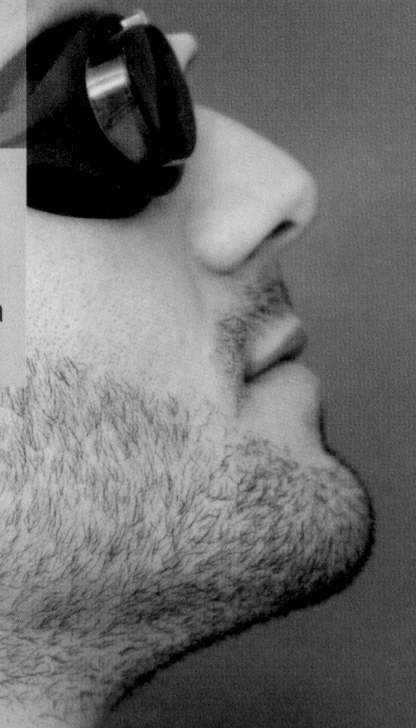

«Algunos deportes de élite poco tienen que ver con el ejercicio físico, que busca la superación personal y la salud física y mental. Aquí es mucho más que una buena actuación lo que está en juego. Y no es solo una cuestión económica (aunque sin duda se barajan sumas cuantiosas). Es un reflejo de una sociedad en la que el valor de las personas se mide en comparación con los demás. Se trata de competir para ganar y, en esa carrera, «lo importante es participar» o «el fin justifica los medios» están siempre en tela de juicio. Deberíamos quizá reconsiderar la frase de Borges: «Habría que inventar un juego en el que nadie ganara». ¿Supondría esto un reto que transformaría nuestro mundo?».

Vanessa Coto (profesora)

Estos son algunos deportistas famosos del mundo hispano. Lee los textos y relaciona cada uno con el deportista al que hacen mención.

1. Juan Manuel Fangio

2. Sofía Mulanovich

3. Pau Gasol

4. Dayron Robles

☐ Atleta cubano especializado en 110 m vallas. En 2008 consiguió la plusmarca mundial con 12.87 s (superada en 2012). Consiguió el oro en 60 m vallas en pista cubierta en 2012.

☐ Primera deportista chilena en participar olímpicamente en tiro con arco. En 2011 ganó el oro en el Campeonato Mundial. En 2012 fue la abanderada de Chile en los JJ. OO.

5. Gemma Mengual

☐ Máximo medallista de su país y fundador de la tradición olímpica de los clavados (salto desde un trampolín o un punto fijo) en México. Consiguió medalla en los cuatro JJ. OO. en los que participó.

☐ Exciclista colombiano. Fue un gran escalador, como probó en etapas de montaña en el Tour de Francia, la Vuelta a España y el Giro de Italia.

☐ Esta peruana es la primera mujer sudamericana en conseguir ser Campeona Mundial de Surf en 2004. Actualmente está retirada.

6. Giancarlo Maldonado

☐ Ha sido una de las mejores nadadoras españolas de natación sincronizada. Ha conseguido numerosas medallas de oro y plata.

☐ Automovilista argentino. Ha sido quíntuple campeón de F1. Retirado en 1958, su récord de títulos no sería superado hasta 2003, por Schumacher.

☐ Fue el segundo jugador de baloncesto español en llegar a la NBA. Premio Príncipe de Asturias de los Deportes en 2006.

☐ Futbolista de Caracas. Es uno de los máximos goleadores de Venezuela. Fue ganador, en 2007, de la Bota de Oro de América.

8. Joaquín Capilla

7. Dennise Van Lamoen

9. Lucho Herrera

¿ESTÁS EN FORMA?

EL ALPE D´HUEZ

1 Lee estos fragmentos adaptados del libro de J. García Sánchez donde se narra la proeza de un veterano de 36 años que se proclama ganador de la etapa más dura del Tour de Francia.

JABATO EN EL ALPE D´HUEZ

1. No encuentra posición. Se deja caer sobre el sillín, vuelve a hacer palanca con piernas y hombros. Su ritmo de pedaleo sigue decreciendo. No va en línea recta, sino dando ligeros bandazos a los lados, desconozco si por agotamiento o por temor a que el pasillo humano se le eche encima. Otra vez de pie retorciendo la cabeza sobre el manillar, y otra vez **cayendo a plomo** sobre el sillín. Es terco. Sorprende su obstinación casi animal.

2. Hasta el director técnico lo dice: está atravesando un momento crítico. Su corazón debe latir a unas 200 pulsaciones por minuto. Por encima de 180, el tiempo de que dispone para efectuar nuevamente la operación de bombeo es tan escaso que todo empieza a **fallar en cadena**. Su respiración será un huracán circulando frenéticamente a través de este páramo destrozado debajo del maillot. Desde aquí, veo a un hombre que abre desmesuradamente la boca buscando un efímero alivio que le permita pedalear un poco más, pues está próximo a la capitulación interior, irreversible. Es una batalla invisible e íntima.

3. El Alpe d´Huez, cuyo desnivel alcanza los 1103 m, en una etapa de 14,5 Km sin descanso. Un buen día a alguien se le ocurrió que hombres en bicicleta, desafiando las más elementales leyes de la cordura, podrían superarla pedaleando y sin apearse de sus máquinas, lloviese, hiciera sol, nevase o soplaran vientos ciclónicos. Jabato se enfrenta ante el último reto. Y la soledad será su única acompañante en la ascensión; la soledad de pedalear cuesta arriba siendo perseguido. La montaña no tiene alma.

4. Los mecánicos se encogen sin atreverse a mirar por la ventanilla. No esperaban ya medio millón de personas vociferando. Jabato casi tropieza con la moto que lucha por **abrirle camino**, pero ahí va, quién sabe si hacia el cielo o el infierno, por un estrecho pasillo de apenas un par de metros de ancho. La masa se agita como una tempestad embravecida; bate palmas, patalea, grita: «¡Hey, hey, hey!», creando un coro obsesivo que parece un grito de guerra. Nunca había visto una afición tan volcada en un solo hombre. ¿Cuánto resistirá? ¿Cuándo se dará por vencido?

5. Echan imágenes suyas por la televisión, pero también del grupo perseguidor. Las fieras deben andar ya por la curva 20. Prefiero no pensarlo. Mejor centrarse en la idea de que cada metro que pasa estamos más cerca del final. Es innecesario describir el martirio por el que atraviesa el corredor que **va en cabeza** y la tenaz persecución de quienes le siguen. **Salta a la vista**. Hoy Jabato **lucha a muerte**, dando todo lo que lleva. Hoy, nada es normal. Ni lo que ha venido haciendo él hasta este momento, ni el sobreesfuerzo al que, **de rebote**, está obligando a los otros.

6. Las fuerzas están extinguidas, pero sigue pedaleando. La única forma de escapar de esas arenas movedizas es no detenerse. Una sola vacilación y se hundirá. Lo sabe. El director técnico le grita, intentando alentarle: «¡Venga, demuéstrales que eres el más grande!». Creo que ha sido un error. Según estas palabras, todavía tiene que demostrarlo. Después de lo que lleva encima puede darse cuenta de que, en efecto, aun debe demostrarlo, y tal vez todo se venga abajo. Así de cruda es la realidad. O todo, o nada. No sirve de nada si no se culmina con éxito su fuga.

7. Pienso en la infinita dureza del ciclismo: es el deporte en el que más se ponen en evidencia los fallos. Es imposible ocultar las carencias. En este caso se trata de todos contra uno, porque lo más fuerte del ciclismo internacional está representado en esos cuatro cazadores que, con idiomas diferentes pero con el lenguaje común del sufrimiento, le **pisan los talones**. Son la **quintaesencia** de lo que ha hecho glorioso y salvaje este deporte. Violencia ejercida sobre uno mismo para demostrar a los demás hasta dónde puede llegar la capacidad de decisión y sufrimiento de un hombre. Eso es el ciclismo.

Infórmate

8. Última curva. Banderas. Un nuevo aguijonazo de dolor te traspasa. Te nubla la visión. Un amago de náusea. Maldices, pedaleas, estás casi vencido. No sientes nada. El dolor es superior a una sensación concreta. Es una idea global que te parte en dos. Y es tan intenso que engendra en ti nuevas parcelas de soledad. Escuchas el griterío alarmado de la masa. En el fondo lo sabes: les inspiras una profunda lástima. ¡Asesinos! – pienso con desolación.

9. A dos metros de la meta. Cesa el ruido, cesa el movimiento. El holandés, aferrado al manillar, pedalea con desesperación. Su rueda está ya en el mismo nivel que la tuya. Hundes la cabeza en el pecho y cierras los ojos. Vais a entrar. ¡Entráis! ¡A la vez! ¡Increíble, injusto, increíble! –gritan las ondas–. Ahora los jueces dictaminarán quién es el ganador. ¡Injusto, increíble! ¡Me quiero morir!

Adaptado de El Alpe d'Huez

2 Localiza en el texto...

a. términos y comparaciones relacionados con violencia, lucha y sufrimiento.
b. términos que comparan el ciclismo con los animales o la naturaleza.
c. cómo se presenta a los aficionados y por qué crees que lo hace así.

3 Según el contexto, ¿qué significan las expresiones en negrita?

4 En el texto aparecen grupos de palabras que suelen ir juntas en español. Completa las siguientes frases con la palabra adecuada y explica su significado. Después redacta una breve crónica de una jugada o partida de tu deporte favorito usando algunas de ellas.

a. atravesar/pasar
b. centrarse
c. culminar
d. desafiar
e. dictaminar
f. evidencia
g. violencia
h. lástima
i. reto
j. volcada

1. .... las leyes de la cordura. (P.3)
2. Enfrentarse a un nuevo ....(P.3)
3. La afición está .... en un hombre. (P.4)
4. .... por un martirio/calvario. (P.5)
5. .... en una idea. (P.5)
6. .... algo con éxito. (P.6)
7. Poner algo en .... (P.7)
8. Ejercer la .... (P.7)
9. Inspirar una profunda .... (P.8)
10. Los jueces .... quién ha ganado. (P.9)

5 Lee los párrafos indicados y elige la opción correcta.

(p. 1) El ciclista se encuentra en estos momentos...
a. bien de fuerzas. ☐
b. rodeado de aficionados. ☐

(p. 3) Subir el Alpe d'Huez en bici es...
a. una locura. ☐
b. posible dependiendo de las condiciones climatológicas. ☐

(p.5) El narrador prefiere no pensar...
a. en el sufrimiento de Jabato. ☐
b. en que el pelotón va ganando terreno. ☐

(p.6) El médico cree que las palabras dichas...
a. no podrían haberse mejorado. ☐
b. podrían desalentar al ciclista. ☐

(p. 7) Se describe el ciclismo como un deporte...
a. donde se disimulan las carencias fácilmente. ☐
b. en el que el individuo se encuentra solo. ☐

817m GAP
1 268m Col de Manse
982m Rampe du Motty
681m VALBONNAIS
1 371m Col d'Ornon
723m BOURG-D'OISANS
1 755m Alpe-d'Huez 1
1 999m Col de Sarenne
726m La Ferrière
1 850m ALPE-D'HUEZ 2
0 13 44,5 69 90,5 104 118 127,5 154 168 km

¿ESTÁS EN FORMA?

Para saber más

HOMBRES DE OTRO PLANETA

A continuación vas a escuchar un texto sobre una durísima prueba deportiva: el *ironman*. Después, elige la opción adecuada.

1. **El *ironman* y el triatlón son...**
   a. dos deportes en los que se mezclan varias disciplinas. ☐
   b. el mismo deporte, pero el primero es una modalidad del segundo. ☐

2. **Para poder participar en el campeonato del mundo, los deportistas...**
   a. han de presentarse a otros *ironman* clasificatorios. ☐
   b. deben demostrar que han entrenado previamente y están preparados. ☐

3. **El *Ironman* Lanzarote es una prueba que se realiza...**
   a. a lo largo de la costa. ☐
   b. en diferentes circuitos, en el mar y en la isla. ☐

4. **Marcel Zamora...**
   a. ha ganado ya nueve *ironman*. ☐
   b. considera la mente como lo más importante en este deporte. ☐

Da tu opinión

- ¿Qué opinas de estas pruebas tan duras físicamente?
- ¿Por qué crees que se endurecen cada vez más los deportes?
- ¿Qué consecuencias crees que pueden traer para los deportistas?

¿ESTÁS EN FORMA?

Crea con palabras

DEPORTES

1 Escribe, durante cinco minutos, todas las palabras relacionadas con estos deportes.

2 A veces podemos hablar de lo mismo, pero con diferentes palabras. Relaciona las tres columnas.

A
1. torneo
2. aficionado
3. oponente
4. balón

B
a. hincha, forofo
b. esférico, cuero
c. certamen, campeonato
d. adversario, contrincante

C
I. pelota, bola
II. competición, liga
III. fan, seguidor
IV. rival, contrario

3 Para llegar a ser un campeón o clasificarse, se necesita un proceso. ¿Podrías ordenarlo?

- eliminatoria para el pase a finales ☐
- semifinal ☐
- cuartos (de final) ☐
- final ☐
- octavos (de final) ☐

4 Lee el texto y explica qué significan las palabras en negrita. Después elige un deporte que conozcas y descríbelo. Tus compañeros tendrán que adivinar cuál es.

¿DE QUÉ DEPORTE HABLAMOS?

Es un deporte en el que los jugadores visten una **camiseta** que lleva un número en la espalda y el nombre del jugador, un **pantalón corto** y unas **medias**. También llevan unas **botas con tacos**, para poder correr mejor por el césped.

Se juega en las posiciones de **portero**, **defensa**, **centrocampista** y **delantero**.

El objetivo es **marcar goles** en una portería y para ello, deben **regatear** a los contrarios, **pasar** el esférico a otros jugadores, hasta que llegan cerca de la portería, y **rematar la jugada**. Nunca se puede tocar el balón con las manos, excepto si hay un **saque de banda**.

Hay además, tres personas encargadas de que se cumplan las reglas de este deporte: dos que supervisan las jugadas desde los laterales del campo (las **bandas**) y en caso de falta, levantan un **banderín** (son los **jueces de línea**). La tercera persona, **el árbitro**, está en el terreno de juego y corre cerca de los jugadores a fin de ver si **han hecho una falta** o necesita **sancionar** con una **tarjeta roja** o **amarilla** algo incorrecto, en esos casos, silba con un pito.

Lo importante es golear al contrario, ya sea por medio de un **disparo**, un **cabezazo** o después de **sacar** un **córner**. Además de los once jugadores, cada equipo puede tener en el **banquillo** a varios **suplentes**. Tres de ellos pueden sustituir a un titular de su equipo si su **entrenador** lo considera necesario.

Interactúa

- ¿Has asistido a algún partido de fútbol? ¿Qué sensaciones viviste? Descríbelas.
- ¿Cuál es el deporte más popular en tu país? ¿Cómo se vive desde las gradas uno de sus partidos?
- ¿Qué deportistas famosos conoces? Habla de su modalidad.
- El mundo del deporte profesional tiene otros participantes además de los deportistas. ¿Quiénes son y qué grado de influencia crees que tienen?

¿ESTÁS EN FORMA?

Así se habla

DAR EN LA DIANA

1 Hay expresiones de uso coloquial que tienen su origen en el mundo del deporte. Escucha estos diálogos y deduce el significado.

17

1 **Dar en la diana/el blanco**
a. Jugar con alguien para conseguir algo. ☐
b. Acertar en una suposición o intento. ☐

2 **Dormirse en los laureles**
a. Dejar de trabajar después de conseguir el éxito. ☐
b. Soñar con un mundo ajeno al real. ☐

3 **Tirar la toalla**
a. Ser relajado, un poco perezoso. ☐
b. Dejar algo por imposible, renunciar a ello. ☐

4 **No dar pie con bola**
a. Ser muy hábil esquivando problemas. ☐
b. Equivocarse repetidamente en algo. ☐

5 **Pasarse de la raya**
a. Intentar saberlo todo, curiosear. ☐
b. Pasarse, exceder los límites con una acción. ☐

6 **Sudar la camiseta**
a. Esforzase mucho para conseguir algo. ☐
b. Pasar mucho calor. ☐

7 **Echar balones fuera**
a. Pasar un problema a otra persona. ☐
b. Tratar de evitar una situación o respuesta comprometida. ☐

8 **Dar la talla**
a. Quedarle bien el maillot rojo de la Vuelta ciclista a España. ☐
b. Ser lo suficientemente bueno en algo; tener las aptitudes mínimas que requiere una situación. ☐

2 Escribe, con tu compañero, un diálogo en el que puedas utilizar alguna de estas expresiones.

¡NI SE TE OCURRA!

3 Las siguientes expresiones denotan prohibición y permiso. Relaciona cada una con el cuadro correspondiente.

A Pedir permiso
- Si no le importa, voy a...
- Oye, ¿me dejas...?

B Conceder permiso
- ¡Pues claro que sí! ¿Cómo no lo has dicho antes?

C Denegar permiso o prohibir
- Te he dicho que NO, y cuando digo que NO es que NO.
- Lo siento, no está permitido.

1. ...... No. Está tajantemente/terminantemente prohibido.
2. ...... ¡No te consiento que me hables así!
3. ...... ¡Venga ya! ¡Yo alucino contigo!
4. ...... ¿Le molestaría que abriera la ventana?
5. ...... ¡Faltaría más! ¡Adelante!
6. ...... ¡Ni se te ocurra!
7. ...... ¡De ninguna manera!
8. ...... ¡Bueno! ¡(Era) lo que me faltaba!
9. ...... Quisiera su consentimiento/aprobación para...
10. ...... ¿Y creías que iba a dejarte? ¡Qué equivocado estabas!
11. ...... ¡Por encima de mi cadáver!
12. ...... ¡Como veas!
13. ...... Permiso denegado
14. ...... Disculpe, ¿me permite que le diga algo?

4 En las frases anteriores la entonación es muy importante. Escucha los diálogos y marca el tono con el que se utilizan.

	Animar a actuar	Negación tajante	Con tacto	Desacuerdo consentido
1. Perdone, le molestaría que…	☐	☐	☐	☐
2. ¡Hombre, faltaría más!	☐	☐	☐	☐
3. ¡De ninguna manera!	☐	☐	☐	☐
4. ¡Bueno! ¡Como veas!	☐	☐	☐	☐
5. Lo siento. No está permitido.	☐	☐	☐	☐
6. ¡Tú mismo!	☐	☐	☐	☐

ES MI DEBER

5 Lee este minidiálogo e indica si las frases son de obligación (O) o ausencia de obligación (AO).

Juan: Pero ¿por qué estás limpiando tú los vestuarios? ¿No le toca a Javier?
Alba: Ya, pero si él no lo hace, **¿¡alguien tendrá que hacerlo, no!?**
Juan: Pero da igual, **¡eso no tienes por qué hacerlo tú!**

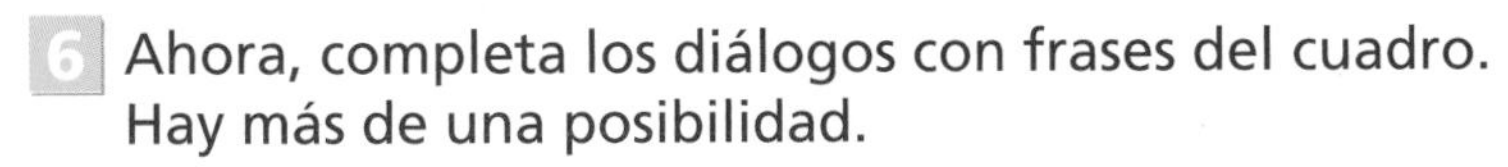

6 Ahora, completa los diálogos con frases del cuadro. Hay más de una posibilidad.

1. Me veo/siento obligado a…
2. Es mi deber/obligación.
3. ¡Lo prometido es deuda!
4. Ya me he comprometido a…
5. Ya he quedado en hacerlo yo…
6. ¡Qué remedio me queda (que hacerlo)!
7. ¡No tengo/no me queda otra opción!
8. Ahora tengo que lidiar con esto y hacerlo.
9. ¡A hacerlo y a callar, por la cuenta que me trae!
10. ¡A hacerlo y se acabó!
11. (algo) No entra dentro de tus obligaciones…
12. Me lo han impuesto/es una imposición.
13. No tienes por qué hacer eso.

1. ▶ Inés: ¡Aquí estoy, ya ves! ¡Recogiendo pelotas de tenis!
   ▶ Silvia: ¿Pero por qué tú?
   ▶ Inés: Le tocaba a Mónica, pero como siempre dice que está mal de la espalda, ¡pues nada! ¡Se lo mandan a la pobre de siempre…! ……
2. ▶ Joaquín: Hola, Miguel, ¿qué haces?
   ▶ Miguel: Preparar la pista de atletismo para la carrera.
   ▶ Joaquín: ¿Pero eso también te encargas tú de hacerlo?
   ▶ Miguel: Pues sí… No está en el contrato, ya sabes, pero han venido a hablar conmigo y ……
3. ▶ Lucas: Muchas gracias, estaba fatal de la espalda desde que tuve esa la lesión…
   ▶ Fisioterapeuta: De nada, hombre, ……
4. ▶ Mar: Oye, Paz, tú …… ensillar los caballos… Eso ……
   ▶ Paz: Lo sé, pero …… Lo he prometido y ……
5. ▶ Paco: ¿Por qué lo haces? ¡No te sientas obligado!
   ▶ Luis: ¡Uff! ¡……! Si no, mañana seguro que me la cargo. Así que ……

Interactúa

▶ ¿Qué obligaciones te molesta hacer especialmente?
▶ ¿Qué normas sociales (por ejemplo, dejar pasar a las mujeres primero, ceder el asiento a niños o personas mayores...) crees que están cambiando? ¿Hay alguna que consideres que debería cambiar?

¿ESTÁS EN FORMA?

Reflexiona y practica

Condiciones

Recuerda cómo expresamos condiciones.

Estas son las reglas, pero cuando hablamos, a veces, necesitamos romperlas para matizar lo que queremos decir. Fíjate en los cambios:

condición real

Si + presente indicativo + *futuro/presente/imperativo.*

Si tengo tiempo, iré/voy al gimnasio.
Si tienes problemas, llámame.

condición posible o imaginada

Si + imperfecto de subj. + *condicional.*

Si tuviera más tiempo libre, haría deporte.

condición imposible o irreal

Si + pluscuamperfecto de subj. + *condicional.* (consecuencia ahora)

Si hubiera ido más al gimnasio, ahora estaría más en forma.

Si + pluscuamperfecto de subj. + *condicional perfecto/pluscuamperfecto de subj.* (consecuencia en el pasado)

Si hubiera ido al gimnasio hoy, habría/hubiera hecho pesas.

CONDICIONES POSIBLES O IMAGINADAS

A1

Si queremos **marcar como segura** la realización de la consecuencia, usamos el **presente de indicativo/imperativo** *(en lugar del condicional).*

Si + imperfecto de subj. + presente de indicativo/imperativo.

Si tuviera tiempo libre mañana, te aviso para ir al gimnasio.

Si te llamara, avísame.

Indica que se ve como **muy seguro.**

A2

Si queremos **mostrar** la consecuencia **más posible,** usamos el **imperfecto de indicativo** *(en lugar del condicional).*

Si + imperfecto de subj. + imperfecto de indicativo.

Si tuviera tiempo libre hoy, me iba al gimnasio.

Si apareciera Pepe por aquí, me iba corriendo.

Indica **más posible** la consecuencia (que si se usa el condicional).
Es un uso más coloquial.

CONDICIONES IRREALES O IMPOSIBLES

B1

Si queremos **marcar** la condición como **una realidad muy real, que casi ha ocurrido,** usamos **el presente de indicativo** *(en lugar del pluscuamperfecto de subjuntivo).*

Si + presente indicativo + pluscuamperfecto de subj./condicional perfecto.

Si apareces un minuto antes, hubieras/habrías visto el gol.

Si abres un poco antes la puerta, te hubieras/habrías encontrado al deportista en el vestuario.

Indica que la condición **ha estado muy cerca de ocurrir.**

B2

Si queremos **asegurar** la consecuencia como **algo que podía haber pasado** usamos el **presente/imperfecto de indicativo** *(en lugar del condicional simple).*

Si + pluscuamperfecto de subj. + presente indicativo /imperfecto indicativo.

Si hubieras comido esa barrita energética caducada, estás/estabas ***ahora*** *en el hospital.*

Te lo aseguro: si hubieras visto el documental, estás/estabas ***ya*** *en un curso de esgrima.*

Indica que con **seguridad habría habido consecuencia**, si llega a darse la condición.*

*Necesita siempre un marcador temporal.

¿ESTÁS EN FORMA?

Reflexiona y practica

1 Lee estas frases. Cinco no son correctas (C), cuatro siguen las reglas gramaticales (RG) y seis juegan con las reglas (JR) para aportar matices de significado. Localízalas y explica qué matiz aportan estas últimas.

1. Si haces deporte sin calentar, te lesionarás.
2. Te habrías encontrado con Rafa Nadal, si llegas un poco antes.
3. Si hubieras venido, ahora conocías al presidente del club.
4. Si beberías más agua, te encontrarías mejor.
5. Si entrenarías más, hubieras podido hacer el ejercicio.
6. Sabrías por qué el niño no ha jugado en el partido si llamaras al entrenador.
7. Si tienes un momento, ayúdame con esto.
8. Si sacaras esto de aquí, podré hacer mis ejercicios de yoga.
9. Oye, si viniera, avísame.
10. Mira, llegaba al partido si saliera ahora mismo, pero con el jefe aquí...
11. Si acabarás esto, te invito a un refresco.
12. Nos íbamos a ver el partido al Camp Nou si te hubieras comprado la camisera del Barça.
13. Si venga Luisa con las toallas, me marcharé a la ducha.
14. Oye, que regalo las entradas, si me dijeras que no te gusta el fútbol, ¿eh?
15. Si hubiera jugado mejor, no lo habrían criticado.

OTROS NEXOS CONDICIONALES		
Siempre que + subjuntivo **Siempre y cuando +** subjuntivo **A condición de +** infinitivo **A condición de que +** subjuntivo	Condición con requisitos concretos	▶ *Siempre que tenga tiempo, entrenaré.* ▶ *Siempre y cuando me digas la verdad, jugaré.* ▶ *Saldremos al campo a condición de tener tiempo.* ▶ *Saldremos al campo a condición de que el tiempo sea bueno.*
En caso de + infinito/nombre **En caso de que +** subjuntivo	Condición que muestra un aviso o notifica algo que va a ocurrir	▶ *En caso de tener una sanción, no podría jugar.* ▶ *En caso de sanción, no podría jugar.* ▶ *En caso de que haya más de una sanción, habrá multa.*
Excepto que + subjuntivo **A menos que +** subjuntivo	Condición con restricciones	▶ *Excepto que nos encontráramos con una fuerte lluvia, el partido se jugaría.* ▶ *A menos que juguemos muy mal hoy, la copa es nuestra.*
Como + subjuntivo	Condición con amenaza	▶ *Como no ganemos hoy, nos echan del equipo.*
De + infinitivo **De +** infinitivo perfecto	Condición gradual de difícil a imposible según el tiempo verbal	▶ *De llegar tarde, hay/habrá una sanción. (pres./fut.)* ▶ *De fichar por alguien, lo haría por el Atlético. (cond.)* ▶ *De haber tenido un delantero mejor, habríamos ganado. (cond. perf.)*

2 Completa con un nexo condicional que no sea *si*.

1. .... dopaje, deberemos descalificar al deportista.
2. Volveremos a jugar, ... nos aseguren que cobraremos nuestras fichas.
3. Va a ser siempre igual: .... ganemos, daré la rueda de prensa; en caso contrario, lo hará el segundo entrenador.
4. .... no vengas a verme jugar hoy, me enfadaré; así que espero verte a las 17:00 h.
5. .... haber sabido que íbamos a perder, no vengo.

TALLER DE ESCRITURA

INSTRUCCIONES

Los textos con instrucciones explican el procedimiento para realizar alguna actividad de forma detallada, clara y precisa. Pueden ser de varios tipos:

Guías o **manuales** sobre cómo accionar o montar algún aparato o sistema (*manuales de uso de máquinas, de montaje de artefactos, etc.*).

Textos que explican cómo seguir unos pasos (*una receta de cocina, una tabla de ejercicios físicos, prescripciones médicas, etc.*).

Reglamentos en los que se explica cómo se regula algo (*reglas de juego, normas de clubes, etc.*).

Características

- Organización en apartados, encabezados por un título que identifica su contenido.
- Frases claras y sencillas. Uso del infinitivo (ej: ***conectar** el aparato a la electricidad*), el imperativo (ej: ***pulse** el botón derecho*), o se + 3.ª persona del verbo (*ej: después, **se conectan** los dos cables rojos*).
- Uso de marcas gráficas como números, asteriscos o guiones para diferenciar o secuenciar la serie de pasos.
- Empleo del léxico adecuado al tema sobre el que se habla.
- Inclusión de gráficos, ilustraciones y/o dibujos, según el tipo de texto.

1 Lee este texto sobre cómo jugar al ajedrez y señala las características antes mencionadas.

Piezas de ajedrez

Instrucciones para jugar al ajedrez

Reglas básicas

El ajedrez es un juego de dos jugadores, donde a uno de ellos se le asignan piezas blancas y al otro, negras. Cada jugador dispone de 16 piezas al empezar el juego: un rey, una reina, dos torres, dos alfiles, dos caballos y ocho peones.

El propósito del juego

Capturar al rey del otro jugador.

El comienzo del juego

Se comienza con las blancas, que hacen el primer movimiento. Después cada jugador tiene un único turno para mover. Solo se debe hacer un movimiento en cada turno.

La partida

Coloque una pieza en una casilla diferente cada vez, siguiendo las reglas de movimiento de cada pieza. Un jugador puede capturar una pieza de su oponente moviendo una pieza suya a la casilla en la que está la pieza de su oponente. La pieza del oponente se retira del tablero y permanecerá fuera de juego el resto de la partida.

Jaque

Si un rey es amenazado, pero tiene posibilidades de escapar, se usa la palabra *jaque*. En ese caso, el rey debe moverse inmediatamente fuera de *jaque*. Hay tres maneras de hacerlo:

1. Capturar la pieza que ha hecho el *jaque*.
2. Bloquear la línea de ataque colocando las propias piezas entre la pieza que ha hecho *jaque* y el rey.
3. Mover el rey fuera de la zona de *jaque*.

Jaque mate

Cuando un rey no puede evitar ser capturado se dice que es jaque mate y el juego finaliza inmediatamente.

Fin del juego

Se consigue de dos maneras:

1. Gane la partida consiguiendo un jaque mate al rey de su oponente o haciendo que su oponente se rinda.
2. Haga tablas. Esto ocurrirá si se presenta alguno de los siguientes finales: rey contra rey o si los jugadores se ponen de acuerdo.

2 Escribe ahora las instrucciones de algún deporte que conozcas o invéntate tú uno. Te proponemos estos.

- tenis sobre patines
- bici-hockey
- fútbol-golf
- waterpolo con canoa

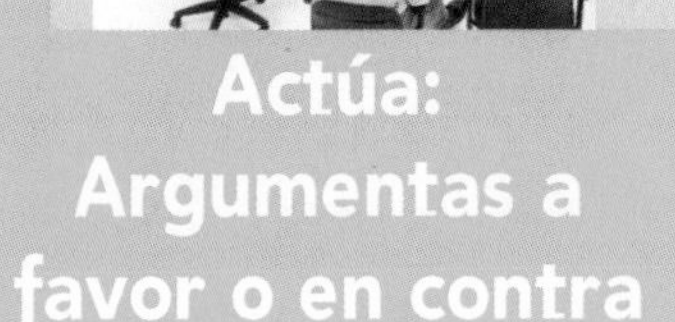

Actúa: Argumentas a favor o en contra

FÚTBOL Y MÁS FÚTBOL

Elige una o dos de estas opiniones sobre el fútbol y argumenta a favor o en contra de ellas.

1. Honestamente, el fútbol es el deporte que mueve a más masas y genera más pasiones en todo el mundo.

2. Ahora nadie discute que el fútbol como deporte es uno de los más completos, ya que se mezcla destreza personal con técnicas de grupo y estrategias de juego que podrían recordar a veces al ajedrez.

3. El fútbol, como todo en esta sociedad, es solo un negocio y funciona como tal. Los deportistas necesitan crear espectáculo para atraer a clientes que llenen los estadios, compren partidos por PPV, camisetas, balones y *merchandising*, en general.

4. *El fútbol se lleva en la sangre, en la mente, en el corazón. Es la razón para estar feliz o triste cada fin de semana. Simplemente es, para muchos, el complemento de sus vidas.*

5. El fútbol español puede presumir de tener una de las mejores ligas del mundo. Cuenta con grandes estrellas y equipos reconocidos por sus numerosos triunfos en competiciones europeas, además de una gran selección.

6. El fútbol suele generar violencia, muchas veces provocada por los mismos jugadores y clubes. Estos últimos amparan a grupos de ideologías extremas, aunque digan lo contrario.

REUNIÓN DE SOCIOS

Vas a participar en una reunión de socios de un club deportivo. Elige uno de los personajes y prepara tu intervención sobre los asuntos del día según tu personaje.

Sandro Pérez
Presidente
45 años.

Gloria Álvarez
Socia más joven
19 años.

Chuso Gómez
Encargado de la limpieza
64 años.

Nieves Ferrer
Propietaria del local y terrenos
42 años.

Mauro Pompioni
Entrenador del equipo
38 años.

Iñaqui Costa
Capitán del equipo
25 años.

Ramón Martínez
Socio más antiguo
85 años.

Jorge Roser
Presidente de la peña Pompioni
53 años.

Laura Paz
Relaciones públicas.
45 años.

Asuntos del día

- Renovación del contrato del local.
- Prohibición de fumar en todas las instalaciones.
- Cambio de la camiseta del equipo para la próxima temporada.
- Resultados negativos de las últimas semanas.
- Renovación de Ricardinho, estrella del equipo.
- Aumento de la cuota de socios.
- Renovación de las tribunas norte.
- Prohibición de pancartas en el campo.

REFUERZA Y CONSOLIDA EL LÉXICO

Vocabulario

Deportes

1 Lee las definiciones y escribe el nombre del deporte al que se refiere.

1. Consiste en ascender montañas: A ________
2. Diversos tipos de lucha y defensa personal: A ____ M ________
3. Deporte de equipo que se vale de las manos para marcar un gol: B ________
4. Descenso del barrancos de un río haciendo rápel, nadando, etc.: B ___________
5. Ascenso de una pared vertical: E _______
6. Lucha con espadas: E ______
7. Deslizarse por la nieve sobre dos tablas: E ____
8. Carreras de motos: M ___________
9. Consiste en una coreografía deslizándote sobre el hielo: P _______
10. Descenso de un río en una canoa o piragua: P _________
11. Descenso de un río en dirección de la corriente sobre una lancha neumática: R ______
12. Disparo de flechas a una diana: T ___ con A ___
13. Deporte náutico que consiste en controlar un barco propulsado por el viento: V ___
14. Recorrer senderos y hacer rutas por la naturaleza: S _________
15. Deporte de equipo en que se golpea el balón con la mano sobre una red: B __________/V _______

2 De los deportes anteriores, ¿cuáles son de aventura?, ¿y de riesgo?, ¿y olímpicos?

Gimnasia deportiva y atletismo. Modalidades

3 Relaciona cada disciplina o aparato con la foto adecuada.

1. salto de altura
2. barras paralelas
3. suelo
4. los 100 m lisos
5. salto de vallas
6. lanzamiento de jabalina
7. barra fija
8. potro con anillas
9. paralelas asimétricas
10. salto de longitud
11. anillas
12. salto con pértiga

REFUERZA Y CONSOLIDA EL LÉXICO

Vocabulario

Personas y competiciones

4 Clasifica las siguientes palabras en los cuadros inferiores.

1. adversario
2. árbitro
3. certamen
4. cien metros lisos
5. contrincante
6. defensa
7. eliminatoria
8. encuentro
9. entrenador
10. forofo
11. hincha
12. juez de línea
13. La Vuelta
14. Liga
15. maratón
16. Olimpiadas
17. oponente
18. rally
19. rival
20. seleccionador
21. portero

Personas	Competiciones

Acciones

5 Identifica las acciones de la izquierda relacionándolas con su definición.

1. chutar
2. cruzar la línea de meta
3. dar un cabezazo
4. dar el pistoletazo de salida
5. dar positivo en dopaje
6. encestar
7. esquivar
8. hacer un relevo
9. hacer/dar una voltereta
10. marcar/meter un gol
11. sacar un córner

a. Meter la pelota en la canasta.
b. Llegar al final de la carrera.
c. Consumir sustancias no permitidas antes de una prueba.
d. Evitar un golpe/un obstáculo.
e. Golpear el balón con el pie.
f. Dar un golpe con la cabeza.
g. Reanudar el juego desde una esquina del campo (fútbol).
h. Sustituir a alguien en la carrera, etc.
i. Disparar al aire para marcar el comienzo de una prueba.
j. Dar una vuelta completa con el cuerpo en el aire o sobre el suelo.
k. Meter la pelota en la portería.

Lugares

6 ¿Qué deportes se pueden realizar en los siguientes lugares?

- campo
- cancha
- circuito
- frontón
- hipódromo
- pabellón
- pista
- velódromo

Objetos

7 Lee los términos y escribe el nombre del deporte en el que se usan estos objetos.

1. silla, riendas, espuelas
2. bombona, aletas, traje de neopreno, tubo respirador
3. pelota, raqueta, mesa, red
4. trampolín, bañador, gorro, piscina
5. arnés, cuerda, mosquetón, casco
6. cinta, pelota, mazas, aro, malla, colchoneta
7. bate, guantes, pernera, peto, careta, casco
8. palo, disco, portería, patines, rodilleras, coderas
9. bolos, bola, pista
10. remo, canoa, chaleco salvavidas

Tema 8

GRANDES EMPRENDEDORES

- **Infórmate**
  - Emprendedores TR35
- **Para saber más**
  - El componente emocional
- **Crea con palabras**
  - Economía y ámbito empresarial
- **Así se habla**
  - Expresiones relacionadas con éxito, fracaso, precios y productos
  - Persuadir, disuadir y argumentar
- **Reflexiona y practica**
  - El artículo (presencia y ausencia)
- **Taller de escritura**
  - La carta de reclamación
- **Taller de comunicación**
  - Actúa: Participas en citas rápidas para emprendedores
- **Refuerza y consolida el léxico**

«El éxito es un pésimo maestro. Seduce a la gente inteligente a pensar en que no pueden perder».

Bill Gates (empresario)

Los emprendedores con éxito se distinguen por algunas características. Lee los textos y marca tres de las que consideras más importantes. ¿Añadirías otras?

Es una persona que **piensa positivamente**, pero debe tener un optimismo calculado, puesto que un exceso puede ser fatal. Además, es alguien **mentalmente fuerte**, que no deja que ninguna idea preconcebida influya en sus decisiones de negocios, que se forma y aprende todo lo que puede de cada nueva experiencia. ☐

El emprendedor no nace, sino que se hace. De este modo, **aprende a base de ensayo y error**, mejora con el paso del tiempo, descubre sus fortalezas y sus competencias en la práctica. No debe caer en un exceso de **confianza** y pensar que el éxito es rápido. ☐

Debe ser **perseverante**. La perseverancia es la característica que ayudará finalmente al empresario a realizar sus ideas y sueños. Debe ser paciente y trabajador, además de tener una meta prefijada, pero debe estar abierto al cambio. ☐

Un emprendedor debe tener **capacidad de visionario**: ver el futuro y las necesidades de la sociedad, anticipar cambios y desarrollarlos. Estas personas suelen ser calificadas de locas, pero su perseverancia y su entusiasmo les ayudarán a compartir su visión con otras personas y a convencerlas. ☐

Tiene un **alto poder de convencimiento**, ya sea de sus propias ideas o, incluso, de ideas de otros. Si cree en algo, debe mostrar entusiasmo y así podrá motivar a la gente a su alrededor. ☐

Es necesario un control del **marketing** en la empresa y la **atención al cliente**. Debe tener una visión global de su propio negocio puesto que el fracaso puede llegar por no prestar toda la importancia que merece el conjunto de la empresa. ☐

Es necesario poseer **competencia social**. Se debe saber cómo tratar a la gente, tanto a clientes como a empleados. Esto es el 50 % del éxito de una empresa. Nunca deben descuidarse las relaciones sociales. Los contactos son una parte importante de todo negocio. ☐

Es importante tener una gran **competencia profesional**. Hay que poseer un conocimiento del mercado y de la competencia, además de conocer perfectamente el propio producto. El buen empresario debe tener en cuenta su experiencia y sus conocimientos. ☐

Adaptado de: http://www.creacionempresa.es

Interactúa

- ¿Cuál es la función del empresario en la sociedad? ¿Qué obligaciones debe tener hacia sus trabajadores? ¿Y los trabajadores?
- El dinero está estrechamente vinculado al poder, y muchos afirman que son las grandes multinacionales y los grupos económicos, «el quinto poder», los que en realidad nos gobiernan. Coméntalo en clase.
- Algunas multinacionales buscan enriquecerse «a cualquier precio». ¿Dónde está el límite entre negocio y ética? ¿Es posible conciliar ambos?

GRANDES EMPRENDEDORES

Infórmate

EMPRENDEDORES TR35

La revista *Technology Review* del Instituto Tecnológico de Massachusetts (MIT) otorga el Premio TR35 Spain a los mejores innovadores españoles menores de 35 años.
Lee la información y relaciónala con los enunciados posteriores. Algún premiado puede ser elegido más de una vez.

GALARDONADOS CON EL PREMIO TR35

A. IKER MARCAIDE. 29 AÑOS

Pagos internacionales más sencillos y económicos. *PeerTransfer*
Cuando inició los trámites para matricularse en una escuela de Massachusetts, experimentó las dificultades de realizar pagos internacionales, con elevadas tasas bancarias, y un coste de tiempo importante. Entonces, Marcaide fundó *PeerTranfer*, con el objetivo de simplificar las transferencias monetarias internacionales, ahorrando tiempo y dinero. Con *PeerTransfer*, –de uso gratuito y dirigida tanto a estudiantes como a escuelas y universidades– tan solo hay que introducir el país de origen y el importe, y a continuación se informa del dinero que ahorrará con la transferencia. El ahorro es posible porque *PeerTransfer* no cobra comisiones, tan solo un pequeño margen por el cambio de divisa.

B. JAVIER AGÜERA. 19 AÑOS

Telefonía móvil de código abierto. *GeeksPhone*
Junto con Rodrigo Silva, Agüera irrumpió en la industria de la telefonía móvil con *GeeksPhone*, a comienzos de 2009. Son los primeros fabricantes españoles de telefonía móvil inteligente y la primera marca europea en lanzar al mercado un *smartphone* basado en el sistema operativo *Android*™: el *GeeksPhone One*. El objetivo de la compañía es ofrecer a un público soluciones de telefonía móvil de código abierto, lo que libera al consumidor de la atadura a un operador determinado. Fieles a este espíritu, *GeeksPhone* distribuye terminales libres en sus puntos de venta oficiales.

C. DAVID HORNA. 31 AÑOS

Tecnología para crear medicamentos «vivos». *Aglaris Cell*
La investigación con células madre permitirá curar muchas enfermedades graves, mediante la creación de medicamentos «vivos» compuestos por este tipo de células. David Horna, un joven ingeniero químico, quiere cambiar la forma en la que se realizan los cultivos celulares, para facilitar su producción y que esta deje de limitar el avance de las terapias celulares. Para ello, ha desarrollado un biorreactor de cultivos celulares que obtiene células modificadas genéticamente de forma automática. El sistema presenta un método de cultivos celulares que permite automatizar por completo, y sin necesidad de intervención humana, los pasos de despegado y lavado de las células sin usar compuestos. Todo esto se hace gracias a unas superficies inteligentes que permiten la adhesión y desadhesión de las células en función de cambios en el ambiente.

D. ELENA DE BENAVIDES. 29 AÑOS

Tratamiento de dolencias venosas. *Instituto Internacional de Flebología S.L.*
Dolencias como la flebitis, la trombosis venosa, las venas varicosas u otras enfermedades del aparato circulatorio afectan a entre el 20 % y el 24 % de la población. Elena, consciente de eso, ha ideado la microespuma esclerosante, una mezcla de gas –en forma de burbujas minúsculas– y líquido esclerosante con propiedades tensoactivas que, al ser inyectada en la vena, desplaza la sangre y entra en contacto directo con el endotelio (la cubierta del vaso sanguíneo). Su objetivo es hacer esta tecnología accesible a un gran volumen de población que tiene que pagar elevadas cantidades en las clínicas privadas, cuando el precio del tratamiento es hasta diez veces menor.

Infórmate

Interactúa

- ¿Conoces la trayectoria de algún emprendedor? ¿Qué negocios crees que tienen o tendrían más éxito actualmente?
- Si tú tuvieras la oportunidad, ¿qué negocio montarías?
- ¿Qué problemas crees que tiene actualmente el mundo laboral? ¿Cómo podrían resolverse?

E. ELÍAS PÉREZ. 33 AÑOS

Seguridad en la identificación de interlocutores. *IdentityCall*
El sistema de autentificación de voz sobre IP, creado por Elías Pérez, ofrece casi el mismo grado de seguridad sobre la identidad de la persona que llama como si se tuviera sentada frente a uno. Elías, ingeniero de telecomunicaciones, lo concibió para instituciones, grandes empresas y operadoras de telecomunicaciones interesadas en ofrecer a sus clientes altas cotas de seguridad en las llamadas de voz. El uso de *IndentityCall* es sencillo: se marca el número de teléfono al que se quiere llamar y el sistema pide que introduzca el DNI electrónico y se teclee un código PIN. Una vez el destinatario descuelgue el teléfono, comenzará la comunicación, que se encriptará para evitar intercepciones.

F. PABLO ORDUÑA. 28 AÑOS

Acceso a laboratorios remotos. *WebLab-Deusto*
Las ciencias naturales o la tecnología solo pueden aprenderse experimentando directamente con objetos físicos que permiten al alumno ensayar, errar e ir afianzando su conocimiento. Y para ello, hacen falta laboratorios, en general bastante costosos. Pablo Orduña, consciente de que muchos institutos y universidades no pueden adquirirlos o no tienen espacio para albergarlos, ha creado una federación de laboratorios remotos que los harán accesibles a alumnos de todo el mundo. Estos accesos remotos permiten, por ejemplo, que un alumno entre, desde su ordenador, a un acuario real situado en una universidad a kilómetros de distancia y alimente a los peces que viven en él.

Adaptado de www.technologyreview.es

1. Su producto intenta proporcionar un tratamiento más económico.	A	B	C	D	E	F
2. Ofrece un servicio telefónico popular y abierto a cualquier persona.	A	B	C	D	E	F
3. Su empresa ha creado una red de centros.	A	B	C	D	E	F
4. Su empresa permite concienciar a los clientes del coste real del servicio.	A	B	C	D	E	F
5. Su innovación surgió a raíz de una experiencia propia.	A	B	C	D	E	F
6. Este servicio ofrece la máxima confidencialidad.	A	B	C	D	E	F
7. Su método no usa intervención humana, lo que facilita la producción.	A	B	C	D	E	F
8. Desde cualquier lugar un alumno puede practicar a través de su sistema.	A	B	C	D	E	F

GRANDES EMPRENDEDORES

Para saber más

EL COMPONENTE EMOCIONAL

Emilio Duró, prestigioso consultor y conferenciante internacional, ha dedicado gran parte de su vida al estudio de los aspectos más importantes de la personalidad de un individuo.

A través de experiencias y anécdotas, expone que los fracasos profesionales raramente se deben a causas técnicas y sí al desarrollo emocional.

Escucha una de sus ponencias de la que se tomaron las siguientes anotaciones. Luego elige, para completar cada anotación, la opción correspondiente del recuadro.

- ilusión
- el aumento
- cuidar
- corriente
- las emociones
- reprimir
- pensar
- averiguar
- ignorar
- confundir
- funcionar
- paciencia
- estudiar
- la dilatación
- el conocimiento
- habitual

1. La humanidad ha evolucionado sobre todo gracias a .... de la esperanza de vida.
2. La pérdida de .... y la desmotivación puede hacer que fracase un negocio.
3. El cerebro reptiliano es el que hace .... toda la mecánica corporal.
4. Este cerebro puede causarnos enfermedades por .... sus señales.
5. El segundo cerebro que debemos atender es el que se encarga de ....
6. El cerebro racional puede llevarnos a .... la realidad.
7. Los pasos a seguir cuando no nos funciona bien un negocio es: ver la realidad, querer cambiar, ... y copiar a los que tienen éxito.
8. Es mejor copiar que innovar porque la mayoría de las personas tenemos un cerebro y visión comercial ....

Da tu opinión

- Duró habla de la importancia de las emociones en nuestro cuerpo, nuestro carácter y en nuestra vida laboral. ¿Estás de acuerdo con él?, ¿podrías dar ejemplos que lo corroboren o lo desmientan?
- Para Duró, el cerebro racional busca justificar lo que sentimos. ¿Crees entonces que le damos excesiva importancia a esta parte del cerebro?
- ¿Crees que en las escuelas se debería impartir una asignatura relacionada con las emociones al igual que se imparten otros conocimientos?¿Cómo se haría?

GRANDES EMPRENDEDORES

EL MUNDO EMPRESARIAL

1 Lee la información de estos recuadros y marca los términos adecuados relacionados con estos apartados.

1. Tipos de empresa	2. Secciones	3. Personal	4. Lugares

En las empresas suele haber un organigrama con los diferentes departamentos que las componen.

Dentro del sector comercial existen las franquicias, que pertenecen, junto a otros tipos de negocios, a la pequeña y mediana empresa (PYMES).

Algunas firmas y grandes cadenas, tienen una sede central que controla las diferentes sucursales que siguen las órdenes del director o de la junta directiva. Quienes llevan la administración son sus gerentes.

En las industrias o fábricas, a los trabajadores manuales se les llama *peones* u *operarios*.

Las mercancías se fabrican y almacenan en grandes pabellones techados llamados *naves*, que suelen ubicarse en la periferia de las ciudades, en los llamados polígonos industriales.

En los pequeños comercios o empresas a quien supervisa el trabajo se le denomina *encargado*.

HABLEMOS DE DINERO

2 Lee y completa cada texto con el término adecuado de la lista.

A veces las PYMES dependen de ayudas o (1) .... para poder establecerse. Aun así, son muchos los que (2) .... al comenzar un negocio, y tienen que «mirar con lupa» cada (3) .... económica que realizan. Las que no (4) .... y, a pesar de la competencia, consiguen expandirse, (5) .... más dinero del coste de los productos, y acaban (6) .... el dinero que han invertido, obteniendo (7) .... Contratan contables para llevar las (8) .... y se preocupan por sus clientes y proveedores, y por tener buenos publicistas que, si se puede, ofrezcan a su empresa como (9) .... en eventos que atraigan a público. Las personas que comparten el (10) .... de una S.A (Sociedad Anónima) se llaman (11) .... La mayoría de las grandes empresas (12) .... en Bolsa.

- accionista
- amortizar
- capital
- cotizar
- cuenta
- endeudarse
- ganancia
- ingresar
- patrocinadora
- quebrar
- subvención
- transacción

- asequible
- aval
- coste
- desembolso
- señal
- ganga
- importe
- liquidar
- número
- tasado
- tarifa

En la economía doméstica las cosas son diferentes. Lo importante es llegar a fin de mes sin estar en (1) .... rojos, y comprar al precio más (2).................... Es más, a veces cuando un negocio está (3).................... se pueden comprar las cosas a precio de (4) ...., o sea, verdaderas (5) .... Comprarte un artículo de lujo o algo que tenga un elevado (6) ...., supone un gran (7) .... para una familia de ingresos medios por lo que tiene que pagarlo a plazos, a menudo dejando antes una (8) ...., o pidiendo un crédito al banco, que no se te concederá a no ser que tengas: un (9) .... Muchas veces los productos son (10) .... por debajo o por encima de su precio real. No es extraño, con lo cara que está la vida, que la gente busque las (11) .... más baratas por los servicios que recibe.

GRANDES EMPRENDEDORES

Así se habla

ÉXITO Y FRACASO

1 Estas expresiones están relacionadas con el éxito, el fracaso, el control de calidad y el precio de los productos. Relaciónalas con su significado y luego, escribe un diálogo usando algunas de ellas.

1. Medir o pesar algo «a ojo».
2. Estar (algo) por las nubes/costar un riñón/ojo de la cara.
3. Poner algo en tela de juicio.
4. Romper moldes.
5. Guardar las formas/la compostura.
6. Estar tirado de precio.
7. Llegar a la cima/cumbre.
8. Conseguir algo por los pelos/de milagro.
9. Estar en pleno auge.
10. Hacer una chapuza/ser un chapuzas.
11. Marcar tendencias.
12. Hacer la vista gorda.

a. Actuar o imponer algo distinto a la norma de modo exitoso.
b. Expandirse y crecer./Estar de actualidad.
c. Comportarse según la situación, aunque no te guste.
d. Hacer algo sin calcularlo con exactitud.
e. Hacer mal un trabajo./Persona que hace las cosas de cualquier modo.
f. Ser muy caro. Tener un precio elevado.
g. Ser muy barato.
h. Imponerse en la moda.
i. Dudar o cuestionar algo, poner a prueba.
j. Pasar por alto algo negativo, quitándole importancia.
k. Lograr el éxito habiendo estado a punto de fracasar.
l. Triunfar en la profesión o en algo.

USTED, HÁGAME CASO

2 Lee, escucha este diálogo y marca qué expresiones en negrita sirven para persuadir (P), denegar (D) o argumentar (A).

20

Hombre: Nosotros le **aseguramos que** (......) no hay, hoy por hoy, en el mercado, ninguna enciclopedia tan actualizada como esta **y además** (......), encuadernada en terciopelo verde con letras en estilo gótico...

Mujer: Sí, **yo de verdad de verdad, le voy a ser sincera** (......): me parece, efectivamente, que es fabulosa, muy útil y que está muy bien hecha...

Hombre: ... y con autores de primer orden...

Mujer: Sí, pero **no la necesito, de verdad** (......). Es cierto que tengo hijos en edad escolar, pero es que ahora con Internet...

Hombre: ¡Hombre!, **no va usted a comparar** (......) el tener un libro que puede tocar, ni la calidad de las fotos, y **mucho menos** (......) las explicaciones, hechas por profesionales del tema y...

Mujer: **Sí, ya, pero** (......) es mucho dinero. Hoy en día...

Hombre:... **pero si eso no es un problema** (......), mujer... **Precisamente por eso** (......) se ponen unas condiciones tan buenas... **Dese cuenta** (......). Usted me dice un número de plazos, yo le hago un cálculo y paga al mes lo que pueda... ¡**Mire que si no la compra** (......), de verdad, cuando la pongan a su precio real **se va a arrepentir** (......)!

Mujer: Sí, ya... Pero de verdad que yo ahora no me puedo meter en otro gasto...

Hombre: Mire, **se lo digo yo que llevo muchos años** (......) en esta profesión y hacía tiempo que no teníamos una enciclopedia de tanta calidad a un precio tan económico. **Usted hágame caso y cómprela** (......)...

Mujer: No sé, tengo que pensarlo...

Así se habla

3 Según el diálogo anterior, responde a estas preguntas.

- ¿Dónde están y cómo se ha propiciado esta situación?
- ¿Qué gestos y comportamientos acompañarían este diálogo?
- ¿Crees que la mujer va a comprar la enciclopedia?
- ¿Te has encontrado alguna vez en una situación similar? Coméntalo.
- ¿Crees que hay coacción en estas situaciones? ¿Qué te parece?
- ¿Cómo debe ser un buen vendedor a domicilio?

4 Ahora clasifica estas expresiones según su significado A, B, C o D.

1. .... ¡Venga, hombre! ¡Total! ¡El *no* ya lo tienes...!
2. .... Ya, pero... ¿Y si...? + *argumento contrario*
3. .... Después de venir por ti, ahora me dejas solo en esto...
4. .... Piénsatelo bien, no vayas a meter la pata...
5. .... Hombre, haciendo eso el riesgo que corres es...
6. .... ¡Si no lo haces, tú te lo pierdes! ¡Peor para ti!
7. .... Tú confía en mí y haz lo que te digo...
8. .... Que vas a hacer ¿qué? ¡Ya te vale, ya!
9. .... ¡Venga! ¡No seas aguafiestas!
10. .... Pruébalo, y te convencerás
11. .... Luego no digas que no te lo he advertido, ¿eh?
12. .... ¿¡(No) serás capaz!?
13. .... ¡Por intentarlo, no pierdes nada!
14. .... ¡Venga, hombre! ¡No me hagas esto/esta faena!
15. .... Al hacer esto consigues/te aseguras de que...
16. .... ¡Todo son ventajas y no tienes nada que perder...!
17. .... ¡Déjalo, hombre! ¡No lo hagas...!
18. .... Desengáñate, que esto es lo mejor...
19. .... ¡Adelante! ¡Ahora o nunca!
20. .... Vale, pero imagínate que...
21. .... ¡Encima que te ayudo, no vas a echarte ahora atrás!
22. .... ¡Anda ya! ¿En serio vas a hacerlo?
23. .... ¡Mira que luego no hay vuelta atrás...!
24. .... ¡Venga! ¡Que luego no digan que no puedes...!
25. .... ¡Pero si eso no es un problema...!
26. .... ¡Pero eso tiene una solución muy fácil: solo tienes que...

A. Persuadir

- Venga hombre, no te cierres puertas, ¡date una oportunidad...!

B. Persuadir con chantaje

- ¡Te he recomendado, ahora no me vayas a dejar mal...!

C. Disuadir

- ¡Mira que luego te vas a arrepentir, ¿eh?
- *Perooo... ¡Cómo te pasas!/¿Cómo vas a hacer eso?

**Muestra enfado.*

D. Argumentar

- Hombre, si crees que es lo mejor, pero yo que tú...

5 En publicidad se intenta convencer al público. Inventa el nombre de un producto nuevo y completa este modelo. Después, preparad un anuncio para venderlo por la tele.

¿Cansad@ de ....?
¡Se acabaron sus problemas! Le presentamos el nuevo .... Con él nunca más tendrá que .... ni .... El sorprendente .... está especialmente diseñado para .... Su forma .... le permite .... Dese prisa y adquiera inmediatamente el imprescindible .... que cambiará su vida.
¡No se pierda esta oportunidad! Llame ya al n.° .... y adquiera .... Las 100 primeras llamadas recibirán de regalo ....

**Con la garantía del grupo Trastones, S.A.*

GRANDES EMPRENDEDORES

Reflexiona y practica

El artículo

Puede referirse a algo **genérico**: toda la categoría a la que pertenece, o a algo **específico**: uno o varios individuos en concreto.

1 De acuerdo con la información anterior, explica estas frases.

1. Vendrá **un empresario** japonés que ha contactado con Mari.
2. Visitan a **empresarios** de todo el mundo.
3. ¿Te acuerdas del **empresario** del año pasado?
4. Estafan a pequeños **empresarios**.

REFERENCIA GENÉRICA

Un/una/unos/unas	Sin artículo (Ø)	El/la/los/las
▶ Se refiere **a un individuo representativo** de su clase. No es algo definido, por tanto, no se puede identificar. *¡Necesitamos **una conexión** nueva a Internet ya!* *Suele usarse en singular: un/una.*	▶ Cuando el nombre se refiere a **una clase**, y **no es sujeto.** *Lo más cómodo es por **correo electrónico**.* ▶ Para sustantivos de ideas abstractas. *Tengo **curiosidad** por saberlo.*	▶ Se refiere a **toda una clase de objetos** en posición de sujeto. ***La conexión** a Internet es el mejor invento del siglo xx.* *En español el sujeto tiene que estar determinado.*

REFERENCIA ESPECÍFICA

Un/una/unos/unas	Sin artículo (Ø)	El/la/los/las
▶ Para hablar de algo **no identificable** para el oyente: • Por hablar **por primera vez** de ello. *Voy a hacer **un diagrama** con las ventas del mes.* • Por existir **varios objetos** del mismo tipo. *Esta es **una máquina para envasar.***	▶ Para hablar de **cantidades indeterminadas**. *Incluye **diagramas** para la presentación.* *¿Tienes **dinero** en efectivo?* *Los nombres contables, en plural y los incontables en singular.*	▶ Para hablar de algo **identificable** para el oyente: • Por haber hablado antes de ese objeto. ***El diagrama** es para incluirlo en la presentación.* • Por existir **un solo objeto** de ese tipo. *Esta es **la máquina de envasar** que exportamos.*

Hay algunas estructuras lexicalizadas que marcan la ausencia o presencia del artículo.

SIN ARTÍCULO

- ▶ Para hablar de la profesión: *Juan es **doctor**.*
  - Si especificamos la profesión dentro de una institución, o la calificamos: *Juan es **el doctor** del centro; Juan es **un buen doctor**.*
- ▶ Para hablar de cosas que normalmente se tienen o de personas con quien te relacionas: *No tengo **teléfono**; No tengo **hijos**; Tengo **coche**.*
  - Si calificamos, suele añadirse el artículo indefinido: *No tengo **un teléfono moderno**; Tengo **unos hijos ahorradores**.*
- ▶ Para describir materiales, tipos: *Es un coche **de juguete**; Es un tren **de madera**.*
- ▶ Preposición *de* + un nombre categorizador: *Sé algo **de Literatura**; Hablamos **de Arte**.*
- ▶ Preposición *de* + comparación: *Su piel es **de melocotón**; Tiene una casa **de película**.*
- ▶ Preposición *de* + cambio de postura corporal: *Se puso **de rodillas**; Se colocó **de costado**.*
  - Con el verbo *dar*. *Dar **un giro**, Dar **un salto**; Dar **la vuelta**; Dar **media vuelta**.*
- ▶ Para nombrar por el apellido: *Es **Martínez** quien lo hará.*
  - Si hablamos de una familia o de un miembro concreto de ella: *Estos son **los Martínez**; Voy a encargárselo a **un Martínez**.*

CON EL/LA/LOS/LAS

Para referirse al cuerpo: *Se rasca **la** cabeza; Me duelen **los** riñones.*
- *Pero me molesta **una** muela...*

CON UN/UNA/UNOS/UNAS; EL/LA/LOS/LAS

Para calificar a alguien/algo o para definir: *Eres **un** sol; Es **un** infierno; **El** guapo de Andrés.*

2 Lee las frases y elige la opción correcta. Si ambas son posibles, explica la diferencia.

1. Voy a venir a verte *la noche del fin de año/la noche de fin de año*.
2. Me gustó *Nochevieja de año pasado/la Nochevieja del año pasado*.
3. *Armas/las armas* no matan, *personas/las personas* lo hacen.
4. Siempre busco ofertas por *Internet/el Internet*.

3 En estas frases ambas opciones son posibles. Explica la diferencia.

1. Voy *a la clase/a clase*.
2. No ha cogido el teléfono porque estaba *en la cama/en cama*.
3. Ha venido *con unos amigos de su país/con amigos de su país*.
4. Hoy Sergio va *a fútbol/al fútbol*.

4 Muchas veces el artículo o su ausencia vienen dados por lo que queremos decir. Completa el texto con los artículos adecuados o (Ø).

Mascullaba imprecaciones mitad para sí, mitad para César; y también para el magullado alerón del auto, y sobre todo para (1) el/un encargado del aparcamiento, que venía ahora hacia ellos envuelto en (2) .... mono untado de (3) .... grasa: despacio, muy despacio, como si quisiera dar tiempo a que Matías se vaciara de (4) .... maldiciones; o quizá simplemente por fastidiar. «Que quién ha sido (5) .... imbécil que ha metido su coche en mi plaza».

El tipo se rascó (6) .... barbilla, se encogió de (7) .... hombros: «Son (8) .... órdenes, yo no sé nada». «¿Órdenes? ¿Qué órdenes? A mí me han dicho que a partir de hoy esa plaza es de (9) .... señor Martínez», respondía cazurramente el otro, escupiendo de cuando en cuando alguna brizna invisible de (10) .... materia, como si tuviera en (11) .... lengua (12) .... hebra de tabaco que no acabara de expulsar.

Matías abrió (13) .... boca, la cerró. Y César pensó: «Está acabado». «¿Quién lo ha ordenado?», preguntó (14) .... medio muerto con voz ronca. «(15) .... señor Pibu», dijo (16) .... encargado, «yo no sé nada».

Pittbourg, (17) .... subdirector administrativo. Matías parpadeó, tragó (18) .... saliva ruidosamente, dio (19) .... media vuelta, empezó a caminar hacia (20) .... salida con pasos de (21) .... ciego. César entregó (22) .... llaves de su coche a (23) .... empleado y corrió tras su colega.

Por debajo de (24) .... rosetones de sus mejillas, Matías mostraba (25) .... semblante fosforescentemente lívido; (26) .... venillas moradas de su nariz parecían (27) .... mapa de (28) .... cuenca hidrográfica. «No te preocupes, Matías», empezó a decir César. E inmediatamente se dio cuenta de que Matías estaba en realidad tan preocupado que (29) .... frase resultaba algo brutal: era como mentarle (30) .... chepa a un giboso. «No te enfades, Matías», rectificó entonces, porque (31) .... enfado era siempre (32) .... emoción más digna, (33) .... furia era (34) .... atributo de (35) .... dioses. «Venga, hombre, Matías, no te cabrees, a mí también me quitaron (36) .... plaza del aparcamiento hace (37) .... meses, no es para ponerse así, ¿no?», musitó Matías, lanzándole (38) .... fugaz mirada de reojo. «No, hombre, ya sabes que siempre ha habido problemas con (39) .... garaje porque no hay (40) .... plazas suficientes, yo ahora le doy (41) .... llaves a (42) .... encargado y santas pascuas, es incluso más cómodo».

Adaptado de Amado amo. Rosa Montero.

TALLER DE ESCRITURA

CARTAS DE RECLAMACIÓN

Características

- Redacción clara y directa.
- Debe tener el motivo de la reclamación, así como el interés o la petición de compensación.

1 Aquí tienes dos cartas comerciales en las que se reclama dinero a los clientes. ¿Qué diferencias hay entre ellas?¿En qué situación las usarías?

ACERSA, S.L.
General Pertierra
Apdo. 15001 A Coruña
3 de septiembre de ....

Ref. factura: PJ/CV

Distinguidos clientes:

Nos ponemos en contacto con ustedes para recordarles que, a fecha de hoy, aún no han efectuado el pago del pedido de maquinaria industrial que les enviamos el 15 de junio. A este respecto, solicitamos que nos comuniquen a la mayor brevedad posible si existe algún problema que podamos subsanar o, de lo contrario, que procedan a hacer el ingreso en un plazo máximo de una semana.

Asimismo, les trasmitimos nuevamente nuestro agradecimiento por confiar en nuestros servicios, y nos ponemos a su disposición para cualquier otro asunto que estimen oportuno.

A la espera de sus noticias, atentamente,

Noelia Gutiérrez
Gerente de ACERSA, S.L.

SURHOGAR, S.A.
D. Gonzalo Villalba Rojo
Avda. de la Constitución, 23 1.º Dcha.
33400 Avilés
5 de octubre de ....

Muy señor mío:

A través de esta carta le informamos de que su banco nos ha devuelto nuevamente el recibo mensual que le pasamos para facilitarle el pago de los muebles que usted adquirió en nuestro establecimiento. Con este ya son tres los meses que nos adeudan.

Habiendo pasado el plazo de pago acordado y tras previa advertencia por parte de nuestro equipo administrativo, le notificamos que procedemos a resolver el conflicto mediante vía judicial.

Atentamente,

Iñaki Mendieta Ibáñez
Jefe de administración

2 Elige una de las siguientes situaciones y escribe una carta de reclamación. Después, intercámbiala con tu compañero y contesta la suya.

- Tenías planes para salir este fin de semana a hacer senderismo, pero al tiempo le ha dado por diluviar. **Protesta por su actitud caprichosa contigo y reclámale un compromiso de un mes de fines de semana soleados.**
- Has prestado servicios especiales a un hombre y ahora se niega a pagarte. **Reclama lo que te debe**. (*¡Ah! Eres el Padrino, don Vito Corleone).*
- La compañía *El futuro en tus manos* está formada por profesionales de la videncia. No se ha cumplido lo que te han dicho. **Reclama tu dinero o pídeles un conjuro para tu problema**.
- A través de la compañía *Lindatierra* enviaste un paquete a tu país hace un mes y todavía no ha llegado. Te han informado de que se trata de una compañía ecológica que no utiliza gasolina, sino nadadores, remeros y atletas especializados, que se relevan para portar tu paquete a su destino. **No te lo explicaron adecuadamente. Escríbeles.**

TALLER DE COMUNICACIÓN

SPEED DATING

¿Has oído hablar de las citas rápidas (*speed dating*)? Actualmente se está aplicando por parte de algunas empresas como método para encontrar candidatos o inversores de manera rápida. ¡El tiempo es oro en los negocios!

Actúa: Participas en citas rápidas para emprendedores

Vamos a hacer un *speed dating* de emprendedores y para ello vamos a prepararnos de la siguiente manera.

1. Piensa en una empresa innovadora, que sorprenda a unos posibles inversores. No pienses en algo ya existente de forma masiva en el mercado, puesto que nadie querrá invertir en ella.

Ej: **Mototaxi**
Traslado urbano de personas. Evitas atascos y es más económico que en un taxi normal.

2. Diseña una tarjeta de visita con el logo y un lema que identifique a la empresa. Esta será tu señal de identidad y la que entregarás al inversor. Sé original.
Si es una empresa totalmente nueva, necesitas diseñar también el producto.

Mototaxi
Si quieres tu tiempo para invertirlo en ti, ven con nosotros. Volarás de un lado a otro, con toda seguridad.

3. Piensa cómo va a estar organizada la empresa: número de empleados, material necesario, horarios, publicidad (dónde, cuándo…).
Sé realista, no pienses en un negocio que necesite mucha inversión, puesto que asustarás a tus inversores. Si es necesario el gasto, convéncelos de que tu empresa lo necesita.

Ej: **Mototaxi**
Inversión: siete motos, siete personas con carné y equipación para los motoristas. **Horario:** 24 horas. **Publicidad:** Facebook, buzoneo, en las motos, *merchandising.*

4. Por último, intenta convencer al inversor de que tu empresa es la mejor y tú eres el mejor emprendedor.
Vas a tener solo tres minutos para convencerlo, así que esmérate en contestar a sus preguntas con buenas respuestas.

Empieza el *speed dating* de emprendedores

Se divide la clase entre emprendedores e inversores. Cada vez que el profesor haga sonar una señal deberéis cambiar de inversor.
Una vez acabada la ronda, cada inversor elegirá la empresa que más le interese. Después los inversores serán emprendedores y los emprendedores serán inversores.

Vocabulario

REFUERZA Y CONSOLIDA EL LÉXICO

Mundo empresarial

1 ¿Sabes cómo se clasifican las empresas? Completa las definiciones con el término adecuado para saber más.

• acciones • beneficios • capital • financiación • propiedad conjunta • a terceros • tipos de interés

Según el tipo de asociación

1. Cooperativa: sociedad de ______ formada por personas que se unen de forma voluntaria y que la gestionan democráticamente.
2. Sociedad anónima: formada por socios que tienen ______ de la empresa. En caso de contraer deudas, deben responder por la cantidad del capital aportado.
3. Sociedad limitada: tiene un número limitado de socios que aportan un ______ determinado. En caso de contraer deudas, no se responde con el capital personal de los socios.
4. Sociedad sin ánimo de lucro: se crea para favorecer ______ y no para recibir ______ ni gozar de sus servicios.
5. Sociedad financiera: se dedica a conceder ______ a personas. A su vez, se financia a través de otras entidades o fuentes del mercado. Suele conceder préstamos a quienes no los logran de las entidades de crédito. Perciben unos ______ más elevados.

• ganancias • capital privado • Estado • necesidades sociales

Según el capital

1. Privada: empresa de ______, cuya finalidad es obtener ______.
2. Pública: empresa del ______, cuya finalidad es satisfacer las ______.

Según la actividad que realizan

• compraventa
• gestoría
• materias primas
• minoristas
• presta servicios

1. Comercial: empresa dedicada a la ______ de productos terminados (mayoristas, ______, comisionistas).
2. De servicios: empresa que ______ a otras o a la comunidad (consultoría, ______, servicios informáticos, empresas de energía, salud, colegios, cafeterías...).
3. Industrial: empresa que produce bienes mediante la transformación y/o extracción de ______.

Según el número de trabajadores

• empleados
• empresas
• facturación
• Pequeñas

1. Grandes empresas: con más de 250 trabajadores.
2. Medianas empresas: empresa de entre 50 y 250 ______
3. ______ empresas: con menos de 50 trabajadores.
4. Pymes: nombre por el que se engloba a las pequeñas y medianas ______ con un número menor de 250 empleados y una ______ máxima de 50 millones de euros.

REFUERZA Y CONSOLIDA EL LÉXICO

Empleados

2 Relaciona cada cargo con el trabajo que realizan.

1. capataz
2. consejero
3. delegado
4. encargado
5. gerente
6. operario
7. peón

a. Realiza trabajos no especializados o es ayudante de algunos oficios.
b. Administra y dirige una sociedad mercantil.
c. Dirige y controla el trabajo de un número determinado de trabajadores.
d. Representa a los trabajadores frente a la empresa.
e. Representa al dueño de una empresa.
f. Trabajador manual.
g. Persona que da consejos en las Administraciones de las sociedades mercantiles.

Situación de una empresa

3 ¿Qué ocurre si una empresa...

1. quiebra/se hunde/está en bancarrota?
2. está en suspensión de pagos/se declara insolvente?
3. sale a flote/es saneada?
4. cubre gastos/no tiene pérdidas?
5. se expande/está en auge?
6. se privatiza/se nacionaliza?

a. No contrae deudas, pero no obtiene beneficios.
b. No puede afrontar las deudas.
c. Pasa de ser una empresa estatal a privada y viceversa.
d. Se arruina.
e. Supera una situación de crisis.
f. Tiene éxito, crece.

Economía doméstica

4 Explica con tus propias palabras qué significan estas expresiones.

1. Andar sobrado de dinero
2. Derrochar el dinero
3. Pagar en efectivo
4. Pasar estrecheces
5. Tener liquidez
6. Cubrir gastos
7. Fundirse el dinero
8. Pagar facturas
9. Tapar agujeros
10. Tener unos ingresos netos/brutos de...

5 Completa las frases con estas expresiones relacionadas con la economía.

• blanquear (el) dinero • estar en época de vacas gordas/flacas • estar sin blanca/sin un duro • hacer caja • llevar las cuentas • dinero contante y sonante

1. Los días de lluvia casi no se .... La gente sale menos y nadie entra en la tienda a comprar.
2. ¿Sabías que una de las maneras más habituales de .... de la venta de droga es comprando obras de arte?
3. No voy a poder ir a Mallorca. Hasta que no cobre a final de mes ....
4. Antes, cuando ...., todos cambiaban de coche a menudo y ahora, que ...., no hay manera de vender un solo vehículo.
5. Yo de números no sé mucho, así que un gestor me .... de la tienda.
6. No para de trabajar en sus nuevas ideas para incentivar el negocio. Su único objetivo es conseguir .... en pocos meses y poder invertir más en la empresa.

Tema 9

CONECTADOS

- **Infórmate**
  - La era de las redes sociales
- **Para saber más**
  - Seguridad en Internet
- **Crea con palabras**
  - Nuevas tecnologías
- **Así se habla**
  - Refranes populares
  - Mostrar preocupación, alivio y desconfianza
  - Tranquilizar
- **Reflexiona y practica**
  - Posición del adjetivo
- **Taller de escritura**
  - Tipos de lenguaje
- **Taller de comunicación**
  - Actúa: Participas en un foro de opinión
- **Refuerza y consolida el léxico**

«Las organizaciones gastan millones de dólares en firewalls y dispositivos de seguridad, pero tiran el dinero porque ninguna de estas medidas cubre el eslabón más débil de la cadena de seguridad: la gente que usa y administra los ordenadores».

Kevin Mitnick (Hacker)

¿Estás en alguna red social? ¿Cuándo te conectas? Haz la siguiente encuesta y compara con tu compañero si tenéis algo en común.

TÚ y LAS REDES SOCIALES

1. Crees que las redes sociales las usan...
   a. niños (menos de 11 años) ☐
   b. adolescentes (de 11-20 años) ☐
   c. jóvenes (20-35 años) ☐
   d. gente de mediana edad (35-55 años) ☐
   e. ancianos (más de 55 años) ☐
2. Tu red social favorita es...
   a. Youtube ☐
   b. Facebook ☐
   c. Twitter ☐
   d. MySpace ☐
   e. otra .... ☐
3. Te conectas...
   a. todos los días ☐
   b. más de una vez al día ☐
   c. todas las semanas ☐
   d. muy pocas veces ☐
   e. todo el tiempo ☐
4. Usas las redes para...
   a. hablar con tus amigos ☐
   b. tus actividades profesionales ☐
   c. conectar con tu familia ☐
   d. conocer a gente ☐
   e. estar informado ☐
5. Te gustan porque...
   a. hablas con gente ☐
   b. recibes mensajes ☐
   c. chateas ☐
   d. puedes expresarte ☐
   e. ves vídeos y fotos ☐
6. Piensas que estar en una red es...
   a. divertido ☐
   b. aburrido ☐
   c. fácil ☐
   d. difícil ☐
   e. peligroso ☐
7. Piensas que las redes sociales...
   a. están de moda ☐
   b. son útiles ☐
   c. son innecesarias ☐
   d. provocan adicción ☐
   e. favorecen el cotilleo ☐
8. Usas las redes por...
   a. curiosidad ☐
   b. un amigo o familiar ☐
   c. tu centro de estudios ☐
   d. tu trabajo ☐
   e. otro .... ☐

Da tu opinión

- ¿Consideras que la gente pasa demasiado tiempo en las redes sociales?, ¿por qué?
- ¿Piensas que han hecho que cambie la forma de relacionarse entre las personas? Si es que sí, ¿a qué niveles: personal, sentimental, profesional...)?
- Los usuarios de estas redes suelen hacer públicos datos y características personales, ideología, orientación sexual, religiosa, y política. ¿Crees que son conscientes de que exponen su vida?

CONECTADOS

Infórmate

FACEBOOK, TUENTI...

Lee este texto sobre las redes sociales y complétalo con los párrafos extraídos. Ten cuidado porque uno de ellos no corresponde a la lectura.

CONECTADOS: LA ERA DE LAS REDES SOCIALES

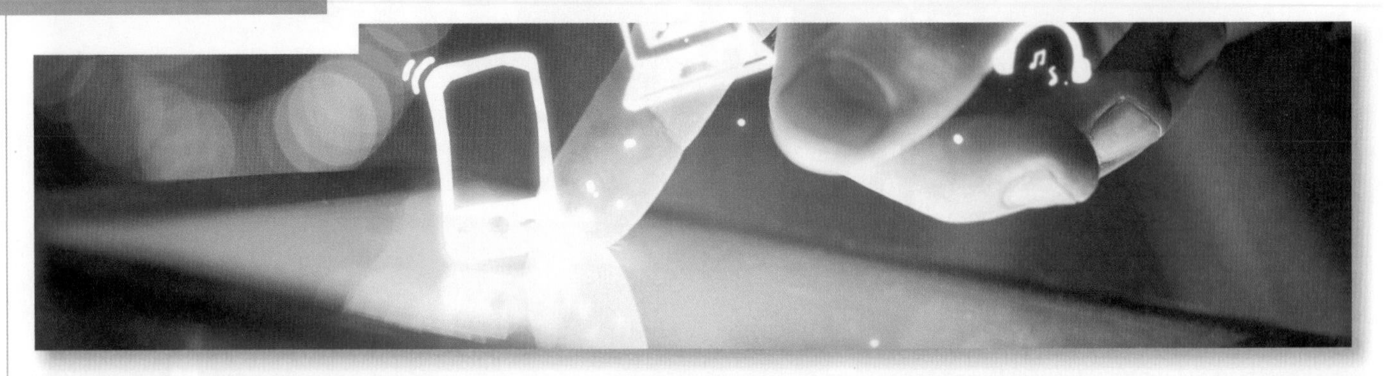

Cada vez es más fácil acercarse a ese ¿sueño? de tener un millón de amigos. Las redes sociales en Internet están cambiando totalmente la forma de relacionarnos...

Algunos ven riesgos de adicción y pérdida de privacidad y de la verdadera amistad, pero más de 900 millones de personas ya se han dejado seducir. Para muchos es la manera más novedosa de socializar y sentirse acompañados.

5 Nunca estuvimos tan conectados a los demás como en este momento de la historia. [.........]. Los expertos no encuentran ningún otro producto con una acogida tan veloz y masiva: Tuenti, Twitter, Facebook, MySpace... Las hay de todo tipo, pero todas tienen en común que están formadas alrededor de las personas, dejando ver las líneas invisibles de las relaciones que nos unen.

Facebook es la más popular del planeta. La utilizan 900 millones de personas, que si formaran la población de un país, sería 10 el tercero más habitado, tras China e India. [.........]. A pesar de haberse convertido en el gran directorio, es algo tan sencillo como una página web en la que todos pueden participar al dar su nombre real y añadir a sus conocidos. Una vez dentro, uno cuelga textos, fotos o enlaces, juega a juegos, declara en público que es fan de algo o, mucho mejor, ve qué han hecho los demás.

A la eterna pregunta de cuántos amigos es posible tener online sin volverse loco se suele responder que 150. El antropólogo 15 Robin Dunbar observó, en los 90, que el tamaño del grupo con el que se relacionan los primates depende del tamaño de su cerebro. Los humanos, como monos con un cerebro mayor, estaríamos programados para relacionarnos con 150 miembros, donde todos nos conoceríamos, nos dedicaríamos tiempo y recordaríamos las relaciones existentes entre los demás. Si se supera ese número comienzan los problemas de cohesión. Dunbar defiende que ni siquiera Facebook puede ampliar la cifra para la que estamos programados. Pero nuestra experiencia es otra: por ejemplo, el actor Ashton Kutcher es seguido 20 en Twitter por 4 700 000 personas y en España, más de 400 000 fans agradecen al futbolista Andrés Iniesta que actualice su página (si escribe «Gran partido y el pase a "semis" conseguido», recibe 2 800 comentarios y 13 000 seguidores dicen: «¡Me gusta!»). Detrás de esos números no hay un amigo íntimo, pero sí utilísimos «lazos débiles» (término de las redes).

Hace unos años conocíamos a alguien (o no) y punto. Hoy existen muchas relaciones en el limbo, como la que mantenemos con alguien al que leemos en Twitter y del que podemos saber a qué hora se ha despertado y qué ha desayunado, pero 25 que ni sospecha de nuestra existencia. [.........] Pues sí, antes vivíamos en un sitio y nos relacionábamos con los de allí, pero ahora, nuestro mundo se puede ampliar extraordinariamente, porque quizá nos conectemos con gente de la otra punta del planeta con la que solo nos une una afición común. «Siempre hemos formado redes, pero con la tecnología se han eliminado barreras geográficas y podemos tener muchos vínculos débiles que, en conjunto, pueden ser más 30 importantes. Por ejemplo, me puede afectar más, en una decisión, la opinión de 200 pequeños amigos que la fuerte de uno solo», continúa Freire.

Los lazos humanos son poderosos: ¿Necesitas un buen colegio? ¿Una pareja? Lo mejor es movilizar a los contactos. Si tenemos 100, y cada uno de ellos otros 100, es como si se les hubiera preguntado a 10 000 personas. 35 Siempre hemos utilizado el potencial de las redes intuitivamente; la tecnolo-

gía solo ha acelerado el proceso. En realidad, todas las tonterías que hacemos en las redes sociales son para mantener vivos los lazos. Al hacernos fan de Iniesta, etiquetar las fotos de los amigos, responder a sus comentarios o unirnos al grupo «Yo también hacía notitas en clase» estamos recordando a los demás que existimos. Freire cree que esos actos superfluos 40 sirven de «pegamento social». «Hacemos lo mismo que en la vida cotidiana. Si me tomo un café o doy un paseo también es una pérdida de tiempo, pero esas interacciones basura son las que luego te permiten obtener ayuda».

Infórmate

Los expertos también han puesto nombre a esa sensación de estar acompañados por nuestra red en Internet: *ambient awareness*. De reojo e inconscientemente, sabemos quiénes 45 están con su lucecita verde conectados al chat. [.........].

A pesar de su éxito, nadie sabe si las redes sociales son una moda que desaparecerá tan rápido como llegó. Funcionan porque nos comunican mejor, pero si mañana surge algo más útil, podrían quedarse vacías. De momento, estamos más conectados que nunca y cada día, millones de personas crean y destruyen nuevos y viejos lazos.

Adaptado de http://manuelgross.bligoo.com

1. «Antes se formaba parte solo de tres redes sociales que se solapaban entre ellas: la del lugar donde vivíamos, la de la familia y la del trabajo. Hoy puedes estar en un montón de redes a la vez y, además, elegirlas tú», defiende el biólogo y profesor universitario Juan Freire.

2. Frágiles, pero extensos, los vínculos que nos unen a los demás se han multiplicado gracias al nacimiento de las redes sociales, con posibilidades infinitas.

3. Se habla mucho de la adicción a las redes, a pesar de que los expertos están divididos. Los más cautos prefieren hablar de personalidades con predisposición a la adicción, una de las cuales puede ser Internet.

4. En España, ha pasado en un año de 6 millones de usuarios activos a más de 16. En ciertos círculos y edades es difícil encontrar a alguien que se mantenga ajeno.

5. Nos imaginamos que un familiar está feliz si se hace fan de algo divertido en Facebook, sabemos que un contacto profesional está de viaje o muy ocupado si desaparece de Twitter. Y así, casi sin querer, somos conscientes de un entorno de cientos de personas.

Interactúa

- ¿Crees que el autor está a favor o en contra de las redes sociales? Justifícalo con ejemplos.
- ¿Cuál es tu opinión sobre ellas?
- En el texto se habla de que las redes sociales han existido siempre, ¿podrías dar algún ejemplo?

CONECTADOS

Para saber más

1 Vas a escuchar una conferencia sobre la seguridad y la privacidad en Internet y en las redes sociales. Después elige el término adecuado para completar estas notas.

21

- el consentimiento
- intrusivos
- cortafuegos
- sistemáticamente
- fácilmente
- comprometedores
- el acoso
- la suplantación
- contempla
- encumbrado
- vulnerado
- apoyo

SEGURIDAD EN INTERNET

La universalización de las tecnologías de la información, ha traído la aparición de multitud de entornos en los que se manejan y almacenan nuestros datos personales. Dado el valor que tiene esta información, y las repercusiones negativas que puede tener su uso inadecuado, es necesario concienciar a los usuarios de las TIC de la importancia de la privacidad, entendiéndose por privacidad como la habilidad de cada individuo de controlar qué información revela de uno mismo en el conjunto de Internet, y de controlar quién puede acceder a ella.

1. Las redes sociales establecen .... la posibilidad de que los amigos de tus amigos accedan a tus datos.
2. Entre los riesgos posibles están .... de la personalidad y la difusión de material privado sin .... de la persona a la que implican.
3. Si consideras que se han .... tus derechos, puedes denunciarlo ante la Agencia de Protección de Datos.
4. En la Red, se deben evitar los datos personales ....
5. Los programas .... evitan que otras personas o entidades entren en tu ordenador.
6. Muchos actos delictivos a través de Internet son bastante nuevos y por eso la legislación aún no los ....

2 Con las notas anteriores, escribe un breve texto argumentando tu opinión sobre el tema.

Da tu opinión

- ¿Sigues los consejos que aparecen en la audición?, ¿qué otras cosas haces para protegerte?
- ¿Has sentido alguna vez vulnerada tu privacidad en Internet?
- Utilizar material privado de otra persona cuando ella misma lo ha facilitado, ¿es un delito? ¿Se deberían tomar medidas de seguridad más drásticas? ¿Hay suficiente información? ¿La legislación debería endurecerse?

CONECTADOS

Crea con palabras

NUEVAS TECNOLOGÍAS

1 ¿Cuáles de estas opciones son verdaderas? Hay más de una.

1. Con el **ratón** puedes...
   a. pinchar en un icono **b.** arrastrar archivos **c.** teclear
2. Estos nombres designan a **personas** relacionadas con los ordenadores...
   a. internauta **b.** técnico **c.** pirata
   d. programador **e.** disquetero
3. En **Internet** puedes...
   a. entrar en una red social **b.** surfear **c.** chatear
   d. descargar programas
4. El **ordenador** puede...
   a. colgarse **b.** comprimir un archivo **c.** formatearse
   d. bloquearse **e.** descolgarse **f.** minimizarse
5. Si no puedes dejar de jugar o de usar Internet, se dice que estás...
   a. viciado **b.** enganchado **c.** colgado
   d. virtualizado **e.** cibernetizado

2 Es importante estar al día en cuanto a nuevas tecnologías se refiere. En grupos y durante 5 minutos, escribid acciones propias del mundo de la informática.

- Encender el ordenador
- Guardar/grabar un documento
- ....

¿ORDENADORES, TELÉFONOS MÓVILES, O AMBOS?

4 Relaciona estos términos con los ordenadores (1), los teléfonos móviles (2) o ambos (3):

.... No tener conexión
.... No tener cobertura
.... Recuperar un archivo
.... Enviar un sms
.... No dar señal
.... Quedarse sin batería
.... Wasapear (coloq.)
.... Enlace
.... Hacer una perdida
.... Salvapantallas
.... Pasar a otro formato
.... Emoticono
.... Lector de CD
.... Estar comunicando
.... Buzón de voz
.... Antivirus
.... Contestador

3 Escribe, debajo de cada uno de estos aparatos, el nombre adecuado.

1. ....

2. ....

3. ....

4. ....

5. ....

6. ....

7. ....

8. ....

9. ....

10. ....

CONECTADOS

Así se habla

A RÍO REVUELTO...

1 ¿Conoces estos refranes españoles? Relaciona las partes de cada columna para formarlos.

1

1. En el mundo de los ciegos...
2. No por mucho madrugar...
3. A río revuelto...
4. En casa del herrero...
5. Piensa el ladrón...
6. Más vale pájaro en mano...

a. el tuerto es el rey.
b. ganancia de pescadores.
c. amanece más temprano.
d. que todos son de su condición.
e. cuchillo de palo.
f. que ciento volando.

2

7. Donde hay confianza...
8. Del dicho al hecho...
9. Dime con quién andas...
10. Cuando el río suena...
11. A quien madruga...

a. Dios le ayuda.
b. y te diré quién eres.
c. hay mucho trecho.
d. da asco.
e. agua lleva.

3

12. No dejes para mañana...
13. Quien mucho abarca...
14. De tal palo...
15. Vísteme despacio...
16. Dime de qué presumes...
17. Ver la paja en el ojo ajeno...

a. tal astilla.
b. poco aprieta.
c. lo que puedas hacer hoy.
d. y no ver la viga en el propio.
e. que tengo prisa.
f. y te diré de qué careces.

2 Indica el significado de cada uno de los refranes anteriores según el refranero popular.

GRUPO 1

I. Con las desgracias y los problemas, siempre hay un tercero que sale ganando.
II. Ciertas cosas/actitudes faltan donde serían más esperables.
III. El que sabe poco destaca cuando nadie sabe nada.
IV. El que actúa mal, piensa que el resto actúa como él.
V. Es mejor quedarse con lo seguro, que arriesgarse a perderlo todo por desear más.
VI. Todo necesita su tiempo y no por quererlo, sucederá antes.

GRUPO 2

I. Cuando uno tiene mucha prisa en hacer o acabar algo, es mejor hacerlo despacio.
II. No hay que esperar al último momento para hacer algo.
III. Es más fácil hablar que actuar, por lo que hay que desconfiar de algunas promesas.
IV. Los amigos y los ambientes que se frecuentan definen a las personas.
V. El abuso de confianza puede hacer que nos comportemos inadecuadamente.

GRUPO 3

I. Alardear de algo es porque precisamente se carece de eso.
II. Es más fácil ver los defectos de los demás que los propios.
III. Detrás de los rumores, hay una causa real.
IV. Si se hacen muchas cosas a la vez, no saldrán bien todas.
V. Si se puede hacer algo ahora, mejor no dejarlo.
VI. Un hijo siempre es igual que su padre.

¡ESTABA PREOCUPADÍSIMO!

3 Escucha, lee el texto y señala las expresiones que muestran preocupación (P), nerviosismo (N) y alivio (A).

22

Mikel: ¡Uff! ¡Menos mal que ya estás aquí! ¡Estaba preocupadísimo! ¡Me has dado un susto de muerte!

Carmen: ¿Pero por qué? ¿Qué ha pasado?

Mikel: Pues... ha habido un accidente en la autopista, ¿no te has enterado?

Carmen: No... Cuando he pasado no he visto nada... Es que he llegado hace rato, pero he ido al centro comercial a hacer unos recados...

Mikel: Pues te he estado llamando y no me contestabas... ¡No veas qué susto tenía encima!

Carmen: Ya... es que no tenía cobertura... ¡Jo! lo siento, no sabía nada...

Mikel: Pues yo me he enterado en Internet... Un choque en cadena... Hay un montón de vehículos implicados, y ya van tres muertos y muchos heridos...

Carmen: ¡No fastidies! ¡Pues sí que ha sido fuerte!

Mikel: ¡Si en las noticias están hablando de ello a todas horas! ¡Mira, pon la tele! Yo la he apagado porque me estaba poniendo enfermo... ¡Ya estaba por ir al hospital a ver si sabían algo de ti...! ¡Imagínate cómo estaba!

Carmen: ¡Madre mía, Mikel! ¡Y yo tan tranquila de compras! ¡No sabes cómo lo siento!

Mikel: Bueno ya sé que no tienes la culpa... ¡Pero vaya tarde! ¡Aún estoy temblando!

Carmen: Bueno, venga, hombre, tranquilízate, que ya ha pasado todo...

Mikel: ¡Menos mal! ¡Ah! ¡Y llama a tu madre porque debe de estar al borde del infarto!

4 Clasifica las siguientes expresiones según su función A, B, C, D o E.

1. .... No sé cómo salir de este lío.
2. .... ¡Te noto algo/un tanto/un poco nervioso...!
3. .... Tú déjame a mí, ya me encargo yo...
4. .... Me tienes preocupado por...
5. .... ¡Yo aún no las tengo todas conmigo, no creas...!
6. .... ¡Casi me da algo del susto!/¡Casi me muero!
7. .... ¡Esto me tiene angustiado, de verdad!
8. .... No sé, no lo veo claro... ¡Esto me huele mal!
9. .... ¡Estoy con la soga al cuello, chico!
10. .... ¿Ves como al final no era nada? ¡Ya te lo decía yo!
11. .... Estoy en un apuro, y no sé cómo salir de él...
12. .... ¡Ay, que ya me estoy temiendo lo peor!
13. .... No sé, yo no veo la forma de hacerlo...
14. .... ¡Uy! ¿Y esa cara? ¿Qué ocurre?
15. .... ¡Es que estoy que no vivo!
16. .... ¡Veremos en qué termina todo esto!
17. .... ¿Va todo bien? ¿Necesitas algo?
18. .... ¡Gracias a Dios/Menos mal que...!
19. .... No sé... Aquí hay gato encerrado...
20. .... ¡Jo!, ¡lo he pasado fatal! Creí que...
21. .... A esto no le veo salida/Es un callejón sin salida.
22. .... ¡No veas todo lo que se me ha pasado por la cabeza en un segundo!

A. Preguntar por el estado emocional
- ¿Qué te pasa que tienes esa cara?
- ¿Qué ocurre? Pareces...

B. Preocupación, angustia
- Estoy entre la espada y la pared.
- Estoy en la cuerda floja.

C. Desconfianza
- ¡No me fío ni un pelo!
- Esto me huele a chamusquina.

D. Mostrar alivio
- ¿Ves cómo te preocupas por nada?
- Por suerte no ha pasado nada...

E. Tranquilizar
- ¡Tranquilo, que ya ha pasado lo peor...
- Bueno, ahora ya está pasado...

CONECTADOS

Reflexiona y practica

La posición del adjetivo

En español el nombre suele llevar el adjetivo calificativo detrás, pero no siempre es así.

Delante del nombre

- Resaltan una cualidad propia del nombre o una característica esencial del objeto > **adjetivos explicativos**. Suelen referirse a formas, colores, intensidad, etc. *La esbelta figura; El negro carbón; La fresca hierba...*
- **Intensifican la cualidad.** Interviene el sentimiento humano, la manera de sentir el mundo. Se utilizan mucho en el lenguaje literario y publicitario y se centran más en el adjetivo que en el sustantivo. *La refrescante esencia; El suave y delicado tacto...*
- **Ya conocidos** por el hablante y el oyente. *¿Estáis ya en la nueva casa? (conocen ese hecho los dos interlocutores).*
- **Mejor y peor,** como adjetivos, siempre van delante del nombre. *Es mi mejor amigo; Esta ha sido la peor semana del mes.*

Detrás del nombre

- Aportan una cualidad que no es propia del nombre > **adjetivos especificativos.** Este adjetivo, al especificar al nombre, lo opone a otros. *La música instrumental (opuesto, por ejemplo, a música coral).*
- Muestran el objeto de **manera objetiva** y realista. Pueden ir acompañados de adverbios. *Tienes un sofá bastante incómodo; Le gustaba el pelo muy rubio.* Muchas veces el adverbio lo marca como algo objetivo. *Es un artefacto absolutamente maravilloso.*
- Aportan una **información nueva** para el interlocutor. *Acabo de comprarme una casa nueva.*
- Adjetivos de **procedencia.** *Un político catalán, un cargo administrativo, el discurso papal.*

Otros casos

- Algunos adjetivos han fijado su posición debido a su uso: *edad media, sentido común, paraíso terrenal, revista mensual, rara vez, alta tensión, próximas ocasiones, etc.*
- También se fija la posición antepuesta cuando un verbo suele llevar un determinado nombre: *amasar una fortuna > amasar una cuantiosa fortuna; dar golpes > dar terribles golpes; guardar semejanza > guardaba una gran semejanza con su padre; soltar una carcajada > soltó una fuerte carcajada...*

  * *Si el adjetivo aparece delimitado por un adverbio, la posición puede cambiar. Ej: Soltó una carcajada tan fuerte que nos asustó.*
- Algunos adjetivos variarán su significado dependiendo de si aparecen antes o después. Por ejemplo:

antes	después
Pobre: sentimiento de lástima. *Ernesto es un pobre hombre.*	**Pobre:** sin recursos económicos. *Ernesto es un hombre pobre.*

1 Corrige, si es necesario, la posición de los adjetivos en cursiva que aparecen en estas frases. Justifica tu respuesta.

1. Se dio unos golpes *fuertes* en los dedos y no podía teclear con rapidez.
2. Nunca he dejado de pensar en las praderas *verdes* de mi tierra.
3. Soltó una carcajada *fuerte* que retumbó en la habitación.
4. Amasó una fortuna tan *grande* con la venta del programa que dejó de trabajar.
5. Echó una ojeada *rápida* a la pantalla y se dio cuenta de que aquello no iba bien.
6. Notó que el problema guardaba una semejanza muy *grande* con el que había tenido antes.
7. Necesito que hablemos esto para que en ocasiones *próximas* no tengamos más problemas.

2 Sustituye las palabras en cursiva por un adjetivo del cuadro y colócalo en la posición que consideres mejor. ¡No olvides la concordancia!

• blanco (2)	• espumoso	• lluvioso	• relajante
• caluroso	• fresco	• nuevo	• risueño
• español	• invernal	• primaveral	• silencioso

1. En Barcelona puedes disfrutar de un tiempo *de primavera*.
2. Vámonos de este lugar, no me siento cómoda en esta noche *de silencio*.
3. La tarde *de invierno* dejó helados a todos los asistentes a la ceremonia.
4. Cortó unas rosas *de color blanco* del jardín para poder adornar el salón.
5. Las gotas de sangre mancharon la nieve *de color blanco* caída durante la noche.
6. Le gustaba pasar las tardes *de mucho calor* cerca del río.
7. Pruebe este desodorante y compruebe que su fragancia *de frescor* le transporta al Caribe.
8. No me gustan los vinos *con burbujas*.
9. ¿Has visto ya la tienda *de novedad* de informática de la que hablábamos ayer?
10. Pedro es un estupendo masajista; con uno de sus masajes *de relax* quedas como nuevo.
11. Este juego es de un informático genial *de España*.
12. Las tardes *de lluvia* del norte la dejaban sumida en un profundo sueño.
13. Me encantaba mirar esa cara *de risa* tan habitual en ella.

3 Une cada frase con lo que significa a partir de la posición que ocupa el adjetivo.

1. He pasado la tarde con un **curioso** individuo. He pasado la tarde con un individuo **curioso**.	a. cotilla, chismoso b. peculiar, interesante
2. No puedo dejar de pensar en mi **gran** caballo. No puedo dejar de pensar en mi caballo **grande**.	a. magnífico, estupendo b. de tamaño considerable
3. He estado hablando de **cierto** problema. He estado hablando de un problema **cierto**.	a. determinado, conocido b. real, verdadero
4. No quiero perder a mi **viejo** ordenador. No quiero perder a mi ordenador **viejo**.	a. antiguo, de edad b. querido, apreciado
5. ¿Te gusta mi **único** videojuego? ¿Te gusta mi videojuego **único**?	a. excepcional, magnífico b. una unidad, solo
6. Podemos decir que este es un **raro** animal. Podemos decir que este es un animal **raro**.	a. extraño, sorprendente b. escaso, poco común
7. Hemos visto **diferentes** modelos de coches. Hemos visto modelos **diferentes** de coches.	a. varios, diversos b. distintos, diferentes
8. He instalado un **nuevo** navegador en el ordenador. He instalado un navegador **nuevo** en el ordenador.	a. novedoso b. diferente
9. Siempre ha sido un **pobre** hombre. Siempre ha sido un hombre **pobre**.	a. desgraciado, infeliz b. sin recursos económicos
10. Es un **vulgar** informático. Es un informático **vulgar**.	a. sin refinamiento, grosero b. simple, común, del montón

TALLER DE ESCRITURA

TIPOS DE LENGUAJE

1 Lee estos textos e indica qué tipo de lenguaje se utiliza: publicitario, técnico o literario. Después completa los cuadros con las características de cada uno.

1. ....

Por la ventana entraba el fresco aroma de las rosas del jardín del vecino, pero a pesar de ello, Pedro no podía dormir. Hacía horas que oía en la otra habitación el monótono sonido del teclado. Intentaba dormir, pero el insistente ruido de los dedos de su compañera sobre las teclas del ordenador no le dejaban. Totalmente desesperado, estiró la mano y encontró los auriculares de su nueva tableta y aliviado, se los puso. Ahora sí tenía paz...

- ¿Qué tipos de frases se utilizan? ¿Cómo van unidas?
- ¿En qué posición suelen aparecer los adjetivos? ¿Qué tipo de vocabulario se usa?
- ¿Qué intención tiene el autor?

2. ....

- Si quieres una suave fragancia a rosas de jardín en tu casa, usa nuestro ambientador FRUS-FRUS.
- ¿Noches en vela sin poder dormir? ¿Continuos ruidos que te torturan por las noches? Déjate seducir por la suave música de nuestra ultimísima tableta, con sus ultra revolucionarios auriculares. Con ellos no oirás nada más que lo que tú quieras...

- ¿Qué tipos de frases se utilizan?
- ¿Qué tiempos verbales aparecen?
- ¿En qué posición suelen aparecer los adjetivos?
- Si se leyeran por la radio, ¿cómo sería la entonación?
- Si aparecieran en una revista, ¿cómo se dispondría la información?
- ¿Qué intención tiene el autor?

3. ....

4.30 de la mañana. Brisa leve proveniente del norte.
Olor desconocido: posiblemente de una planta de la familia de las rosáceas.
4.35. Sonido proveniente del teclado de un PC con un procesador Dual Core™ i7 de 3.ª generación y disco duro de 2 TB.
4.36. Continúa el sonido.
4.37. Comprobación de la duración del sonido: 2 horas 27 minutos 6 segundos.
4.40. Estiramiento oblicuo del brazo derecho.
4.41. Contacto con los auriculares última generación de la nueva tableta de pantalla de retina.
4.42. Ajuste de los auriculares en la cabeza.
4.43. Ausencia de sonido.

- ¿Qué tipos de frases se utilizan?
- ¿Qué elementos predominan en el texto?
- ¿En qué posición suelen aparecer los adjetivos?

2 Participas en un blog contando novedades en tu vida. Elige una de estas propuestas: **El rincón literario, Anúnciate y verás** o **La vida, científicamente hablando;** luego, escribe el texto adecuado. Estos son algunos de los datos que recuerdas.

Suena el despertador: ¿qué tipo de sonido?, ¿a qué hora?, ¿qué posición tienes en la cama?, ¿qué sensaciones?
Entras en la ducha: ¿qué gel usas?, ¿agua fría o caliente?, ¿ocurre algo mientras estás ahí?, ¿cómo te sientes?
Desayuno rápido, café y unas galletas: ¿qué tipo de café y galletas?, ¿cómo preparas el café?, ¿cómo desayunas?
Salida a la calle; lluvia torrencial y tú, sin paraguas: ¿cómo te has vestido?, ¿qué haces?, ¿cómo te sientes?

ALGO MÁS SOBRE INTERNET

Vamos a conversar partiendo de algunas opiniones extraídas de foros de internautas. En grupos, dad vuestra opinión sobre lo que habéis leído.

Actúa: Participas en un foro de opinión

La realidad virtual

Los programas virtuales como Second Life u otros son para gente insatisfecha con su vida real. Es un mundo fantástico donde escoges la personalidad que te gustaría tener, un ideal y solo eso. He conocido a gente que se ha enganchado y que ha abandonado casi totalmente sus relaciones sociales en el mundo real. Es muy peligroso.

Internet y los hijos

Muchos padres desconfían de Internet porque sus hijos (bien niños o adolescentes) pueden acceder a páginas con contenidos nocivos, y entrar en contacto con gente inapropiada. Es sumamente importante mantener la computadora fuera de su cuarto y en un lugar donde puedas echar un vistazo a lo que están viendo. Pero no debemos limitarles el tiempo de uso, porque el ordenador es el futuro.

La vida sin Internet

Pasar un solo día sin Internet sería como volver a la prehistoria. Ese día cambiarían completamente nuestra manera de trabajar, de divertirnos y de relacionarnos con los demás. Muchos de nosotros nos encontraríamos perdidos. Por otro lado, seguro que Internet también tiene un lado muy negativo. Pero no sé decirte cuál es.

Las redes sociales

La democracia está secuestrada. Para poder formarse una opinión sobre algún tema, es necesario disponer de información veraz, pero esto no pasa porque los medios de comunicación están en manos de poderosas empresas. Por suerte esto está cambiando con Internet. Aquí florecen nuevas redes sociales que permiten que se difunda información veraz pero no tan controlada como la habitual. Es por ello que en todo el planeta están surgiendo movimientos que sacan a la gente a la calle a través de Twitter. Y esto es solo el principio...

Ordenadores en los colegios

Yo no estoy de acuerdo en utilizar ordenadores en las clases a diario. Son contraproducentes para superar el fracaso escolar. Quizá la pizarra digital pueda ser útil, pero lo que verdaderamente necesitan los niños es sobre todo leer, hacer ejercicios de caligrafía y cuentas. Es necesario invertir más en profesores bien informados y preparados que en ordenadores y pizarras digitales. Además, el contacto humano con el profesor es importante y las máquinas, lo entorpecen.

Vocabulario

REFUERZA Y CONSOLIDA EL LÉXICO

El ordenador

1 Define estos términos y localiza dos que no se usarían al hablar de la parte física de un ordenador.

- altavoces
- cargador
- congelador
- disco duro
- fuente de alimentación
- lector de CD/DVD/tarjetas
- manecillas
- memoria RAM
- monitor
- placa base/madre
- ratón
- tarjeta gráfica/de sonido
- teclado
- torre
- ventilador

2 Hay aparatos que van unidos al ordenador. Relaciona cada uno con el recuadro pertinente.

1. Impresora
2. Escáner
3. Cámara web
4. Disco duro externo
5. Lápiz de memoria (USB)

☐ Bandeja de papel / Cartucho/tóner / Imprimir a una cara/doble cara / Imprimir página actual

☐ Capturar/enviar imágenes / Resolución de la cámara / Lente y sensor de imagen

☐ Capacidad / Estar lleno/vacío / Formatear / Tapa

☐ Digitalizar/convertir en imagen / Escanear/hacer un escaneo / Bajar la tapa / Vista previa

☐ Almacenar/guardar archivos / Arrastrar o copiar archivos / Cable USB / Formatear / Hacer una copia de seguridad

3 Cuando usamos un ordenador hay algunos verbos que utilizamos frecuentemente. Relaciona cada uno son su definición.

1. abrir, guardar y cerrar un archivo
2. abrir y cerrar un programa
3. arrastrar a una carpeta
4. capturar la pantalla
5. colgar en/subir a Internet o tu muro
6. colgarse/quedarse colgado el ordenador
7. comprimir/descomprimir un archivo
8. crear y archivar un documento
9. ejecutar/cargar un programa
10. hacer una copia de seguridad
11. hacer clic (doble clic) en un archivo
12. instalar/desinstalar un programa
13. minimizar/maximizar una ventana/un programa…
14. pasar el antivirus
15. ser compatible un programa

a. Cuando un programa puede funcionar con otro.
b. Realizar una copia de los archivos que tenemos para no perderlos en un disco duro.
c. Poner/Quitar un programa en el ordenador.
d. Hacer que un programa se inicie.
e. Tomar la imagen que muestra el monitor en un determinado momento.
f. Pasos para crear y mantener un archivo en nuestro ordenador.
g. Iniciar o finalizar un programa.
h. Hacer un nuevo documento y guardarlo.
i. Reducir/restaurar el peso de un archivo.
j. Mover un documento hacia una carpeta.
k. Ampliar/reducir una ventana o programa.
l. Buscar un archivo/programa que puede dañar nuestro ordenador.
m. Cuando el ordenador no responde.
n. Pulsar para abrir un archivo o programa.
o. Subir algo a la Red/poner en tu Facebook/Twiter…

REFUERZA Y CONSOLIDA EL LÉXICO

Vocabulario

4 ¿Cuántos términos conoces relacionados con el ordenador? Completa con los nombres que te damos.

• arroba • carpeta • escritorio • icono • inicio
• memoria USB • navegador • papelera de reciclaje

5 Relaciona estas palabras con el icono adecuado.

Archivos

1. Copiar
2. Copiar formato
3. Cortar
4. Pegar

Fuente

5. Color de la fuente
6. Cursiva
7. Mayúsculas/minúsculas
8. Negrita
9. Subrayado
10. Tamaño de la fuente

Párrafo

11. Alinear
12. Justificar
13. Centrar
14. Interlineado

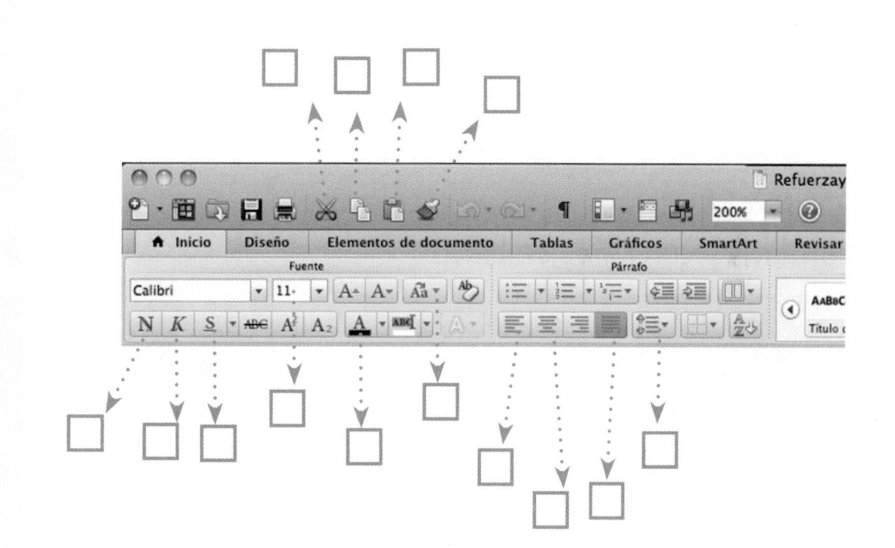

Programa de presentaciones

6 ¿Conoces estas expresiones? Relaciona las columnas.

1. Agregar animaciones
2. Agregar nueva diapositiva
3. Añadir sonidos, vídeos…
4. Insertar imágenes, tablas, gráficos…
5. Insertar un cuadro de texto
6. Pasar las diapositivas

a. Añadir una página nueva a la presentación.
b. Poner efectos visuales a las imágenes o textos.
c. Dar un clic al ratón para ver toda la presentación.
d. Poner texto en nuestra diapositiva.
e. Añadir elementos visuales a la diapositiva.
f. Añadir elementos sonoros a la diapositiva.

Tema 10

YO VIVO ASÍ

- **Infórmate**
  - Las ecocasas de Ingrid Vaca
- **Para saber más**
  - Casas-contenedor
- **Crea con palabras**
  - La vivienda
- **Así se habla**
  - Expresiones relacionadas con la vivienda
  - Fórmulas para discutir y expresar enfado
  - Defenderse y disculparse
- **Reflexiona y practica**
  - Las oraciones temporales
- **Taller de escritura**
  - El acta
- **Taller de comunicación**
  - Actúa: Participas en un reunión de vecinos
- **Refuerza y consolida el léxico**

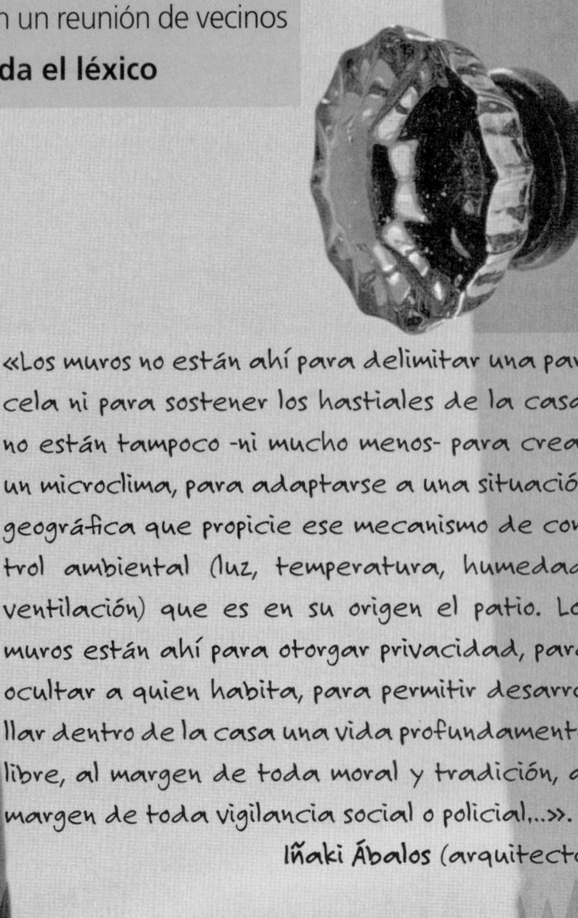

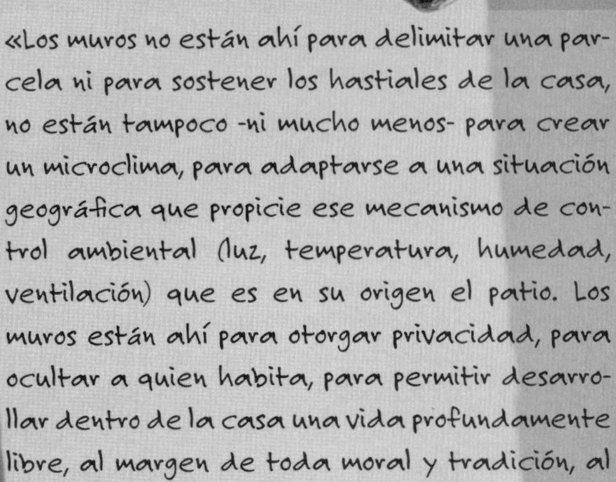
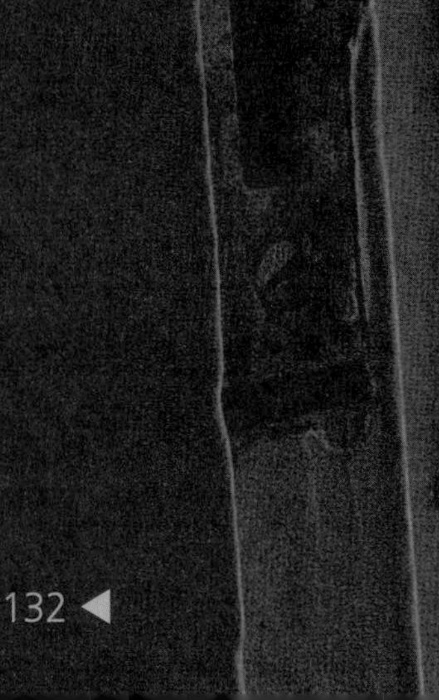

«Los muros no están ahí para delimitar una parcela ni para sostener los hastiales de la casa, no están tampoco -ni mucho menos- para crear un microclima, para adaptarse a una situación geográfica que propicie ese mecanismo de control ambiental (luz, temperatura, humedad, ventilación) que es en su origen el patio. Los muros están ahí para otorgar privacidad, para ocultar a quien habita, para permitir desarrollar dentro de la casa una vida profundamente libre, al margen de toda moral y tradición, al margen de toda vigilancia social o policial...».

Iñaki Ábalos (arquitecto)

Una vivienda es una edificación cuya principal función es ofrecer refugio y habitación a las personas, protegiéndolas de las inclemencias climáticas y de otras amenazas. ¿Has residido en alguna de estas viviendas? Completa sus nombres y describe tres ventajas e inconvenientes de vivir en cada una de ellas.

1. C _ _ _ _ _ _ A
2. C _ _ _ _ T A _ _ _ _ _ O
3. C _ _ _ _ A

4. P _ _ _ _ _ _ E
5. T _ _ _ A de C _ _ _ _ _ A
6. C _ _ _ R _ _ _ L

1

2

3

Una empresa inmobiliaria te ha elegido como decorador de sus viviendas. Una familia con dos niños de 3 y 10 años y un perro quieren comprar uno de ellos. ¿Cuál les recomendarías?

YO VIVO ASÍ

Infórmate

ECOCASAS

1 Lee este texto sobre las casas hechas con *ecoladrillos* de Ingrid Vaca y marca la opción correcta.

SOLIDARIDAD Y ECOLOGÍA DE LA MANO

Paralelos al mundo de la construcción tradicional conviven nuevos modelos alternativos. Algunos de ellos destacan por basarse en la reutilización de materiales reciclables, como son las casas de botellas de Ingrid Vaca Díez. En ellas vemos cómo el ladrillo gris o rojo de toda la vida ha sido sustituido por botellas de plástico o vidrio rellenas de papel reciclado o de tierra o arena **comprimida**.

5 Por el diseño y construcción de estas casas para familias con pocos **recursos**, y el voluntarismo y los ánimos puestos en el empeño, esta abogada boliviana se ha ganado el distintivo de *la mujer del año* en su país.

La historia tuvo su comienzo en la Navidad de 2004. Cuando Ingrid les propuso a los alumnos de una escuela que ella financia, escribir sus
10 deseos. Una alumna, Claudia, expuso su **anhelo** de tener un cuarto propio. Algo tan simple conmovió a la boliviana. Además, en ese momento, Ingrid guardaba botellas para entregarlas a una mujer cuya manutención se basaba en la recogida de estos materiales, y como llevaba unos días sin aparecer se le estaban acumulando. Llegó a tal volumen
15 que incluso su marido, molesto, comentó: «Tira esas botellas; tenés para hacer una casa». Entonces a Ingrid se le encendió una lucecita: ¿podría usarlas para construir una casa? Y se puso a mirar por Internet cómo construir viviendas con materiales reciclables, después, a practicar con maceteros y por último, con la elaboración de un muro, hasta
20 que al final se sintió segura para construir un hogar.

Aquel proyecto inicial de construir una vivienda con botellas fue un éxito tal que la **animó** a la construcción de otras. Ingrid acude animosamente allí donde se solicita su ayuda, y ya ha puesto su granito de arena en otros países: Uruguay, Argentina y Haití.

25 El sistema es sencillo: las paredes de las casas se levantan con las botellas recicladas llenas de tierra y se van fijando con un mortero de cemento, tierra y cal, aunque es posible sustituir el cemento por estiércol de vaca para abaratar los costes. «A la mezcla para la última **capa** se le agrega azúcar, jugo de la caña de azúcar o glucosa, leche en polvo,
30 aceite, cal, tierra roja y cemento para evitar que **se raje**», explicó la boliviana que nunca estudió construcción y que aprendió todas las técnicas con información que obtuvo en Internet. Finalmente, se coloca el techo, para lo que se necesita la presencia de por lo menos dos albañiles.

Las casas tienen aproximadamente 170 metros cuadrados. Se necesitan 81 botellas de plástico de dos litros por cada metro cuadrado y si son de vidrio, unas 120. En total se utilizan **alrededor de** 36 000 envases. «El problema,
35 para mí, es conseguir los materiales para la mezcla o las chapas para el techo. De hecho ahora tengo botellas como para construir 10 casas más». Por eso, esta mujer agradece tanto a las instituciones y empresas que han colaborado aportando materiales como a los voluntarios que han ayudado en la construcción rellenando botellas o donándolas.

El proyecto de Ingrid tiene tres **pilares**: cuidar el medio ambiente sacando de la circulación materiales en desuso,
40 darle una vivienda a gente humilde y ofrecerle trabajo. «La gente aprende una técnica de construcción y además les enseño a crear artesanía con **desechos** para que puedan hacer y vender», comentó.

Si la forma de la casa es redondeada, es más fácil y barato porque no se necesitan vigas ni columnas, pero si el plano tiene forma rectangular, se tendrán que **levantar** pilares en las esquinas, y hacer una estructura.

El barrio boliviano en el que Ingrid construye las casas lleva su apellido. Las tierras fueron
45 donadas por su padre a familias humildes de la región, y por eso, Ingrid le tiene un cariño especial. Eso la alienta a querer hacer una casa para cada familia. «Se trata de mujeres con sus hijos, gente muy trabajadora, pero que hasta ahora no había tenido una mano que les ayudara a salir del **hacinamiento**». Y agrega: «Yo no les estoy regalando una casa, les estoy enseñando a construirla, a **cuidar** el medio ambiente, y además les doy herramientas
50 de trabajo para que puedan salir adelante».

Igualmente, se espera que las casas ecológicas conviertan a este barrio en un centro de agroturismo, por lo que se están llevando a cabo otras ideas como la de servir comida local o hacer un mercado de pan de arroz.

Adaptado de http://www.elpais.com.uy; http://icasasecologicas.com

Infórmate

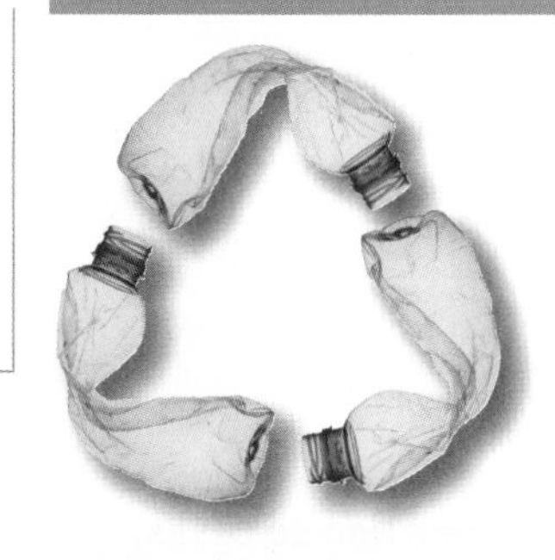

1. **Según el texto, los medios de construcción alternativos...**
   - **a.** son más frecuentes cada día. ☐
   - **b.** coexisten con los tradicionales. ☐
2. **Ingrid Vaca ideó la construcción de su casa ecológica...**
   - **a.** a partir de una conversación. ☐
   - **b.** tras una confesión. ☐
3. **Ingrid guardaba botellas...**
   - **a.** pensando en una posible reutilización. ☐
   - **b.** porque le servían de ayuda a alguien. ☐
4. **La construcción de la casa...**
   - **a.** necesita profesionales del sector. ☐
   - **b.** requiere elementos de difícil acceso en su acabado final. ☐
5. **Los materiales y la construcción...**
   - **a.** vienen íntegramente de la familia que va a vivir a la casa. ☐
   - **b.** se obtienen a partir de acciones solidarias. ☐
6. **Las casas bolivianas que construye Ingrid...**
   - **a.** pertenecen a la misma zona. ☐
   - **b.** son las únicas que se han construido de esta manera. ☐

2 Escribe el término en negrita del texto al lado de sus sinónimos.

........................: alentó, estimuló
........................: alzar, construir
........................: amontonamiento
........................: apretada, prensada
........................: bases, cimientos
........................: cerca de, en torno a
........................: ganas, deseo
........................: mano, recubrimiento
........................: mantener, preservar
........................: medios, bienes
........................: trastos, residuos
........................: se agriete, se resquebraje

Interactúa

- ¿Conoces algún tipo de construcción como estas?
- ¿Sabes de algún proyecto que se pueda llevar a cabo para mejorar la situación de las personas que viven de forma precaria?
- Además de casas, ¿qué otras cosas crees que se pueden hacer con botellas u otros materiales reciclables?

YO VIVO ASÍ

Para saber más

CASAS-CONTENEDOR

23 ¿Has oído hablar de las casas-contenedor? Escucha esta entrevista y marca la opción correcta según lo que oigas.

1. **España...**
   a. no está tan habituada a este tipo de construcciones. ☐
   b. construye este tipo de viviendas porque son más asequibles. ☐
   c. tiene barrios construidos con este tipo de nuevas casas. ☐

2. **Este tipo de casas...**
   a. solo pueden hacerse de dos pisos. ☐
   b. necesitan un mecanismo especial para conseguir una correcta ventilación. ☐
   c. constan de diferentes espacios conseguidos por paredes construidas de diferentes materiales, entre ellos aislantes térmicos. ☐

3. **Las casas-contenedor...**
   a. no disponen de sistemas de mantenimiento ecológico. ☐
   b. en su proceso de construcción consumen mucha energía. ☐
   c. tienen sistemas para autoabastecerse de agua y energía. ☐

4. **La compañía *Construbién*...**
   a. compra los contenedores que desechan de otras compañías. ☐
   b. construye los contenedores y los convierten en casas. ☐
   c. adapta la vivienda al nivel adquisitivo del comprador. ☐

5. **Este tipo de viviendas...**
   a. puede ampliarse con el tiempo, según sean las necesidades de los usuarios. ☐
   b. supone un beneficio económico y ecológico para el comprador en comparación al resto de viviendas. ☐
   c. necesita una instalación que suele durar varios años. ☐

Da tu opinión

- ¿Con qué estilo definirías tu casa?, si pudieras elegir otro, ¿cuál escogerías?
- Imagina que puedes elegir tu casa de ensueño, ¿qué le incluirías: chimenea, buhardilla, sótano, patio de luces, trastero, piscina, patio, cobertizo, despensa, bodega, tragaluz...?

Crea con palabras

EDIFICIO MISTRAL

1 Completa este anuncio de una inmobiliaria con las palabras de la lista.

Edificio Mistral: 22 viviendas de 1, 2 o 3 dormitorios con garaje y .... incluidos.

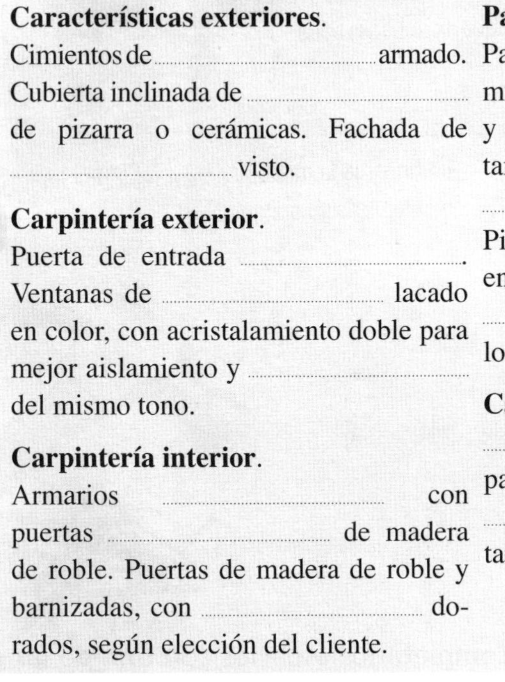

Características exteriores.
Cimientos de .... armado. Cubierta inclinada de .... de pizarra o cerámicas. Fachada de .... visto.

Carpintería exterior.
Puerta de entrada .... Ventanas de .... lacado en color, con acristalamiento doble para mejor aislamiento y .... del mismo tono.

Carpintería interior.
Armarios .... con puertas .... de madera de roble. Puertas de madera de roble y barnizadas, con .... dorados, según elección del cliente.

Pavimentos y revestimientos.
Pavimento de granito en portal y zonas comunes, incluyendo .... y escalera. .... flotante en suelo de las viviendas, con .... del mismo tono. Pintura plástica en paredes, con acabado en .... de yeso. Falso .... de escayola donde lo requieran las instalaciones.

Calefacción.
.... individual de gas para agua caliente y calefacción. .... de aluminio en habitaciones, con regulación por termostato.

1. aluminio
2. tejas
3. blindada
4. caldera
5. correderas
6. empotrados
7. hormigón
8. ladrillo
9. trastero
10. molduras
11. persianas
12. pomos
13. zócalos
14. radiadores
15. rellanos
16. tarima
17. techo

2 Completa estas intervenciones de un blog de decoración con una de estas palabras.

• alfombra • aplique • azulejo • cojín • cortina • estor • moqueta • toldo • visillo

1. ¡Hola a todas! ¿Creíais que los a.................... en la pared ya no estaban de moda? Pues no, este viejo sistema de iluminación reaparece. Ahora puedes encontrarlos de mil formas: redondeados, cilíndricos, esféricos, en espiral... solo es cuestión de buscarlos.
2. ¿Quieres darle un toque acogedor a tu salón? Viste tus suelos con una m.................... de tonos cálidos (amarillo, marrón, anaranjado...). Si no te atreves a tanto, puedes poner a.................... de color ocre, o incluso rojo. Las hay de mil formas. Pon del mismo tono unos mullidos c...................., que te darán el toque perfecto.
3. Las terrazas están de moda este verano. ¿Qué necesitamos para hacerlas únicas? Aquí tienes algunos consejos: cambia el t..................... No hay nada peor que tener uno envejecido por el sol. Ahora los puedes encontrar de lona y otros materiales, de rayas, lisos e incluso de divertidos lunares. Si eres más atrevida, los tienes en estampados simulando pieles de animales. Puedes añadir unos a.................... en la pared, haciendo una cenefa. Los puedes encontrar triangulares, rectangulares, cuadrados e incluso redondos. Es cuestión de imaginación.
4. ¿Buscas darle una nueva cara a tu salón? Lo mejor es renovar las c..................... Puedes simplemente cambiar la barra (las hay con terminaciones curvas, arqueadas, puntiagudas) o puedes pasarte a un nuevo estilo: los e...................., que permiten mucha más luz. Pero si quieres un toque más romántico, no te olvides de los v.................... y sus transparencias.

YO VIVO ASÍ

Así se habla

ECHAR UN CABLE

1 (24) Hay muchas expresiones en las que utilizamos elementos relacionados con una casa. Escucha los diálogos y determina cuál es su significado.

1 Caérsele la casa encima (a alguien)
a. Actuar con confianza y naturalidad en situaciones en las que no se espera; natural, sin cumplidos. ☐
b. Encontrarse agobiado por tener que quedarse en casa, por lo que necesita salir constantemente. ☐

2 Agarrarse a un clavo ardiendo
a. Recurrir, en una situación apurada, a una solución que puede tener algún inconveniente. ☐
b. No trabajar ni hacer nada. ☐

3 Sacar las cosas de quicio
a. Entender una cosa de modo equivocado, generalmente exagerado y de manera negativa. ☐
b. Ponerse nervioso o enfadarse por algo que le irrita a uno. ☐

4 Echar un cable
a. Bloquearse la mente y actuar de forma ilógica. ☐
b. Ayudar en algo a alguien. ☐

5 No poder ver (a alguien) ni en pintura
a. Sentir mucha antipatía hacia una persona. ☐
b. Tratar a una persona con dureza o severidad para que haga algo o se esfuerce al máximo. ☐

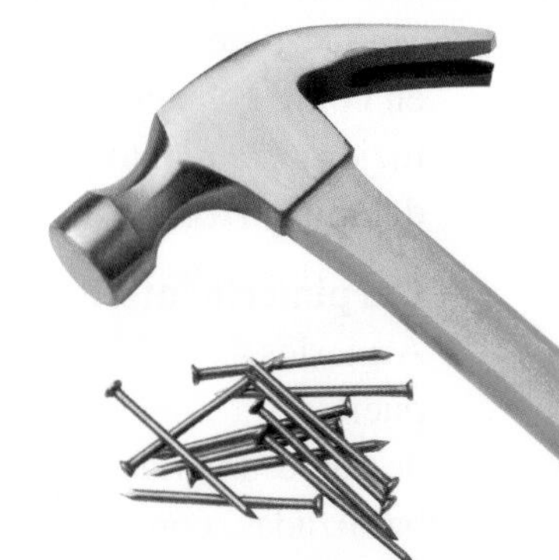

YA ESTAMOS OTRA VEZ

2 (25) En el siguiente diálogo una pareja está discutiendo. Completa los espacios con una de las palabras del cuadro, y después escúchalo y explica cómo pronuncian las palabras con mayúscula.

• amenazas • amiguitos • broma • creído • narices • serás
• no te pongas así • problema • que no es para tanto • vergüenza

Tere: ¡QUÉ! ¿**Ya estamos otra vez** llegando tarde y sin avisar? ¿Qué ha pasado esta vez, uno de tus .... se cayó por un agujero?
Manuel: ¡Oye, oye, ..., que solo ha sido una hora!
Tere: Mira, Manuel, ¡me tienes hasta las ....! ¡Habíamos quedado en que ibas a preparar hoy lo de la fiesta...! ¿**Tú te crees que puedes** llegar a estas horas con todo lo que hay que hacer? ¡Llevo dos horas esperándote!
Manuel: Pues .... tuyo, porque ya sabes que YO a menudo salgo tarde de trabajar...
Tere: ¡Pero avisa, hombre!
Manuel: ¡**Pero cómo quieres que** te avise si casi no tengo tiempo ni para respirar...! ¿**No ves** lo liados que estamos con ese proyecto?
Tere: ¿.................................... mentiroso? ¡**Pero si** ya hace media hora que llamó Ana desde casa!
Manuel: ¡Porque ANA trabaja en O-TRA SEC-CIÓN y no tiene ese proyecto...!
Tere: **¿Ah, sí?** ¡Pues eso no es lo que dice ella! **Lo que pasa es que** te has ido a tomar algo con tus amigos...
Manuel: **Primero**, no son mis amigos, son compañeros... **Y segundo**: ¡Pues sí, mira! **Para que te enteres**, hemos estado tomando algo... Uno también necesita salir de vez en cuando...
Tere: YO, **desde luego**, no sé **de qué vas**... ¡Tienes una cara...!
Manuel: A ver, no te pongas así, ... Hago ahora lo de la fiesta...

Así se habla

Tere: ¡Ja! ¿AHORA? ¿A las 11 de la noche te vas a poner a prepararlo todo? **¡Que te lo has** ...., hombre! No te preocupes, que ya está todo LIS-TO.
Manuel: ¿QUÉ?
Tere: **¡Lo que oyes**...! ¿Pero tú te crees que estas son horas de ponerte a preparar nada? Lo he hecho YO, como siempre. **¡No sé cómo no te da** ....!
Manuel: Oye, si lo has hecho tú, es porque has querido, guapa, a mí ahora no me eches la culpa. Y te digo más, **o dejamos de discutir, o** me voy de casa, porque yo no puedo más...
Tere: ¿Pero serás idiota? **¡Encima** me viene **con** ...., **el muy** chulito!
Manuel: Sí, tómatelo a .... **ya verás** en qué termina todo...
Tere: ¡Hala, venga! **¡Corre, márchate** de casa!

3 Además de la pronunciación de ciertas palabras que queremos matizar, hay también expresiones que se emplean en las discusiones. Mira estos cuadros.

Atacar, insultar

- ¿Serás tonto?
- (en 3.ª persona) El/la muy estúpido.
- ¿Pero tú, de qué vas?
- ¿Pero tú qué te crees?
- Desde luego, ¡vaya cara/morro/jeta que tienes!

Amenazar

- ¡O sales ahora, o no voy!
- ¡Que + deseo, o + amenaza!
- Tú ríete, ya verás en qué termina todo esto...
- ¡Tú sigue así, que te la vas a cargar!
- ¡Como te coja, te parto la cara/te doy!
- ¡Te juro que de esta te vas a acordar/te vas a enterar!
- ¡Que sea la última vez!, ¿queda claro?
- ¡Luego no digas que no te lo advierto!

Echar en cara

- ¿Pero tú te crees que puedes...?
- ¿Pero cómo te atreves a...?
- No, lo que pasa es que (+ lo que se echa en cara...)
- ¡Debería darte vergüenza!
- ¡Hice... por ti, y MIRA cómo me lo pagas!

Defenderse

- ¿Pero cómo que (+ repetición de lo que te echan en cara)? ¡Si...(+ excusa?)
- ¿Pero cómo quieres que...?
- ¿Pero no ves...?
- ¡Ni + (repetición de lo que ha dicho el otro) + ni nada! Lo que pasa es que...
- ¡Para que te enteres, + (argumento)!
- ¡No empecemos, eh? ¡Por favor!

Disculparse

- ¡Jo, lo siento! ¡No era mi intención...!
- ¡Oye, de verdad que no lo he hecho/dicho con mala intención...! ¡Soy un idiota!
- ¡Vaya, me he pasa(d)o, lo siento!
- Lo siento... No pensé que te lo fueras a tomar así...
- De verdad, no sabes lo arrepentido que estoy... ¡Se me cae la cara de vergüenza!

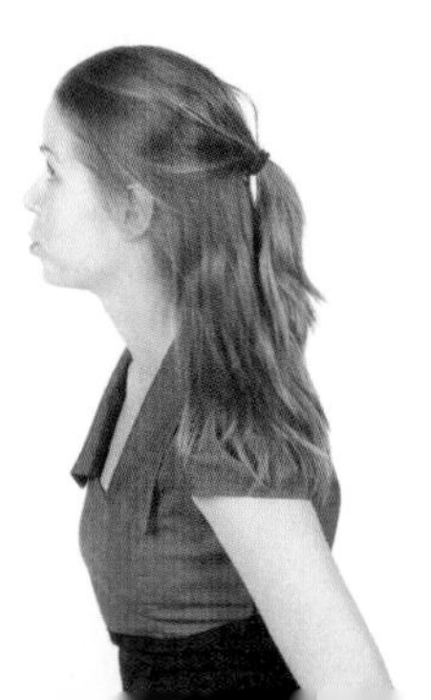

4 En parejas, utilizad una de las fórmulas para responder, cuando te echan algo en cara, a estas afirmaciones.

- Tu vecino nunca saluda. Estás cansado y decides echárselo en cara.
- Te has ido a vivir a la ciudad de tu amor aunque te encantaba vivir en la tuya. Él/ella no parece apreciar tu esfuerzo, así que se lo vas a decir.
- Llevas toda la tarde llamando a tu amigo pero no contesta al teléfono, como siempre. Estás cansado y decides ir a decírselo.

YO VIVO ASÍ

Reflexiona y practica

ORACIONES TEMPORALES

1 ¿Qué significado introducen estos conectores en las oraciones que hablan de tiempo? Relaciónalas.

1. Tiempo en general
2. Acciones simultáneas
3. Acción posterior a otra
4. Acción habitual
5. Acción inicial de otra
6. Acción final de otra
7. Acciones sucesivas
8. Acción anterior a otra

• antes de (que) • cuando/al • desde que • después de (que) • hasta que • mientras • siempre que/cada vez que • tan pronto (como)/apenas/en cuanto/nada más

2 Observa ahora estas frases y contesta a las preguntas.

- **Cada vez que puedo**, dejo mis trastos en el sótano.
- **Desde que ha visto** los apliques de tu casa, no para de hablar de ellos.
- **Hasta que** no **encuentro** lo que me gusta, no paro de buscar.
- **Tan pronto como llegó**, encendió la tele.
- **Desde que puso** la lámpara de pie, no dejó de encenderla todas las noches.

¿Qué tiempos verbales usamos con el marcador temporal si hablamos de un momento habitual? ....

¿Y si hablamos del pasado? ....

- **Cada vez que quieras**, podrás usar la buhardilla.
- **En cuanto tengamos** pintado el salón, empezaremos a empapelar las habitaciones de los niños.
- **Cuando llegues** a la verja, llama al portero electrónico y te abriremos al momento.
- **Nada más comprar** la cristalería, envíamela, ¿vale?
- **Al subir** el estor, salió de él una nube de polvo.
- **Nada más llegar**, te encuentras con el jardín.

¿Y si hablamos del futuro? ....
¿Qué marcadores temporales llevan infinitivo con todos los tiempos? ....

- **Antes de que te fijes** en la cocina, te enseñaré las tomas de agua para lavavajillas y lavadora.
- **Después de que os barnicemos** el parqué, tu mujer no podrá creer que sea la misma casa.
- **Antes de que os ponga** la moldura en la pared, es necesario lijar la pintura vieja.
- **Antes de frenar** del todo, ya me había aplastado el macetero de margaritas.
- **Antes de que llegara** el decorador, mi mujer ya había comprado este sofá.
- **Después de repararle la tele**, les envié la factura.

¿Qué ocurre con antes y después? ....

EXCEPCIONES

Usamos indicativo para hablar del presente y del pasado y el subjuntivo si hablamos de algo futuro. Pero hay excepciones:

- A veces, cuando hablamos del **futuro**, necesitamos marcar un momento determinado o expresar que la acción es habitual, entonces es obligatorio el **indicativo:** *El sábado voy a ir a esa tienda que es cuando **va** ese dependiente tan guapo.*
- A veces, cuando hablamos del **pasado** y hablamos de algo futuro en ese pasado, es obligatorio el **subjuntivo**: *Nos dimos cuenta de que íbamos a estar muy nerviosos hasta que ella nos **llamara**.*

3 Completa las notas de este decorador con el verbo en la forma adecuada.

Cosas del año pasado

- Desde que (decorar, yo) .... la casa de los Rodríguez empecé a salir en las revistas de decoración. ¡¡¡Los mantenemos como clientes!!!
- Mónchez me robó la idea de los apliques color verde cuando (venir, él) .... a mi estudio. :(
- Lourdes me dijo que la próxima vez, cuando (comprar, ella) .... telas de nuevos colores, pensaba comprarlas en tonos rojos. ¡Lo comprobaré!
- Los Martín manifestaron en su fiesta de inauguración de su nuevo chalet que siempre que (necesitar) .... un nuevo decorador sería Mónchez. ¡¡¡No vuelvo más a sus fiestas!!!
- Después de que (cambiar, yo) .... el salón de los Pómez, Mónchez decoró la casa de los Pérez.
- Voy a mirar el *Hola* para ver si hubo coincidencias...

Reglas básicas para hacer siempre

- Siempre que (haber) .... poca luz pongo paredes blancas.
- Cuando (poner, yo) .... topos, lo acompaño de rayas. ¡SUPERCHIC!
- Antes de que Lourdes (comprar) .... telas, compruebo el tejido.
- Siempre que Mónchez (diseña) .... una casa, lo vigilo. :) :)
- Cada vez que (tener intenciones de decorar) .... algo, lo comento con los dueños, ¡por si acaso!

Cosas por hacer...

- Este sábado, en cuanto (ir, yo) .... a la tienda de moquetas, miraré una en tonos verdes.
- En marzo voy a ir a la feria de Barcelona que es donde (enterarse) .... de las nuevas tendencias en lámparas.
- El próximo semestre viajaré a Buenos Aires, tan pronto como Mónchez (exponer) .... aquí en Madrid sus nuevos diseños.
- El próximo verano decoraré la mansión Chopines, que es cuando sus dueños (estar) .... en la playa. Así no me molestan.
- Dejarle esta nota a Lourdes: «Lourdes, si lees esto, iré a tu casa esta tarde, después de cenar, que ya sé que es cuando (estar, tú) .... viendo la tele. No quiero molestar, pero tenemos que hablar de mi viaje».

4 Corrige las frases si son incorrectas.

1. Apenas llegara, supe que aquello no iba a funcionar.
2. Me dijo que cuando volviera, quería verme pintando la pared.
3. Tan pronto acabó con la reforma, nos entregará la factura.
4. Supe en cuanto lo vi que aquello no quedaba bien.
5. Me di cuenta de que en cuanto acababa de decorarlo, íbamos a sentirnos mucho mejor.
6. Llamaba a su jefe siempre que tuviera una duda y era muy a menudo.
7. Recogió todos sus bártulos en cuanto acabó.

5 Elige la opción correcta. Si hay dos opciones, indica la diferencia.

1. Oye, te llamaré en cuanto *sepa/sé* cómo arreglarlo.
2. Iré a las 9:00 h cuando él ya *haya abierto/habrá abierto*.
3. Subiré a su casa más tarde, cuando *esté/está* tomando el sol, como cada día.
4. Volveré sobre las 10:00 h, tan pronto *acabe/acabo*.
5. La visitaré este verano, que es cuando *esté/está* allí.

TALLER DE ESCRITURA

ACTAS DE REUNIONES

En las comunidades de vecinos el presidente suele convocar a los propietarios a una junta para informar y tratar algunos asuntos. Tras este acto, se elabora un documento que tiene como fin dejar constancia escrita detallada de lo sucedido, para que así conste en el futuro (hay actas policiales, notariales, de reuniones de trabajo, etc.).

1 Lee el siguiente acta con detenimiento y busca en ella los puntos fundamentales que te indicamos a la derecha.

ACTA DE LA JUNTA ORDINARIA DE LA COMUNIDAD DE PROPIETARIOS DE LA URBANIZACIÓN MASPALOMAS

En Cáceres, siendo las 18:00 horas del día 19 de febrero de .... , debidamente convocados, se reúnen en primera convocatoria los copropietarios, presentes o representados, que posteriormente se relacionan, bajo la presidencia de Dña. Inés del Río, y actuando como secretario Asesores Núñez, S.L., a fin de celebrar la JUNTA GENERAL ORDINARIA, conforme al siguiente

ORDEN DEL DÍA

1.º. Saludos y bienvenida.
2.º. Aprobación del acta de la asamblea anterior.
3.º. Aprobación de cuentas del año anterior.
4.º. Presentación del presupuesto para la aprobación del cambio de buzones.
5.º. Ruegos y preguntas.

En el inicio de la asamblea, toma la palabra la presidenta dando la bienvenida a todos los asistentes y da comienzo la Junta General.

PUNTO PRIMERO: la presidenta cede la palabra al secretario administrador, que procede a leer en voz alta el acta de la asamblea anterior. Una vez leída, se somete a votación para su aprobación, con el resultado siguiente:

Votos a favor: 20 Votos en contra: 0 Se abstienen: 0

PUNTO SEGUNDO: toma la palabra la Sra. presidenta y procede a la lectura del INFORME AUDITORÍA 2013. Se entra en una discusión sobre algunos puntos del mismo que requieren ser aclarados, como el elevado gasto en bombillas y mantenimiento del ascensor, y sobre la morosidad de algunos vecinos. [...]

PUNTO TERCERO: la presidenta expone la necesidad de cambio de buzones. Todos los vecinos están de acuerdo. Se presenta el presupuesto para informar al resto de vecinos.

PUNTO CUARTO: toma la palabra el propietario del 4.º C disculpándose ante las quejas previas de algunos vecinos por el ruido a altas horas de la noche del inquilino que habita en su casa, y explicando que está intentando desalojarle, por este motivo y por impago del alquiler, mediante vía judicial. Se inicia una breve discusión. [...]

Siendo las 20:00 horas del día del encabezamiento, la presidenta da por terminada la junta general de la comunidad de propietarios de Maspalomas. Los asistentes abandonan la sala.

Fdo.: La presidenta Fdo.: El secretario administrador

- Fecha, hora y lugar.
- Personas que asisten a la junta (se adjuntará la lista al final), presidente y secretario.
- Planificación previa de la reunión.
- Desarrollo de la reunión, punto por punto, detallando quién habla, número de votos, preguntas y objeciones, etc.
- Cierre de la sesión, con la hora.

2 En parejas, escribid un acta sobre:

Reunión de vecinos exponiendo las quejas de la gente de un lugar de ficción (Los Picapiedra, Los Simpson, Los pitufos, los hobbits, edificio de superhéroes, personajes Disney, etc.).

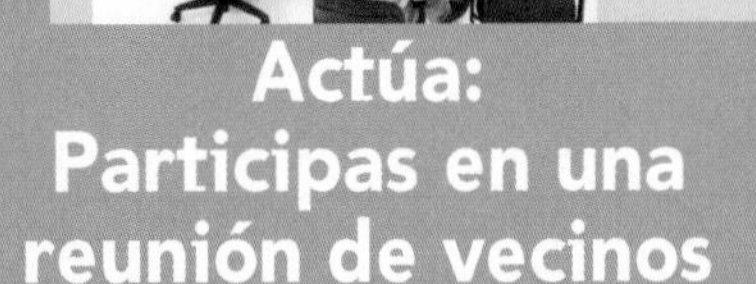

REUNIÓN DE VECINOS

En el portal de vuestro edificio se ha colgado el siguiente comunicado, por el que se insta a los vecinos a reunirse en una junta. Léelo.

Por medio del presente escrito se convoca **JUNTA** de la **COMUNIDAD DE PROPIETARIOS** de Severo Ochoa, 17, Avilés, Asturias, para el **5 de diciembre** de ...., a las 17:00 horas en primera convocatoria o, si procede, a las 19:00 en segunda convocatoria, para tratar el siguiente

ORDEN DEL DÍA

PRIMERO. Ratificación del presupuesto de instalación de una rampa para el acceso al portal.

SEGUNDO. Consideración de la petición de permiso de algunos vecinos para el cierre de sus terrazas y la colocación de toldos.

TERCERO. Propuesta para la rehabilitación de la fachada.

CUARTO. Ruegos y preguntas.

Debido a la importancia de los temas a tratar, ruego su asistencia personal o por delegación cumplimentando al efecto el impreso que se acompaña.

Muy atentamente le saluda,

Don Cristóbal Pereda
Presidente de la comunidad de propietarios

Actúa: Participas en una reunión de vecinos

Vas a participar en la junta de tu comunidad de vecinos, con el orden del día anterior. Elige el papel que debes desempeñar en ella. Usa tu creatividad, pero antes lee estas recomendaciones.

1. Lee tu tarjeta y asegúrate de que comprendes las instrucciones.
2. Preséntate brevemente. Di tu nombre, en qué piso vives y con quién.
3. Participa en cada uno de los puntos del orden del día, interrumpe y pide aclaraciones cuando sea preciso. Toma una postura en las discusiones.
4. En ruegos y preguntas, expón tu petición o queja y reacciona ante las peticiones de los demás, interactuando con ellos.
5. Despídete antes de irte.

NOTA: *recuerda usar un registro adecuado y, si os enfadáis, recurrid a las expresiones estudiadas en la unidad.*

Presidente (vecino del ático)
Diriges la junta y presentas de manera ordenada los puntos del día, propicia las votaciones necesarias, modera las discusiones, etc. Pide ayuda y confirmación de tus palabras al vicepresidente.

Vicepresidente (vecino del 8.º)
Ayudas al presidente a moderar las discusiones y las votaciones, confirma sus palabras. Adopta la postura que quieras en los puntos a tratar, y vota.

Cónyuge del vicepresidente
Expón tu opinión ante los aspectos que se van a tratar en la reunión. Eres un poco maruj@ y tienes siempre cosas que comentar sobre todos los vecinos.

Vecinos del 1.º
Sois una pareja bastante acomodada, no os importa gastar dinero para mejorar la propiedad. Exponed vuestra opinión sobre los puntos que se van a tratar.

Vecino del 2.º
Vives solo y no te sobra el dinero. Expón tu opinión ante los aspectos que se van a tratar en la reunión.

Vecinos del 3.º
Sois un matrimonio de personas mayores a las que os gusta el silencio. Exponed vuestra opinión ante los aspectos de la reunión.

Vecinos del 4.º
Sois una pareja de mediana edad, bastante quisquillosos. Exponed vuestra opinión ante los aspectos que se van a tratar en la reunión.

Vecino del 5.º
Vives solo. Eres educado y cortés. Te encantan las mujeres. Expón tu opinión ante los puntos que se van a tratar.

Vecina del 6.º
Vives sola. Te gusta poner quejas por todo. Tu físico es bastante llamativo y la mayoría te considera muy atractiva, con lo que ganas aliados a tus opiniones.

Interrumpir/pedir la palabra...

- ¡Sí, pero una cosa!...
- Sí, pero un minuto, si me dejáis hablar...
- Antes de que se me olvide,...
- Disculpa que te interrumpa, pero...
- ¡Silencio, por favor! ¡Pido la palabra!

Criticar o protestar directamente

- ¿A eso le llamas tú... tener el portal limpio? ¡Qué chapuza!
- ¡Esto no es tener el portal limpio ni es na(da)!
- ¿A ti te parece esto limpiar bien el portal?
- Este tema no procede en estos momentos, ya se hablará de ello en otra reunión...

10 TEMA

REFUERZA Y CONSOLIDA EL LÉXICO

Vocabulario

Tipos de viviendas

1 Relaciona cada término con su definición.

1. cabaña
2. caravana
3. chabola
4. (chalé) adosado
5. hacienda
6. mansión
7. palacete

a. Finca agrícola o ganadera.
b. Vivienda unifamiliar que está unida a otras por un lateral o por la parte trasera.
c. Residencia grande y señorial.
d. Mansión lujosa parecida a un palacio, pero más pequeña.
e. Casa rústica en el campo construida con ramas o maderas.
f. Vehículo semirremolque, acondicionado para cocinar y dormir en él.
g. Vivienda de pocas dimensiones y condiciones de habitabilidad. Generalmente, construida con materiales de desecho.

2 Según esté de conservada o construida una vivienda, podemos hablar de ella de las siguientes maneras. Completa las frases con la palabra adecuada.

• casa solariega/señorial • caserón • cuchitril • casa rústica

1. Pues ya ves, nos mudamos a ese .... pensando que lo íbamos a restaurar y convertirlo en una casa rural, pero es tan grande y está tan destartalado, que necesitaríamos una fortuna para hacerlo habitable.
2. Recibimos una invitación para pasar el fin de semana en la .... de su familia. Me quedé impresionada con las habitaciones enormes, los muebles de época, los jardines inmensos… ¡Increíble!
3. Estoy un poco preocupada por Alberto. Ayer quedé con él y la verdad, vive en un .... Su piso es pequeñísimo, sucio y lo tiene medio roto todo.
4. Me he comprado una .... como segunda residencia; ya sabes, una de esas de piedra, con suelo de madera, con una gran cocina y una zona ajardinada a su alrededor para relajarse en verano.

3 Una vivienda puede tener algunos extras que la hacen más atractiva. Explica los siguientes conceptos y para qué podrías usarlos.

1. azotea
2. bodega
3. buhardilla
4. chimenea
5. despensa
6. desván/trastero
7. porche
8. sótano
9. tragaluz

Personas relacionadas con una vivienda

4 ¿Quiénes son estas personas? Relaciónalas con su definición.

1. casero/arrendador
2. huésped
3. inmobiliaria
4. inquilino/arrendatario
5. propietario
6. subarrendado
7. vecindario

a. Persona que alquila un piso de su propiedad.
b. El que tiene en propiedad una vivienda.
c. Persona alojada en una casa que no es la suya.
d. Conjunto de vecinos de un barrio, calle o casa.
e. El que alquila a alguien una vivienda.
f. Agencia que alquila, vende o administra viviendas.
g. Quien alquila una habitación o vivienda a otro que a su vez está de inquilino.

Materiales de la vivienda

5 Relaciona los siguientes conceptos con el grupo al que pertenecen.

1. acabados
2. calefacción
3. estructura de la casa
4. puertas y ventanas
5. servicios de electricidad, agua y gas
6. suelos

- cimientos, muro, tabique, viga
- manija, alféizar, pomo, quicio
- parqué, rellano, tarima flotante, zócalo
- caldera, estufa, radiador
- pintura plástica, ladrillo visto, falso techo, molduras
- enchufe, grifo, interruptor, llave de paso

6 ¿Qué ocurre cuando te pasan estas cosas? ¿A cuál de estos profesionales llamarías?

1. Tienes una gotera.
2. Se abren grietas en las paredes.
3. Tienes el desagüe del fregadero atascado.
4. Se te estropea el calentador.
5. Se estropea la cerradura.
6. Se revienta una tubería.

a. albañil
b. cerrajero
c. fontanero
d. técnico

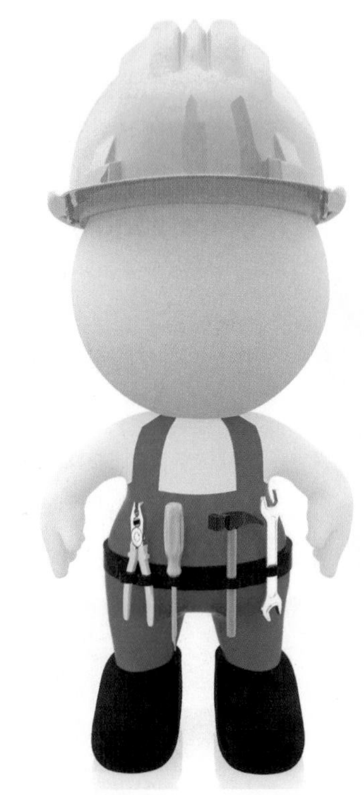

Decoración de la vivienda

7 Relaciona estos muebles con sus posibles formas

1. armario
2. cama
3. lámpara
4. mesa
5. silla

a. empotrado, ropero, de obra, rinconero, vestidor, de puertas correderas…
b. auxiliar, de centro, de comedor, plegable, de ordenador, camilla, de noche…
c. de pie, de mesa, colgante, plafón, aplique, candelabro…
d. plegable, giratoria, ergonómica, de tijera, con brazos, trona, taburete, mecedora…
e. individual, de matrimonio, supletoria, litera, cuna, sofá-cama…

8 ¿Cómo se llaman estos objetos? Relaciona la palabra con la imagen adecuada.

1. felpudo
2. ladrón
3. paragüero
4. perchero
5. toldo

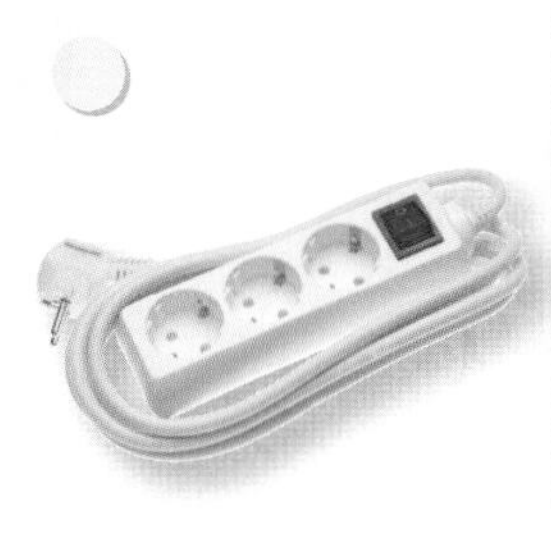

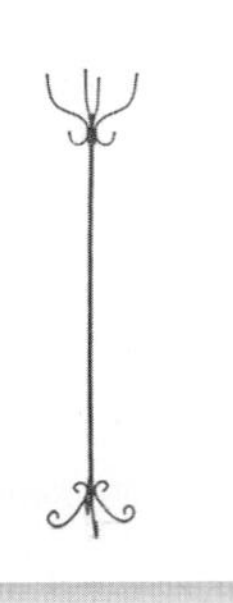

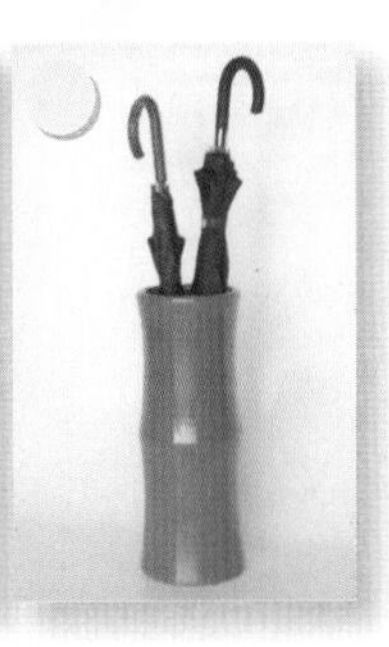

Tema 11

RUTAS CON HISTORIA

- **Infórmate**
  - El Camino Inca
- **Para saber más**
  - El Camino Jacobeo
- **Crea con palabras**
  - Vehículos
- **Así se habla**
  - Expresiones con *camino* y *paso*
  - Muletillas del lenguaje
- **Reflexiona y practica**
  - Preposiciones de tiempo y espacio
  - La preposición *a*
- **Taller de escritura**
  - Foros de viajes
- **Taller de comunicación**
  - Actúa: Comentas titulares de prensa
- **Refuerza y consolida el léxico**

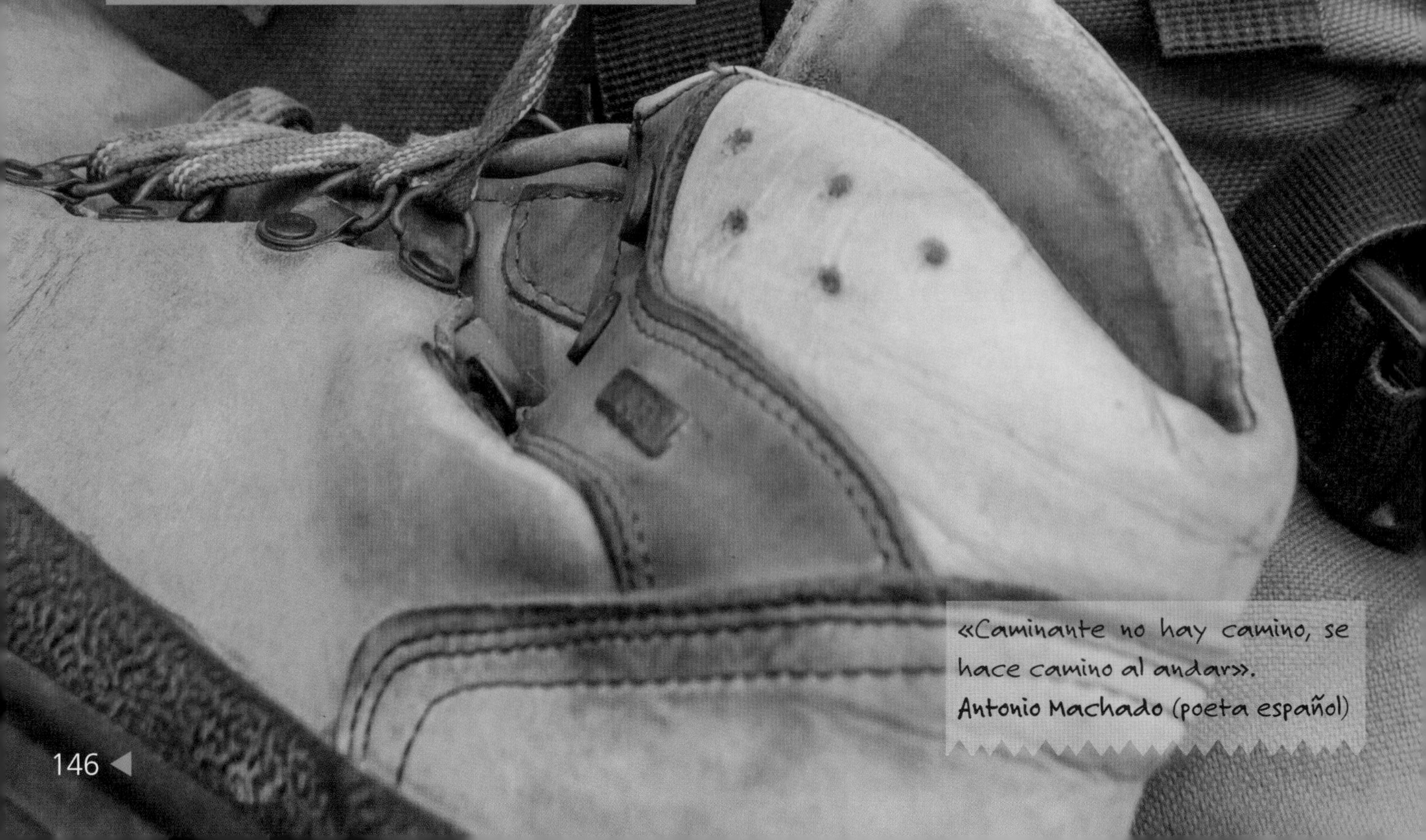

«Caminante no hay camino, se hace camino al andar».
Antonio Machado (poeta español)

¿Cómo definirías el término ruta? Así lo define el *DRAE*

ruta. (Del fr. *route*, y este del lat. *rupta*).

1. f. Itinerario.
2. f. Camino o dirección que se toma para un propósito.
3. f. Carretera.

Fíjate en estas rutas. ¿Podrías relacionarlas con su descripción?

A

Camino de Santiago (España)

B

Vía Augusta (España)

C

Ruta de la muerte (Bolivia)

Ruta romana que unía el sur de España con el norte, cuya función principal era mover tropas militares. En la Edad Media, se convirtió en la ruta de peregrinación a Santiago desde el sur y actualmente une las ciudades de Gijón y Sevilla. ☐

Ruta que recorren a pie, en bici o a caballo los peregrinos procedentes de toda España y de todo el mundo para llegar a la ciudad de Santiago de Compostela, donde se veneran las reliquias del apóstol Santiago el Mayor. ☐

También se la conoce como Camino a los Yungas. Tiene 80 km de extensión y une la ciudad de La Paz con la región de Los Yungas. Fue construida por prisioneros paraguayos en 1930. Se la considera una de las carreteras más peligrosas del mundo. ☐

Carretera cuyo recorrido se extiende desde el sur hasta el límite con Bolivia. Esta ruta corre paralela a la Cordillera de los Andes, incluyendo tramos cercanos a través de varios parques nacionales. Es la más larga del país. ☐

Es un sistema de carreteras de aproximadamente 25 800 km. Se encuentra casi completo, y se extiende desde Alaska hasta Argentina. El tramo que impide que la carretera se conecte completamente es un trayecto de selva montañosa, el llamado Tapón de Darién. ☐

Es la calzada romana más larga de Hispania con una longitud aproximada de 1 500 km que discurrían desde los Pirineos hasta Cádiz, bordeando el Mediterráneo. Era una importante vía de comunicación y comercio en la época. ☐

D

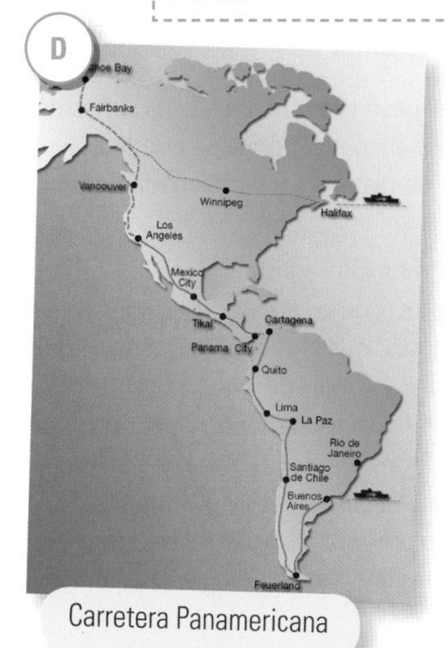

Carretera Panamericana

E

Vía de la Plata (España)

F

Ruta 40 (Argentina)

EL CAMINO INCA

1 Lee este texto sobre una de las rutas más importantes de Sudamérica: el Camino Inca. Después completa con una de las opciones propuestas.

EL CAMINO INCA

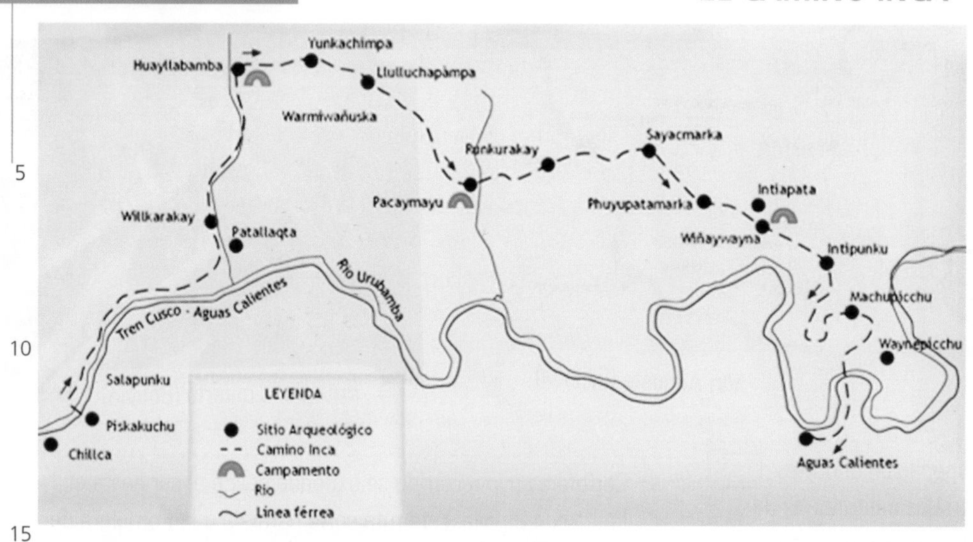

Parte de los 23 000 km de caminos construidos **1.** .... los Incas en América del Sur están en la ruta más famosa de Perú. Cada año, aproximadamente 25 000 excursionistas de todo el mundo **2.** .... sus 43 km por un camino pavimentado de piedra que conduce a la inexpugnable ciudadela de Machu Picchu, **3.** .... en la profundidad de la selva alta del Cusco.

El viaje empieza en el pueblo de *Qorihuayrachina*, y toma de 3 a 4 días de extenuante caminata. La ruta consta de una impresionante variedad de altitudes, climas y ecosistemas que van desde la llanura andina hasta el bosque de nubes. Los viajeros cruzan dos zonas de gran altitud para **4.** .... la caminata con una mágica entrada a Machu Picchu a través del *Inti Punko* o Puerta del Sol.

Machu Picchu

Una de las mayores atracciones a lo largo de la ruta es la red de antiguos asentamientos construidos **5.** .... base a la roca de granito e inmersos en un escenario abrumador. Cientos de especies de orquídeas, aves multicolores y paisajes de ensueño para una ruta que todo caminante debería experimentar al menos una vez.

Pues bien, comenzamos el camino desde *Qorihuayrachina*, y para empezar, fue necesario cruzar el puente *Kusichaca*. Luego nos dirigimos a la orilla izquierda del río, **6.** .... un bosque de eucaliptos. Casi de inmediato, llegamos a los complejos arqueológicos de *Q'ente*, *Kusichaca* y *Patallaca*. Desde este último punto, seguimos el camino que se encuentra a la izquierda del río. Allí, tuvimos que continuar hasta llegar al pequeño pueblo campesino de *Wayllabamba* y a sus acueductos Incas. Tardamos alrededor de 4 horas para cubrir los 9 km hasta este lugar. Podíamos acampar aquí, pero nos recomendaron llegar a Llullucha, 1,6 km más **7.** ....

El segundo día fue más difícil **8.** .... teníamos que escalar 4200 m, cruzando el paso *Warmiwañusqa*. Si sufres de soroche (mal de altura), es mejor que no pares y desciendas rápidamente al valle del río *Pakaymayu*, donde se puede acampar. Este lugar se encuentra a 7 km de distancia y aproximadamente a 8 horas caminando.

Sayaqmarka

El tercer día es el más largo pero el más interesante, **9.** .... puedes visitar impresionantes lugares como *Runkurakay*, un complejo amurallado con nichos interiores que fue un pequeño lugar para el descanso, puesto de guardia y lugar de culto. Después de **10.** ...., descendimos a *Yanacocha* (la laguna negra), para luego subir por un sendero con escalones de piedra hasta llegar a otro grupo de construcciones que atrae la atención de los visitantes. Este lugar se llama *Sayaqmarka,* un complejo prehispánico con calles estrechas, edificios construidos en diferentes niveles; santuarios, patios, canales

Infórmate

Phuyupatamarca

Wiñay Wayna

y un muro exterior de protección. En la parte superior del contrafuerte se pueden ver muchas construcciones que llevan a suponer que alguna vez llegaron a ser un templo y un observatorio astronómico. *Sayaqmarka* es un lugar lleno de misterio y encanto. La distancia aproximada desde allí a *Runkuraqay* es de 5 km, a 2 horas. Este complejo se encuentra a 3600 m.s.n.m. **11.** .... excelentes caminos y un túnel a través de este complejo. **12.** .... recomiendo acampar cerca de las ruinas *Phuyupatamarca* o 3 km más adelante, en el centro de visitantes *Wiñay Wayna*, donde se pueden comprar alimentos y bebidas o usar baños. Las ruinas de *Phuyupatamarca* son las mejor conservadas de todas las **13.** .... habíamos observado hasta entonces. Las ruinas de *Wiñay Wayna* tomaron este nombre de la abundancia de un tipo de orquídeas que florece durante casi todo el año en la zona. Constan de seis grupos de viviendas divididas en cuatro sectores: el agrícola con muchas terrazas, el religioso, el de la fuente y el residencial donde se encuentran las casas.

El cuarto día empezó más temprano de lo normal, a las 5:30 h, con **14.** .... a Machu Picchu. Es Importante llevar una linterna pues aún está oscuro **15.** .... esa hora y el camino es estrecho. Después de una hora y media de caminata llegamos a *Inti Punku* o *Puerta del sol*, desde donde es posible ver por primera vez la majestuosa ciudadela inca de Machu Picchu. Desde allí es tan solo media hora más para llegar a las ruinas. Ruta conseguida.

Adaptado de http://www.machu-picchu-peru.info

	a.	b.	c.
1.	a. de	b. por	c. gracias
2.	a. corren	b. mueven	c. recorren
3.	a. puesta	b. ubicada	c. colocada
4.	a. culminar	b. acompañar	c. dejar
5.	a. por	b. en	c. para
6.	a. mediante	b. a través de	c. en
7.	a. alejados	b. adelante	c. delante
8.	a. ya que	b. como	c. con
9.	a. gracias a	b. por	c. puesto
10.	a. vararlo	b. sacarlo	c. atravesarlo
11.	a. Están	b. Son	c. Hay
12.	a. Se	b. Lo	c. Le
13.	a. cuyas	b. cuales	c. que
14.	a. sentido	b. rumbo	c. ruta
15.	a. para	b. de	c. a

2 Elige la respuesta correcta.

1. La ruta, según el texto, es...
- a. cansada. ☐
- b. llevadera. ☐

2. Las atracciones de la ruta son...
- a. la fauna. ☐
- b. las ruinas. ☐

3. El segundo día de viaje es...
- a. corto. ☐
- b. dificultoso. ☐

4. El tercer día disfrutas de...
- a. la ecología. ☐
- b. la arquitectura. ☐

5. El último día...
- a. se llega directamente a Machu Picchu. ☐
- b. primero se divisan las ruinas de Machu Picchu. ☐

Interactúa

- ▶ De las rutas que has visto hasta ahora, ¿cuál sería para ti la más peligrosa, la más cansada, la más interesante o la más curiosa?
- ▶ ¿Conoces alguna otra ruta famosa? ¿Qué la caracteriza y cómo se circula por ella?
- ▶ ¿Te gustaría hacer el Camino de Santiago? ¿Cómo te prepararías, qué llevarías? ¿Has hecho alguna ruta similar? ¿Cómo fue la experiencia?

11 TEMA

RUTAS CON HISTORIA

Para saber más

EL CAMINO JACOBEO

Escucha esta entrevista a dos personas que hablan sobre el Camino de Santiago. Después selecciona la opción correcta.

«Dicen que el Camino se encuentra directamente debajo de la Vía Láctea y que sigue las líneas que reflejan la energía de los sistemas estelares suspendidos encima de él... La energía del Camino era ampliamente conocida por los pueblos de la antigüedad, los cuales sabían que favorecía la introspección y el conocimiento de uno mismo... El viaje se hace con la intención de encontrar el más profundo significado espiritual del ser y tomar las decisiones respecto a los conflictos interiores».

Shirley Maclaine

1. Todos los peregrinos de Santiago...
- a. tienen una única ruta que seguir. ☐
- b. pueden variar de ruta si lo desean. ☐

2. El Camino repercute...
- a. favorablemente siempre. ☐
- b. dolorosamente en lo espiritual. ☐

3. La amiga de Ignacio, Noelia,
- a. obtiene una ganancia económica del camino. ☐
- b. guía a peregrinos de forma altruista. ☐

4. El objetivo del Camino...
- a. es conocer a gente, hacer amigos. ☐
- b. depende de cada uno. ☐

5. En el Camino hay...
- a. mucha energía. ☐
- b. mucha preparación. ☐

6. No todos los que caminan a Santiago...
- a. lo hacen por razones espirituales. ☐
- b. sienten una sensación especial. ☐

7. Los trayectos carecen de...
- a. todo tipo de comodidades en todo momento. ☐
- b. elementos que parecen imprescindibles en la vida cotidiana. ☐

8. La intención con que se hace el Camino...
- a. marca las relaciones humanas. ☐
- b. potencia el autoconocimiento. ☐

Crea con palabras

VEHÍCULOS

1 Completa el anuncio de este vehículo con las palabras de la lista.

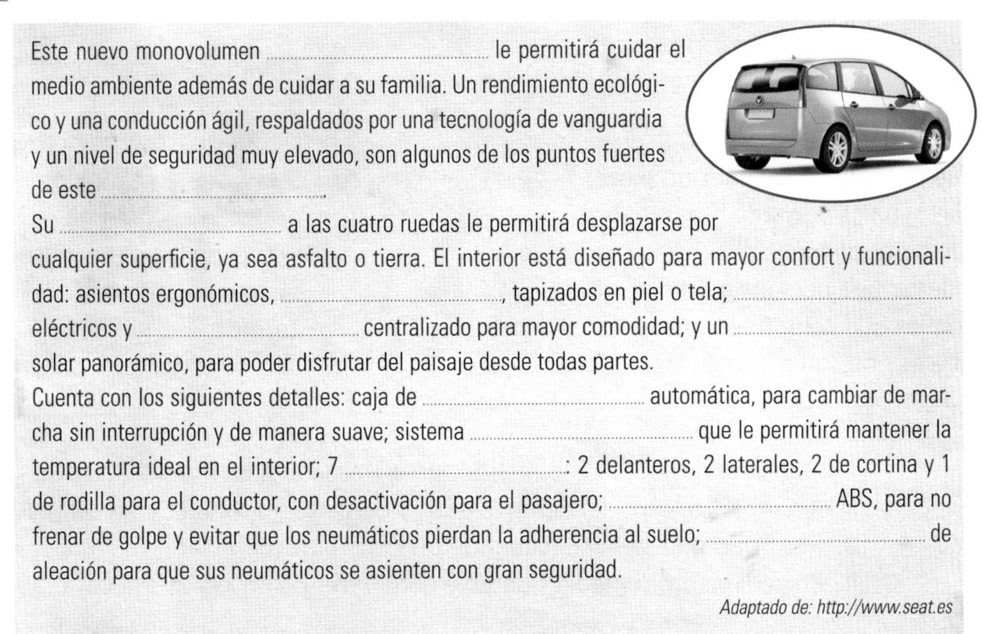

Este nuevo monovolumen .... le permitirá cuidar el medio ambiente además de cuidar a su familia. Un rendimiento ecológico y una conducción ágil, respaldados por una tecnología de vanguardia y un nivel de seguridad muy elevado, son algunos de los puntos fuertes de este ....

Su .... a las cuatro ruedas le permitirá desplazarse por cualquier superficie, ya sea asfalto o tierra. El interior está diseñado para mayor confort y funcionalidad: asientos ergonómicos, ..., tapizados en piel o tela; .... eléctricos y .... centralizado para mayor comodidad; y un .... solar panorámico, para poder disfrutar del paisaje desde todas partes.

Cuenta con los siguientes detalles: caja de .... automática, para cambiar de marcha sin interrupción y de manera suave; sistema .... que le permitirá mantener la temperatura ideal en el interior; 7 ....: 2 delanteros, 2 laterales, 2 de cortina y 1 de rodilla para el conductor, con desactivación para el pasajero; .... ABS, para no frenar de golpe y evitar que los neumáticos pierdan la adherencia al suelo; .... de aleación para que sus neumáticos se asienten con gran seguridad.

Adaptado de: http://www.seat.es

1. airbags
2. cambios
3. cierre
4. climatizador
5. elevalunas
6. frenos
7. híbrido
8. llantas
9. respaldos abatibles
10. techo
11. tracción
12. vehículo

2 Aquí tienes algunos tipos de vehículos. ¿Qué ventajas e inconvenientes tienen en un viaje?

- Coche con remolque
- Deportivo
- Descapotable
- Limusina
- Monovolumen
- Todoterreno

- Turismo
- Autobús/autocar
- Camión
- Camioneta
- Caravana
- Furgoneta

TALLERES COSMECAR

Ref. Factura 202

1.	Cambio de bujías	122 €
2.	Cambio del manguito de refrigeración	45 €
3.	Cambio de batería	105 €
4.	Cambio de aceite y filtro	95 €
5.	Cambio de la correa del ventilador	50 €
6.	Pintar los rasguños de la carrocería	200 €
7.	Revisión del chasis	50 €
8.	Mano de obra	300 €
		962 €
	+ IVA (20 %)	192,4 €
	Total:	1 154,4 €

3 Antes de un viaje es aconsejable hacer una puesta a punto del vehículo. Observa esta factura y relaciona los nombres con la definición.

a. Revisión y limpieza del armazón de acero que sostiene al auto. De él depende la suspensión y la transmisión del vehículo.
b. Cambio del acumulador que proporciona la energía eléctrica al arranque de un motor.
c. Cambio del elemento que acciona el sistema de refrigeración que hace funcionar la bomba del agua.
d. Cambio del tubo de goma que lleva agua al radiador.
e. Cambio de la pieza que transmite una chispa eléctrica que se usa para encender el motor.
f. Cubrir y reparar los desperfectos de la parte exterior del vehículo.
g. Cambio del depósito donde va el aceite del motor o de la transmisión.

RUTAS CON HISTORIA

Así se habla

CAMINO Y PASO

1 Lee las definiciones que hace el *DRAE* de estos dos términos y relaciónalas con el ejemplo correspondiente.

Paso

1. Movimiento al caminar que consiste en levantar un pie y volver a ponerlo en el suelo, hacia adelante o hacia atrás. ☐
2. Acción de pasar algo/alguien por un lugar. ☐
3. Manera de moverse o de andar una persona o animal. ☐
4. Movimiento con los pies de los que componen una danza o baile. ☐
5. Gestión, trámite o cosa que es necesario para conseguir algo. ☐

a. Al paso de las carrozas la gente aplaudía.
b. Dio tres pasos y se detuvo.
c. Esta tarde ensayaré los pasos de la coreografía.
d. He hecho los pasos necesarios para que te den el permiso.
e. El caballo iba a paso ligero.

Camino

1. Franja de terreno más o menos ancha utilizada para ir por ella de un lugar a otro, especialmente la que es de tierra apisonada y sin asfaltar. ☐
2. Recorrido que se hace para ir de un lugar a otro. ☐
3. Procedimiento o medio que sirve para hacer o conseguir una cosa. ☐

a. Mañana iremos al trabajo por otro camino para evitar el atasco.
b. Pasaremos por este camino para llegar hasta su casa; procura no caerte.
c. Ser constante es el mejor camino para triunfar.

2 Relaciona ahora estas expresiones que usamos en español con su significado.

a. Tener éxito. Eliminar los obstáculos para pasar por un lugar.
b. Aprovechar la oportunidad o situación.
c. Ir de camino o estar en un sitio provisionalmente.
d. Hacer algo solo para cumplir con una necesidad u obligación, pero sin interés, cuidado o atención.
e. Imitar a alguien en sus acciones.
f. Hacer algo poco a poco, lentamente.
g. Muy cerca.

1. **A pocos pasos**
2. **Abrirse paso**
3. **De paso...**
4. **Estar de paso**
5. **Paso a paso**
6. **Salir del paso**
7. **Seguir los pasos de...**

1. **Pillar de camino**
2. **Cruzarse en el camino**
3. **Ir por buen/mal camino**
4. **Llevar camino de...**
5. **Ponerse en camino**
6. **Quedarse a medio camino**

a. No terminar lo que se ha empezado.
b. Empezar un viaje.
c. Poder hacer una acción en el trayecto a un lugar.
d. Ir bien o mal encaminado para hacer algo.
e. Entorpecer o impedir el cumplimiento de sus propósitos.
f. Actuar de modo que pueda predecirse lo que va a pasar.

3 Completa estas frases con alguna de las expresiones relacionadas con paso y con camino.

1. Es mejor que hagas esto .... y sin prisas, lo entenderás mejor.
2. Para poder llegar, él tendrá que .... entre la gente a codazos.
3. Vente a comer y ...., me explicas el viaje ese que hiciste.
4. Tu hijo .... convertirse en un genio del cómic. Esa manera de dibujar es extraordinaria.
5. Si esta misma tarde nos .... hacia Madrid, creo que llegaremos antes de la cena.
6. Oye, ya que la panadería te .... a casa, tráeme una barra.

Así se habla

MULETILLAS

Son palabras que sirven de apoyo y se utilizan continuamente cuando hablamos, a veces añadiendo sutiles matices a lo dicho y rellenando silencios.

- *No sé, **bueno**, supongo que tienes razón. (ganando tiempo)*
- *¿**Pero** qué dices? (mostrando absoluto desacuerdo)*
- *¡Hombre, Miguel! **Precisamente** estábamos hablando de ti.*
- ***Entonces**, ¿qué vais a hacer, venís o no? (retomando el tema anterior, que ha quedado sin resolver)*

A veces, una misma muletilla puede tener, según la situación y la entonación, diferentes significados. Observa ahora estos usos de ***pues***.

Pues: se usa normalmente al principio de una intervención para...

- **dar una opinión**: *Pues yo pienso que...*
- **apoyar una afirmación o una negación (y mostrar acuerdo o desacuerdo)**: *Pues sí/Pues es verdad/Pues no...; ¡Pues ya te vale! (desacuerdo y enfado)*
- **mostrar duda, indecisión o para introducir algo que va a desagradar al otro**: *Pueees..., no lo sé, la verdad...; Pueees... ¡Va a ser que no! (que no puedo ir a tu fiesta).*

Pues nada: se usa...

- **como apoyo al principio de una intervención**: *Oye, Pedro, pues nada, quería contarte lo que me pasó ayer...*
- **para encabezar una despedida**: *Pues nada, te dejo, que tengo ahora una clase.*

Pues eso/nada: Se usa...

- **para referirse a algo que ya se ha mencionado y añadir una conclusión.**
  Como tenía al niño malo, pues eso, que no pude ir.

Pues bien: Se usa...

- **para retomar un tema interrumpido anteriormente.**
  Pues bien, como iba diciendo antes de tu pregunta,...

Pues vaya: se usa...

- **como apoyo o para mostrar empatía hacia lo que nos acaba de decir el otro.**
  - ¡Jo! ¡Me he quedado sin coche!
  - ¡Pues vaya! (lo siento)
- **A veces también indica decepción o desacuerdo.**
  - Oye, que no puedo ir a cenar hoy contigo, me ha surgido un compromiso...
  - ¡Pues vaya! Yo que tenía ilusión por contarte lo del viaje a Marruecos...

4 Ahora completa el siguiente diálogo con alguna muletilla anterior.

Aroa: Oye, chicos, ..., que yo quería hablar de lo del regalo de Inés...
Marcos: .... yo no voy a participar, ¿eh?, porque ella a mí nunca me hace ningún regalo...
Aroa: ...., ¡nunca colaboras en ningún regalo, tío!
Roberto: .... no sé... no lo entiendo... Contábamos contigo...
Marcos: Ya, pero me cae fatal y no voy a colaborar...
Roberto: Bueno, ..., que Marcos no colabora. Uno menos. Entonces, ¿qué le compramos?
Aroa: .... yo creo que el casco para la moto, ¿no? Después del accidente necesita uno nuevo...
Roberto: ¿Qué?, ¿que Inés tuvo un accidente?
Aroa: ¿No te enteraste? ¡No se mató de milagro! Se ha tenido que comprar una moto nueva porque la que tenía quedó destrozada...
Roberto: ¡................................! No me enteré...
Aroa: Entonces, ¿qué? ¿El casco?
Lucas: .... sí, ¡si le gusta...!
Aroa: Bueno, ..., me voy, que si no se hace tarde. Ya lo compro yo, ¿vale?

Reflexiona y practica

RUTAS CON HISTORIA

Preposiciones de tiempo y espacio

¿Recuerdas cómo funcionan las preposiciones en español?

Preposiciones para hablar de tiempo

1 Lee las intervenciones de este foro sobre viajes y selecciona la preposición adecuada para hablar de tiempo.

FORO VIAJ

- Viajes nacionales
- Viajes internacionales
- Mochileros
- Turismo rural
- *City breaks*

Berta22. ¿Alguien sabe cuándo es la mejor época para viajar a la Patagonia, en Argentina?
Carlitosman. Yo que tú, viajaría en algún momento de/desde/en diciembre a/hacia/por enero, que es cuando es verano ahí.
Viajera. Por/hasta/sobre Navidad es una época estupenda. ¡Prueba unas fiestas diferentes!

Chus. Tengo quince días libres para viajar y quiero ir a Chile ¿tendré tiempo?, ¿qué me recomendáis?
Mercurio. Yo estuve viajando por/Ø/en una semana entera y fue increíble. Visité el Desierto de Atacama, que es el más seco del mundo. De/sobre/hasta niño soñaba con visitarlo y por fin pude. Allí me encontré con un amplio abanico de paisajes y bellezas naturales: salares, termas y géiseres, minas, quebradas y oasis increíbles en mitad de las dunas. ¡Un espectáculo!
MartaSur. Si sales a las 6 por/de/en la mañana del primer día y no regresas hacia/hasta/en la noche del último día, te dará tiempo a lo que quieras. ◡̈

Francisco. Tengo 55 años ¿estoy a tiempo para hacer de mochilero?
Pilar48. Se puede ser mochilero a cualquier edad, desde/de/durante joven hasta/en/sobre viejo. Lo único que tienes que tener en cuenta es la distancia y buscar un buen descanso.
Mochitour. Ser mochilero es duro. He estado viajando así en/durante/sobre años y nunca he pensado que llegaría un día en el que podría acabarse. Pero ahora que reflexiono sobre eso, creo que el límite puede ser sobre/para/hasta los 60.
Cris53. Cada persona es diferente. Puede ser que no puedas hacerlo hasta/en/a los 20, 30, 40 o 50. Lo que está claro es que hacia/para/de los 60 tu cuerpo no resiste tanto.

Gaby. ¡Llamada urgente! Estoy en Barcelona, en el autobús camino del aeropuerto, en medio de un atasco y mi avión a Madrid sale a/en/por 35 min. ¿Creéis que podré cogerlo? Son las 7:25 h.
Conguito. Si tienes un billete a/en/por las 8:00 h, lo tienes un poco crudo. A esa hora es cuando más tráfico hay. Aun así, si lo pierdes puedes intentar cambiarlo para/por/en una hora más tarde.

2 Explica la diferencia entre estas frases.

- *__En__ esos meses viajé mucho.*
- *No he visto a Lucía __durante__ esos meses.*
- *__Por__ esos meses de verano hay más turismo.*

3 ¿Podrías crear tres frases con alguno de estos momentos y una preposición de tiempo?

• aquellos tiempos • invierno • los años 50 • una mañana • la vejez • entonces • un 23 de abril • una tarde • las 3:30

Preposiciones para hablar de espacio

4 Lee el siguiente post de este viajero a Cuba y elige la opción correcta para completarlo.

Etapa: Camagüey | **Localización: Cuba**

Cinco horas largas de viaje, cientos de kilómetros **por/de/para** el interior de Cuba. Llanuras verdes situadas **tras/a/en** frondosos bosques adornados con palmeras; de vez en cuando un pequeño grupo de personas y ganado se dirigía **hacia/por/vía** la gran ciudad. Yo voy **el/al/por** el Gran Hotel de Camagüey y llego al mediodía. Me apetece estar unos días **a/en/entre** un lugar donde todo funcione. Me han dado la habitación más cara a precio de una estándar, es la única libre que queda **en/sobre/allende** el primer piso (deferencia del hotel, ya que el ascensor está averiado. ¡Vaya por Dios!). El restaurante está situado **hacia/por/en** la quinta planta y en él se sirve el desayuno. Haré ejercicio.

Después de unas horas y ya **desde/de/tras el** autobús, cuando nos acercábamos a la ciudad, veía grandes plantaciones de azúcar y alejadas de la carretera, las refinerías. **Tras/desde/de** nosotros quedaban pequeños poblados con calles de barro, carromatos y mujeres tendiendo la colada. Y **por/para/hacia** cada pequeño núcleo urbano, una escuela rural de una planta, con la fachada de colores y niños jugando...

Adaptado de http://www.losviajeros.com

Uso de la preposición a con objeto directo (OD)

Uso obligatorio	Doble uso
▶ Ante nombres propios de personas o con animales. *Visitaré a Dani en Málaga.* *¿Has dado de comer al gato?* ▶ Ante las formas tónicas de los pronombres personales: *mí, ti, él/ella, nosotros/as, vosotros/as, ellos/as.* *¿Dices que me vio a mí allí?* ▶ Delante de los pronombres demostrativos *este, ese, aquel...* y los posesivos *mi, tu, su...* cuyo referente es una persona. *Vi a ese guía hablando con las chicas.* *Tiene a su hijo esperándole en la oficina.* ▶ Ante nombres colectivos de persona cuyo referente está determinado *Ayudaron a la comunidad después de lo ocurrido.*	▶ Pueden aparecer con o sin preposición con OD de persona (no con nombres propios) y animales con algunos verbos como *buscar, necesitar, preferir, desear, apetecer, llevar, traer, ver, conocer...* *Busco un cocinero.* (cualquiera) *Busco a un cocinero que trabajó aquí.* (persona concreta). ▶ A veces el uso de la preposición depende del grado de personificación del nombre. *En ese momento, vio a la Iglesia con otros ojos.* (la institución) *En ese momento vio la iglesia con otros ojos.* (el edificio)
No se usa	
▶ Con OD de cosas o lugares. *Visitaré Perú este verano.* *Vio la ciudad en dos días.* *Sí se usaría si hubiese ambigüedad entre sujeto y OD. *La moto golpeó al coche.*	▶ Con el verbo *tener* si el nombre va indeterminado. *Tenía dos hijos.*

5 Este blog escrito por Alba Armas tiene una sobredosis de aes. Elimina las no necesarias o sustitúyelas por otra preposición cuando sea preciso.

¡A viajar a todas horas! Ese es a mi lema. Siempre he querido ir a visitar a países diferentes, pero no sola por eso estaba buscando a personas aventureras, como yo. Escribí un anuncio a un periódico a conocer a gente (no importaba si eran a hombres o a mujeres). Como no me contestaba nadie entré a un centro excursionista a que me enseñaran a nuevas rutas y al paso, hacer amigos nuevos. Ahora me llevo a amigos a todos los viajes.

FOROS DE VIAJES

1 Lee las intervenciones en este foro sobre viajes. Responde con tus comentarios, tu opinión o pidiendo información adicional.

FORO DE VIAJES DE AVENTURA

Índice general **Foros de viajes** **Buscar compañeros de viaje** **Síguenos en:**

BUSCAR

¡Viaje al interior de la Tierra!

por Maribel20 > Dom Sep 25, 8:50 p.m

Hola, mi nombre es Maribel y soy nueva en este foro. Venimos de Madrid y somos espeleólogas. Estamos buscando a gente interesada en la exploración de cuevas, tanto horizontales como verticales, de la Cordillera Cantábrica para formar una asociación de espeleología. Contamos con amplia experiencia, y nos comprometemos a guiar y a enseñar a aquellos que no la tengan. Esperamos reunir a un grupo de jóvenes deportistas atraídos por este maravilloso submundo y dispuestos a realizar un trabajo de exploración en equipo serio, corriendo los menores riesgos posibles y respetando al máximo los espacios naturales. Anímate y únete a nosotros.

¡De vela por el mundo!

por Txetxu Torremoto > Mar Nov 11, 17:05 p.m

En nuestro viaje en vela alrededor del mundo, nos ocurrió una situación similar a la que comentáis vosotros. Os la cuento para que luego cada uno piense y comente qué habría hecho en nuestro lugar... Nos dirigíamos al Cabo de Hornos (Chile). Habíamos planeado atravesarlo en una época del año favorable. Nuestras condiciones anímicas eran estupendas, nos acercábamos a nuestro nuevo desafío con mucha ilusión y empeño. Entonces, a pocas horas del punto crítico, nos dejó de funcionar la radio, con lo que nos quedamos incomunicados. Luisma se puso manos a la obra rápidamente, pero nos faltaba una pieza y la que teníamos de repuesto se había estropeado al subirla a bordo (falta de delicadeza por nuestra parte). O sea, que nos quedábamos en la tesitura de si dirigirnos a tierra firme, con la consiguiente pérdida de tiempo, o si corríamos el riesgo de aventurarnos a enfrentarnos al desafío y cumplir los plazos marcados... No había consenso entre nosotros, pero al final, decidimos intentarlo. Y lo hicimos. A muchos les pareció una imprudencia innecesaria, pero también tiene su parte de suspense...

2 Ahora, en grupos de cuatro, añadid una nueva intervención en el foro proponiendo un tema nuevo sobre viajes de aventura.

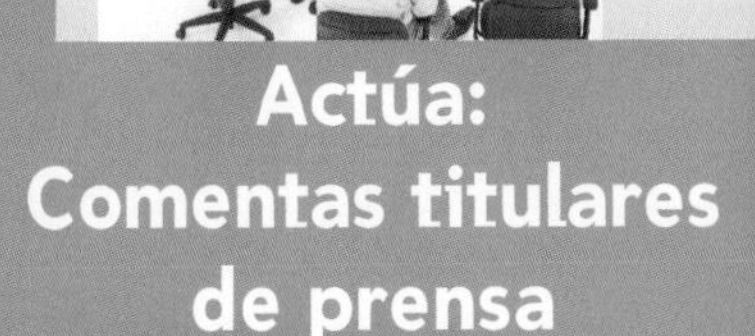

NOTICIAS Y TITULARES

Estos son los titulares y el comienzo de algunas noticias aparecidas en prensa especializada en turismo. Comenta con tu compañero qué os parecen.

Actúa: Comentas titulares de prensa

El turismo de tercera generación: el nuevo cliente

La tecnología no es lo único que lo define

El factor tecnológico es fundamental en nuestros días, por tanto, sabemos que existe un turista muy tecnológico e hiperconectado, que utiliza los smartphones o las tabletas, o Internet en general, en todos los momentos del proceso del viaje: para buscar, para comparar, para elegir, para comprar, para compartir, para opinar, para recomendar...

http://www.hosteltur.com

Turismo joven, de nicho a segmento estratégico para empresas y destinos

Más operadores del sector turístico se orientan a los menores de 30 años

Cada vez más empresas y destinos se orientan hacia el turismo joven con el fin de diversificar su mix de clientes. Y es que este segmento, que representa el 20 % de los viajes turísticos internacionales, muestra una resistencia asombrosa a crisis y desastres.

http://www.hosteltur.com

Turismo de experiencias y *shopping*, tendencias de futuro

El turismo de compras, principal motivación para uno de cada cuatro turistas

El cambio de hábitos en el turista medio ha introducido una nueva variable a la hora de viajar: las nuevas experiencias. En este ámbito, la gastronomía y las rutas gastronómicas están desempeñando un papel cada vez más importante. Los países BRIC (Brasil, Rusia, India y China), se han revelado claves para impulsar el gasto turístico en Europa. Uno de cada cuatro turistas BRIC menciona el *shopping* como el principal propósito de su visita.

http://www.hosteltur.com

El turismo de salud, nuevo yacimiento de empleo para los destinos españoles

El envejecimiento de la población europea es una tendencia inexorable

El turismo de salud podría generar una demanda que se convertiría en una oportunidad de negocio en España, un país de referencia como destino para muchos jubilados europeos, según un estudio...

http://www.hosteltur.com

REFUERZA Y CONSOLIDA EL LÉXICO

Vocabulario

De ruta

1 Aquí tienes algunas palabras relacionadas con las rutas. Relaciónalas con su significado.

1. calzada
2. tramo
3. ciudadela
4. asentamiento
5. caminata
6. santuario
7. trayecto
8. posada/hospedaje

a. Viaje largo que se hace caminando.
b. Espacio que puede recorrerse yendo de un punto a otro.
c. Cada una de las partes o etapas en que se divide un recorrido.
d. Lugar donde se hospedan personas, en especial arrieros, viajantes...
e. Recinto fortificado en una plaza para protegerla o como último refugio.
f. Cada una de las grandes vías construidas por los romanos en su Imperio.
g. Instalación más o menos provisional de colonos, grupos nómadas, etc.
h. Templo en el que se venera una reliquia o la imagen de un santo.

De historia

2 Une los términos de los cuadros con las épocas históricas con las que suelen vincularse.

1. Imperios inca, maya y azteca
2. Imperio romano
3. Medievo
4. Invasiones napoleónicas

- jeroglíficos/pictogramas/códices/murales
- quechua/náhuatl/maya
- ritos/sacrificios/divinidades/sacerdotes
- pirámides/templo/tumba/dolmen/megalito

- armadura/caballero/yelmo/santo grial/cota de malla
- juglar/trovador/dama/señor feudal/siervo/noble
- códices/manuscritos/monasterios/conventos
- herejías/cruzadas/ortodoxia/dogma/alquimia
- catapulta/almenas/puente levadizo/foso/mazmorra

- anfiteatro/teatro/circo/foro/termas
- atrio/peristilo/letrinas/mosaico/mural
- toga/túnica/sandalias
- magistrado/cónsul/tribuno/senador

- tratado de paz/coalición/alianza
- almirante/sargento/teniente/oficial/cabo
- destacamento/regimiento
- flota naval/caballería/infantería/ejércitos
- cañones/artillería/fusil/bayoneta/sable
- asedio/maniobra/saqueo/despliegue de tropas
- derrota/rendición/victoria/triunfo/botín

3 Completa estos textos con una de las palabras anteriores.

1 Las construcciones mayas fueron principalmente religiosas. Construyeron dos tipos de edificios: palacios y t.................... Estos estaban construidos en la cumbre de una pirámide con 1 o 4 escaleras. Los palacios estaban en plataformas más bajas y eran donde residían los s.................... Cada 5, 10 o 20 años construían una nueva pirámide o ampliaban una antigua, inscribiendo la fecha en p.................... o glifos.

2 El amor cortés es una filosofía del amor que floreció en la Provenza francesa (s. XI). Fue una concepción de la Europa medieval que expresaba un amor adúltero entre nobles y d....................

El t.................... o poeta provenzal describe un amor platónico entre aristócratas en el que la amada se muestra distante y el enamorado, servil, pudiéndose establecer una relación entre la dama y el señor f....................

Vías y transportes

4 Existen diferentes nombres para los tipos de vías y sus partes. ¿Podrías explicar las diferencias entre estas?

1. arcén
2. autopista de peaje
3. autovía
4. vía de doble sentido
5. vía de sentido único
6. carril
7. carril de aceleración
8. desvío
9. intersección
10. rotonda/glorieta

5 ¿Cuál de los siguientes vehículos recomendarías a...?

1. una familia numerosa.
2. alguien que va por caminos no asfaltados.
3. quienes quieren irse de vacaciones sin pagar alojamiento.
4. alguien a quien le gusta sentir el sol en la piel cuando conduce.
5. una persona que necesita espacio y comodidad.

- descapotable
- todoterreno
- monovolumen
- caravana
- limusina

6 Observa las fotos y escribe el nombre correspondiente debajo de cada una.

- grúa
- petrolero
- furgoneta
- camión cisterna
- remolque
- avioneta
- portaviones
- transatlántico
- camioneta

7 Completa con las palabras que faltan estas frases.

- embarcadero
- timón
- faro
- torre
- terminal

1. Uno de los mitos históricos más conocidos de la antigüedad es el del .... de Alejandría.
2. Nos dirigimos al .... para despedirnos de los amigos que partían de crucero.
3. El capitán cogió el .... del barco y nos pusimos rumbo a América.
4. Desde la .... de control, el controlador aéreo pudo observar el aterrizaje de emergencia.
5. Con la tarjeta de embarque en la mano, nos dirigimos a la .... para coger el avión.

Tema 12

MÁS QUE PALABRAS

«Se dice que la palabra distingue al hombre de las bestias, pero es la palabra precisamente la que revela muchas veces la bestialidad de algún hombre».

Carlos Dossi (escritor y diplomático)

«Dime cuáles son para ti las 10 palabras más bellas de la lengua castellana y te diré quién eres».

Nicanor Parra (poeta, matemático y físico)

Las siguientes caras son ejemplos de expresión de emociones. ¿Con cuáles las asociarías tú? Compara con tu compañero, ¿habéis elegido las mismas?

Da tu opinión

- En español hay una frase que dice que los *ojos son el espejo del alma*, ¿qué crees que significa?
- ¿Crees que el cuerpo proporciona información sobre lo que está pensando realmente una persona?, ¿qué partes crees que dan más información y qué tipo de información te proporcionan?
- Piensa en una de las emociones anteriores e intenta reflejar de manera sutil esta expresión. Tu compañero deberá adivinar de cuál se trata.

MÁS QUE PALABRAS

Infórmate

MICROEXPRESIONES

1 Lee este texto sobre las microexpresiones emocionales y complétalo con los fragmentos que faltan en su lugar correspondiente.

DIME QUÉ CARA PONES Y TE DIRÉ QUÉ PIENSAS

rabia

Las microexpresiones son movimientos involuntarios de los músculos de la cara, en momentos especialmente emotivos, que están relacionados con una situación que nos provoca ansiedad; ya sea por motivos positivos o negativos. En la actualidad, se ha determinado que las emociones básicas (alegría, rabia, sorpresa, miedo, tristeza y asco) no pueden ser falsificadas, pues los músculos de la cara se mueven, en la mayoría de los casos, de manera automática, y no hay forma de que podamos evitar esos movimientos de manera consciente, aun con mucha práctica. ....

Estas expresiones se llaman así no porque sean muy pequeñas, sino porque su duración en el rostro humano es increíblemente corta (aproximadamente la vigésima parte de un segundo). A tal velocidad, y combinándola con la conversación, los movimientos del cuerpo, los gestos manuales y la iluminación (todos elementos distractores), es muy posible pasarlas por alto. Es por ello que para un estudio verdadero de esos micromovimientos, es necesario filmar a alta definición al sujeto, para que tengamos la posibilidad posterior de ver la grabación una y otra vez, si es posible cuadro a cuadro.

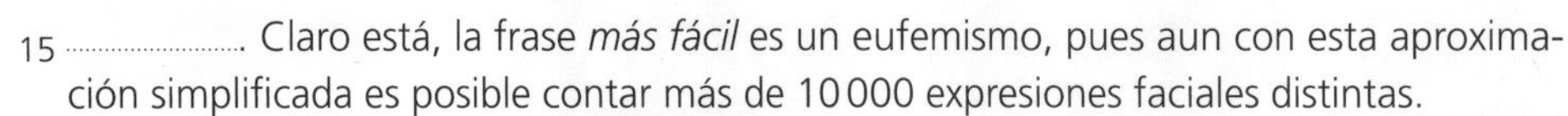

.... Claro está, la frase *más fácil* es un eufemismo, pues aun con esta aproximación simplificada es posible contar más de 10 000 expresiones faciales distintas.

miedo

Más tarde, Ekman llevó a cabo una investigación llamada proyecto *Wizards* (magos), posteriormente denominada Proyecto Diógenes. Consistía en determinar qué porcentaje de la población era capaz, de manera natural, de determinar a simple vista si una persona está mintiendo o no. Los llamados *magos*, que determinaba el estudio, eran aquellas personas que podían ubicar mentiras con una efectividad mayor al 80 % (presumiblemente por su facilidad para detectar microexpresiones de manera natural), mientras que una persona común y corriente no es mucho mejor que un aleatorio 50 %. ....

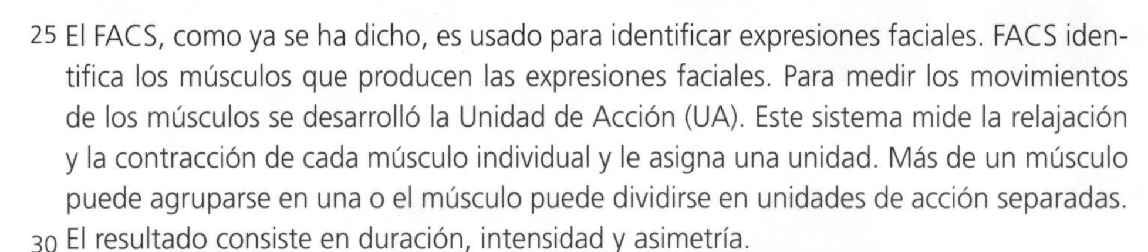

El FACS, como ya se ha dicho, es usado para identificar expresiones faciales. FACS identifica los músculos que producen las expresiones faciales. Para medir los movimientos de los músculos se desarrolló la Unidad de Acción (UA). Este sistema mide la relajación y la contracción de cada músculo individual y le asigna una unidad. Más de un músculo puede agruparse en una o el músculo puede dividirse en unidades de acción separadas. El resultado consiste en duración, intensidad y asimetría.

sorpresa

Por ejemplo, para la alegría: su duración es mayor que la de otras emociones y es más intensa dependiendo del nivel del sentimiento. Los movimientos que se ponen en funcionamiento son elevación del músculo que rodea al ojo, aparecen patas de gallo y las mejillas suben hacia arriba. ....

Para la rabia: los labios se estrechan y suelen apretarse los dientes. También se fija la mirada y aparece un brillo en los ojos diferente, además de juntarse las cejas, formando una arruga en el entrecejo.

Para la sorpresa: es una emoción corta, que solo dura hasta que el individuo entiende el hecho imprevisto y rápidamente se convierte en otro sentimiento. Los ojos se abren exageradamente, la boca tiende a abrirse y las cejas suben.

Para el miedo: se levantan las cejas y se aproximan entre sí. Además, los párpados superiores suben, mientras que los inferiores se tensan. Por último, los labios se estiran hacia atrás.

Para la tristeza: es una expresión bastante duradera. Los párpados superiores caen y las cejas se arquean hacia arriba. También caen las comisuras de los labios y los labios se tensan hacia los lados.

tristeza

Para el asco: es una expresión que se nota más en un lado de la cara. El labio superior tira hacia arriba, mientras la nariz se arruga. También, habitualmente el entrecejo se frunce.

Existe también una herramienta en línea llamada *Micro Expression Training Tool* (METT) que no es sino una aplicación donde podemos aprender sobre las microexpresiones y los distintos tipos de emociones, qué músculos están implicados en qué manifestación y prácticas para revisar nuestras habilidades. Evidentemente, a medida que avanzamos con la herramienta, esta se hace progresivamente más difícil.

El estudio de las microexpresiones faciales ha probado su valía con creces en campos tan dispares como la criminología, la psicología, la medicina e incluso la animación de personajes 3D.

Adaptado de http://lenguajecorporal.org

asco

1. Para facilitar su estudio, Paul Ekman, un científico estadounidense, creó el *Facial Action Coding System* (FACS), que es un método para clasificar los movimientos asociados a los músculos de la cara. Puesto que combinar los movimientos de músculos individuales sería una tarea titánica a la vez que poco práctica, Ekman decidió agrupar los músculos en *clusters* o unidades de acción, de tal manera que fuese más fácil su clasificación.

2. Una falsa sonrisa, por ejemplo, la descubriríamos en que no se marcan las patas de gallo ni participan los músculos orbiculares de los párpados, y una sonrisa contenida, por ejemplo, la veríamos por los labios apretados para no subir las mejillas, y por las patas de gallo muy marcadas.

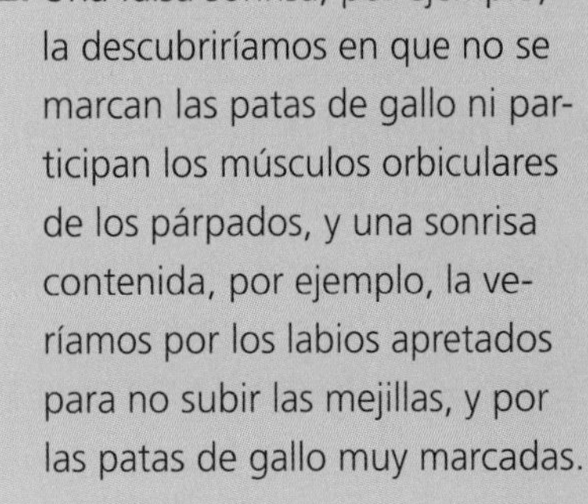

3. Inclusive los actores profesionales, cuyo trabajo versa precisamente en tal falsificación, no podrían ser más efectivos que un no iniciado en las artes escénicas si se enfrenta a una situación de peligro inminente, o de profundo estrés emocional, pues su reacción será tan primaria como la nuestra.

4. El estudio reveló que apenas el 0,0025 % de la población tiene esta facultad, pues de 20 000 personas estudiadas, tan solo 50 cumplieron con el criterio. Hechos como este han ayudado a alimentar el *mito* de los mentalistas, personas capaces de leer la mente de las personas, cuando en realidad, simplemente son individuos con una excelente capacidad de observación.

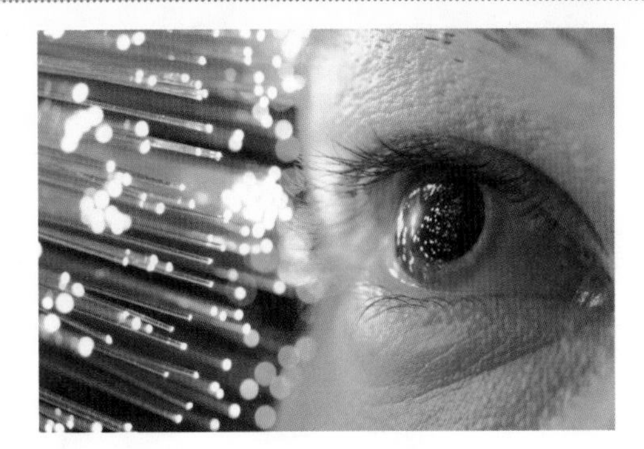

2 Contesta las preguntas.

1. ¿Por qué las microexpresiones son difíciles de detectar?
2. ¿Qué ideó Ekman para facilitar su estudio?
3. ¿Todo el mundo puede detectar las microexpresiones y saber qué está sintiendo una persona?
4. ¿Qué expresiones permanecen más tiempo en el rostro? ¿Cuál es más corta?
5. ¿Qué zonas de la cara nos dan más información?

Da tu opinión

- ¿Crees que eres bueno leyendo la cara de las personas? ¿En qué parte te fijas más?
- El texto afirma que es difícil engañar a un ojo experto, ¿piensas que siempre es posible detectarlo?, ¿qué cosas podrían ayudar a esconder las emociones?
- ¿Te parece útil ser capaz de detectar las emociones que otros quieren disimular? ¿Para qué crees que se podría usar? ¿Crees que es una invasión de la intimidad?

MÁS QUE PALABRAS

Para saber más

SE PILLA ANTES A UN MENTIROSO QUE A UN COJO

Este famoso refrán español indica que mentir no es tan fácil como algunos creen. Escucha la siguiente conferencia y completa con el término adecuado las anotaciones que se tomaron de ella.

- camuflar
- dudas
- involuntariamente
- restaurar
- se conoce
- carraspeos
- fortuitamente
- provocar
- retener
- se plantea

1. Podemos cometer dos tipos de mentiras: unas, las que no expresan todo lo que .... y por tanto ocultan información, pero sin decir falsedades, y otras que presentan información inventada como si fuera verdadera.
2. La dificultad de la mentira es .... las explicaciones que se han dado para construir la falsedad.
3. Existen dos indicios característicos de que nos están mintiendo: unos, los revelatorios, cuando contradecimos con palabras algo que hemos dicho y otros, los de comportamiento mentiroso, que son los que expresa nuestro cuerpo ....
4. Los gestos y el tono de voz son elementos importantes, por ejemplo: pausas largas y frecuentes, ... al empezar a hablar, parpadeos rápidos, miradas no sostenidas...
5. Existe gente entrenada para mentir, incluso algunos pueden .... alteraciones físicas del cuerpo: respiraciones entrecortadas o suspiros, sudoración...

Da tu opinión

- ¿Por qué crees que la gente miente normalmente?
- ¿Qué mentiras son socialmente aceptables y cuáles no? ¿Qué mentiras pasarías por alto, y cuáles no perdonarías?
- ¿Se les debe mentir a los niños en algunas ocasiones? (por ejemplo, con *los Reyes Magos* o *enfermedades, sucesos violentos, problemas económicos,* etc.).
- ¿Qué preguntas de los niños te parecen comprometidas y cómo las responderías?

LÉXICO DE AQUÍ Y ALLÁ

1 En los países donde hablan español el léxico cambia bastante de unos a otros. Relaciona estos vocablos con los países en los que se dice.

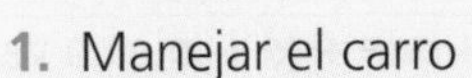

1. Manejar el carro
2. Manejar el auto
3. Guiar el carro
4. Manejar (coloq.)
5. Conducir el coche

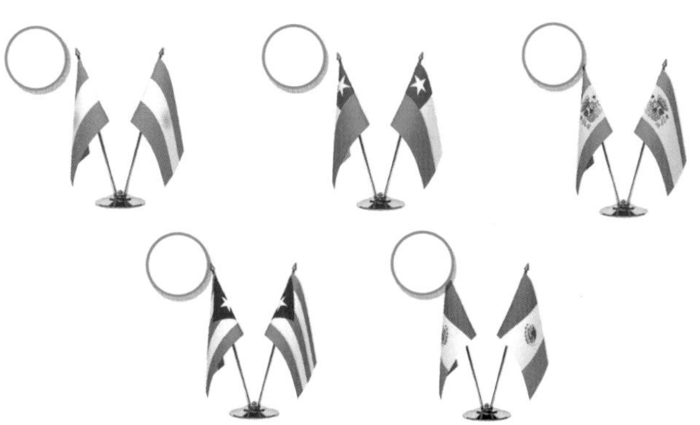

2 Aquí tienes otras palabras que se usan con significados distintos en América y en España. Relaciónalas.

Verbos de América
1. platicar
2. *botar
3. chingar (*Méx.*)
4. extrañar a alguien
5. rentar
6. recién + verbo indefinido
7. enojarse

**Se usan en España y otros países pero con otro significado.*

España
a. tirar
b. molestar, fastidiar
c. echar de menos
d. charlar
e. alquilar
f. enfadarse
g. acabar de

Expresiones de América
1. ¡Qué padre! (México)
2. ¡Que te vaya bonito!
3. ¡Ándale! (México)
4. ¡Chévere! (Venezuela)

España
a. ¡Genial!
b. De acuerdo, venga
c. ¡Que te vaya bien!
d. ¡Qué bien!

Prendas y complementos de América
1. *saco
2. *pollera (*Arg.*, *Chile* y *Urug.*)
3. suéter/pulover (*Arg.*)
4. *anteojos (*Arg.*, *Chile* y *Mex.*)
5. *casaca (Perú)/chamarra (*Méx.*)

**Se usan en España y otros países pero con otro significado.*

España
a. jersey
b. gafas
c. chaqueta
d. cazadora
e. falda

Apelativos de América
1. boludo/pelotudo (*Arg.*)/pendejo (*Méx.*, *Venz.*, *Pan.*, *P. Rico*, *El Salv.*, *Nicar.* y *Colom.*)
2. güey
3. chamaco

España
a. niño
b. amigo/compañero
c. tonto, imbécil

3 Ahora lee estos textos y sustituye las palabras o expresiones en azul por su equivalente en castellano.

1. «Ahorita mismo estoy platicando por el celular con mi papá acerca de los anteojos que recién me compré. Él dice que están bonitos pero que son bastante caros. Los viejos tuve que botarlos porque se me cayeron al piso y se me rompieron. Acá en México estas cosas son bastante caras, y mi viejo y yo siempre estamos discutiendo por el precio de todo: del boleto del camión, de las tortas de cumpleaños... ¡Hasta por un pinche tajador discutimos el otro día! Nomás que sale el tema, ya dice que soy un pendejo por comprar cosas tan costosas». (México)
2. «¡Pero no me digas eso! ¡Cómo vas a irte ahora! ¡Vos no sabés lo que decís! ¡Vos sos un auténtico boludo! ¿Pero qué querés que te diga? ¡Yo que te vengo ayudando siempre, y mira cómo me lo pagás!». (Argentina)

MÁS QUE PALABRAS

Así se habla

Recursos intensificadores

En las relaciones sociales, a veces, necesitamos enfatizar lo que expresamos. Para ello, usamos:

Recursos sintácticos

1. Cambio en el orden natural de una frase: *Las bebidas* ***las pongo*** *yo.*
2. ***(Con) Lo*** + adjetivo/adverbio + ***que***: *¡(Con) lo guapo que es!/¡Hay que ver lo bien que habla!*
   Con lo + (mucho) ***que*** + verbo: *¡Con lo mucho que había estudiado!*
3. ***La*** + ***de*** + nombre + ***que***: *La de veces que ha venido.*
4. Repetición de verbos: (verbo en 3.ª sg. en pres. de ind. + ***que*** + ***te*** + mismo verbo): *Siempre estábamos allí, habla que te habla.*
5. ***Estar para*** + infinitivo: *Está para comérselo.*
   Estar que + verbo: *Estaba que me tiraba de los pelos.*
6. Verbo + ***pero que mucho/a/os/as*** + nombre: *Tengo pero que muchas ganas de verte.*
   Verbo + ***pero que muy*** + adjetivo/adverbio: *Vive pero que muy bien.*

1 Cambia el orden de estas frases para destacar el elemento en negrita. ¿En qué contexto podrías utilizarlas?

1. ¡Tenía ganas de verte **(a ti)**!
2. Quiero estudiar **oratoria**.
3. ¡Yo los metía a todos **en la cárcel**!
4. Yo le conté **la historia** (a él).

2 Utiliza las estructuras 2 y 3 para intensificar las palabras en negrita.

1. Le gusta **nadar en el mar**.
2. Pau **tiene muchos problemas**.
3. **Siempre llama de noche** (y ya estoy harta).
4. Marta **es altísima** y creo que será modelo.
5. **Come muy rápido** y luego le sentará mal.
6. **Hay muchas huelgas** últimamente.

3 Cambia estas frases repitiendo el verbo.

1. Le dije que no, pero él **insistía todo el tiempo**.
2. Cuando lo supo, Marta **lloró sin parar**.
3. Me picó un mosquito y **ahora me rasco todo el rato**.
4. Fuimos a la disco y **bailamos toda la noche**. ¡estoy muerta!

4 Usa las estructuras 5 y 6 para intensificar estas situaciones.

1. La cena parece **muy apetitosa**.
2. La noche **es perfecta para dar un paseo**.
3. La película **me ha encantado**.
4. Estoy **muy enfadada**.
5. Estamos **hambrientos**.
6. **Tengo miedo** de que no venga.

Recursos fonéticos

1. Silabeo: *¡Pero mira que eres LIS-TO!*
2. Alargamiento de sonidos: *¡Qué buuurrro eres, oye!/¡Que sííí, que voooyyy!*
3. Repetición de palabras: *¡Este es listo, listo!*
4. La entonación: *¡Buenoo!* (↑) *(¡Qué exageración has dicho!)*
5. Acento de insistencia: ***Yo*** *le conté la historia (no tú)./Le conté* ***la historia*** *(la que no querías que supiera).*

5 Ahora destaca diferentes partes de estas oraciones con el acento e inventa un contexto.

1. Marisa llevó a los niños a la biblioteca.
2. Miguel conduce muy deprisa.

6 Piensa en 5 frases y díselas a tu compañero utilizando alguno de los recursos. Él tendrá que decirte qué elemento has intensificado.

Así se habla

Recursos léxicos

1. ***Ni … ni (nada)***: *¡Que no! Ni fiestas de cumpleaños ni nada. De aquí no te mueves.*
2. Comparaciones (algunas suspendidas): *Está más sordo que una tapia./Estoy tan cansada que me quedo dormida.*
3. Enunciados exclamativos y recursos léxicos (prefijos o sufijos): *¡**Cómo** habla, el niño!/¡**Ni siquiera** me miró!/¡**Vaya** tela!/¡**Menudo** chollo!/¡**Qué paliza** nos dio!/ Es **super**guap**etón**!*

7 ¿Sabrías terminar estas oraciones con *ni*? ¿Qué crees que significan?

1. No entender
2. No dar (x2)
3. No decir
4. No saber
5. No comerse
6. No ver
7. No caber
8. ¡No es (guapo)
9. No ganar

a. ni papa.
b. ni una rosca.
c. ni las gracias/la hora.
d. ni jota.
e. ni mu/pío.
f. ni nada!
g. ni golpe.
h. ni un alfiler.
i. ni torta.
j. ni para pipas.

8 Escribe comparaciones para estas situaciones.

1. Algo está muy frío
2. Algo está muy caliente
3. Algo es muy pequeño
4. Alguien está muy quemado (=harto)
5. Alguien es muy lento
6. Alguien está muy delgado
7. Lugar lleno de gente
8. Lugar muy sucio
9. Lugar solitario

Recursos atenuadores

Al hablar, tratamos de mostrar normas de cortesía que protejan nuestra imagen o eviten molestar.

9 ¿Puedes relacionar las frases e indicar a qué ejemplo de la tabla corresponden?

1. **Ya sé que** te disgusta ir al médico,
2. **Si me hace el favor,/Si es tan amable,**
3. **¡Jefe!**
4. Bueno, **no es exactamente** así,
5. Este ejercicio no **se ha hecho** con suficiente atención.
6. **De haberlo sabido,**
7. **Tú que eres tan** manitas,
8. **Sin ánimo de ofenderte/Con todo respeto,** pero
9. Hoy **nos hemos levantado**
10. RAQUEL: ¿Qué tal estás, Raúl?

a. ¡Otra cerveza, por favor!
b. de mal humor, ¿no?
c. creo que no estás haciendo lo correcto.
d. Concéntrate más, por favor.
e. páseme aquel periódico.
f. **pero** no te queda más remedio que ir.
g. te **habría avisado** para que vinieras.
h. el tema es un poco más complejo.
i. puedes mirarme esto, que no funciona bien?
j. RAÚL: Pues hoy **Raúl no está** teniendo un buen día, no…

***Se* + 3.ª persona** (marca distancia):	Uso de **nosotros** en lugar de ***tú*** (suaviza la crítica):
Uso de 3.ª persona (para hablar de uno mismo-distancia emocional):	**De + infinitivo perfecto + condicional perfecto** (justifica una acción que ha perjudicado a alguien):
(no) Es + adverbio (suaviza lo negativo):	***Tú que eres tan* + adjetivo** (elogio):
Expresión antes de aseverar o informar de algo desagradable:	**Expresión de disculpa** antes de contradecir u oponerse a una actitud:
Expresión hecha antes de hacer una petición:	**Apelativos** para hacer una petición:

Reflexiona y practica

MÁS QUE PALABRAS

Combinación de preposiciones

En español no es habitual encontrar dos preposiciones juntas, pero aún así existen algunas combinaciones posibles.

1 Lee los ejemplos y completa el cuadro con lo que creas que significan.

De + entre	▶ *Surgió **de entre** las dunas con un aire triunfal.* = Situado en medio de dos cosas (las dunas). Aparece junto a verbos que necesitan preposición *de* (ej: salir de, venir de,...).
De + hasta	▶ *Ha habido un aumento **de hasta** un 65 % en el precio de la matrícula.*
Desde + por	▶ ***Desde por** la mañana, se pudieron ver grandes colas.*
Hasta + con	▶ *Puede retirar la reserva **hasta con** 24 horas de antelación.*
Hasta + por	▶ *No me lo des **hasta por** la tarde.*
Para + con	▶ *Era muy generosa **para con** sus amigos.*
Para + por	▶ *Siempre me guardo un caramelo **para por** la noche.*
Por + entre	▶ *Salió un conejo **por entre** unas matas.*
Tras + de	▶ *Lleva **tras de ti** un buen rato.*

2 Completa estas frases con las preposiciones anteriores.

1. El perrito ha venido .... nosotros desde que lo has acariciado.
2. Llevo en el trabajo .... la mañana, y estoy ya muy cansada para entender todo este lío.
3. El delito puede ser castigado con penas .... un año de cárcel.
4. Vimos aparecer el avión .... las nubes y supimos que estaban salvados.
5. Ya verás, renacerá .... las cenizas, como un ave fénix, y volverá a ser un número uno.
6. Estoy listo para hablar .... nuestros detractores; no te preocupes.
7. Es muy exigente .... sus empleados, pero también muy agradecida.
8. No abriré el regalo .... la noche, cuando estemos ya en casa.
9. Necesito que lo tengas listo .... la tarde.

Locuciones preposicionales

3 Existen también grupos de una o más palabras (una de ellas una preposición), las llamadas *locuciones preposicionales*. Explica el significado de las siguientes basándote en el ejemplo.

Sustantivo + preposición	***rumbo a***	▶ *Voy **rumbo a** Granada.* = hacia
	frente a	▶ *Vivo **frente a** tu casa.* ....
	camino de...	▶ *Lo encontré **camino de** casa.* ....
Preposición + sustantivo + preposición	***a través de***	▶ *Lo vi **a través de** la ventana.* ....
	en razón de	▶ *No podemos acusarlos solo **en razón de** su procedencia.* ....
	en relación con/a	▶ ***En relación con** lo que comentaste, no tengo nada más que decir.* ....
	en torno a	▶ *Todo gira siempre **en torno a** él.* ....
	con motivo de...	▶ *Vengo **con motivo de** la conferencia.* ....
(Preposición + lo) + adverbio /adjetivo + preposición	***por encima de***	▶ *Saltó **por encima de** los matorrales.* ....
	a lo largo de	▶ ***A lo largo de** los últimos meses, he aprendido mucho.* ....
	de todo lo referente a	▶ *Se ha hablado mucho **de todo lo referente a** este partido de fútbol.* ....
	conforme a...	▶ *Lo he hecho **conforme a** lo dicho.* ....

4 Ahora, completa estas frases con las locuciones preposicionales del cuadro.

1. El juez dictará sentencia .... la ley vigente en el momento, no te preocupes.
2. Viajamos en motocicleta .... Sevilla, cruzando todo el país.
3. Estamos .... salir de esta situación; no le veo solución posible.
4. .... repetir su nombre a todos se nos quedó grabado.
5. Está .... todos estos comentarios negativos hacia su persona, así que se ha ido tan contento.
6. Hemos contactado con los socios .... el vigésimo aniversario de la fundación de la organización.
7. Resulta decepcionante la falta de progresos .... la reforma del programa.
8. La población de la zona se sitúa .... los 10 millones de habitantes.

- a fuerza de
- camino de
- con motivo de
- de acuerdo con
- en relación con/a
- en torno a
- lejos de
- por encima de

Verbos preposicionales

Son verbos que suelen aparecer con una preposición.

5 Relaciona los siguientes con la preposición más adeuada.

en · de · a · con

1. Acostumbrarse (algo/infinitivo)
2. Aprender (algo/alguien/infinitivo)
3. Arriesgarse (algo/infinitivo)
4. Comenzar (algo/infinitivo)
5. Contribuir (algo/infinitivo)
6. Enseñar (infinitivo)
7. Ofrecerse (infinitivo)
8. Alegrarse (algo/infinitivo)
9. Arrepentirse (algo/infinitivo)
10. Cansarse (algo/infinitivo)
11. Carecer (algo)
12. Dejar (infinitivo)
13. Olvidarse (algo/infinitivo)
14. Parar (infinitivo)
15. Presumir (algo/infinitivo)
16. Confiar (algo/infinitivo)
17. Empeñarse (algo/infinitivo)
18. Esforzarse (algo/infinitivo)
19. Pensar (algo/infinitivo)
20. Tardar (infinitivo)
21. Tener interés (algo/infinitivo)
22. Vacilar (algo/infinitivo)

TALLER DE ESCRITURA

MICRORRELATOS

Son construcciones literarias narrativas cuya principal característica es la concisión en el contenido y la extrema brevedad, de modo que más que contar una historia la sugieren, abriendo una puerta para que la imaginación del lector las reconstruya.

1 Aquí tienes algunos ejemplos de microrrelatos. Léelos y decide cuál te gusta más. Justifica tu respuesta.

Suicidio o morir por error

Antes de estrellarse contra el suelo, la miró con asombro. Saltaremos juntos -le había asegurado la bella bellísima-. Una. Dos. Y tres. Y él se precipitó. Y la bella bellísima le soltó la mano. Y desde lo alto, asomada bellísima en azul, le juró que le amaría hasta la muerte.

Dulce Chacón

La manzana

La flecha disparada por la ballesta precisa de Guillermo Tell parte en dos la manzana que está a punto de caer sobre la cabeza de Newton. Eva toma la mitad y le ofrece la otra a su consorte para regocijo de la serpiente. Es así como nunca llega a formularse la ley de la gravedad.

Ana María Shua

Aquel hombre era invisible, pero nadie se percató de ello.

García Márquez

Carta del enamorado

Hay novelas que aun sin ser largas no logran comenzar de verdad hasta la página 50 o la 60. A algunas vidas les sucede lo mismo. Por eso no me he matado antes, señor juez.

Juan José Millás

Calidad y cantidad

No se enamoró de ella, sino de su sombra. La iba a visitar al alba, cuando su enamorada era más larga.

Alejandro Jodorowsky

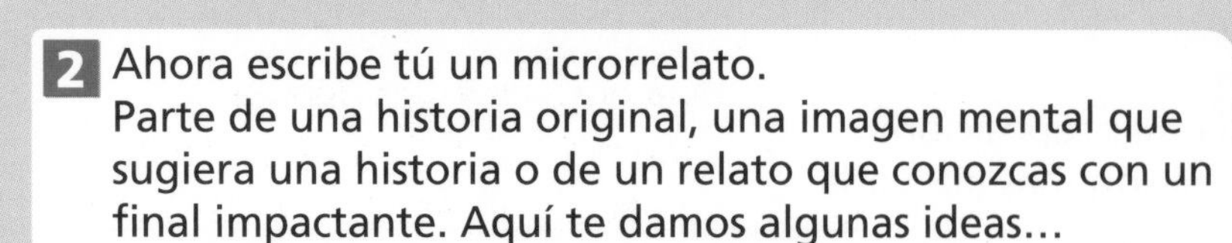

2 Ahora escribe tú un microrrelato.
Parte de una historia original, una imagen mental que sugiera una historia o de un relato que conozcas con un final impactante. Aquí te damos algunas ideas...

- Empieza con: *La grieta de la pared se había abierto* o con *Miré la mariposa y eché a volar/.*
- Termina por: *Era domingo pero llevaba mono de trabajo* o por *Mientras la bici pasaba, ella sonreía/.*
- Ayúdate de una imagen o de un cuadro que sugiera todo un mundo. Por ejemplo, busca cuadros de Dalí, o una carta del juego *Dixit*, y recrea la historia.
- Selecciona los elementos imprescindibles para que el lector reconstruya el resto.
- Usa entre 60 y 70 palabras.
- Después, une tu microrrelato con el de un compañero y convertidlo en un relato de extensión mayor, añadiendo lo que a ti te sugiere.

TALLER DE COMUNICACIÓN

TÚ Y LA LENGUA ESPAÑOLA

▶ Te proponemos ahora reflexionar sobre tu relación con la lengua española y tu historia de estudio personal.

Actúa: Hablas de cómo aprender un idoma

Palabra favorita

Puede ser por su sonoridad, por su significado, por lo que ha supuesto para ti. Di cuál es tu palabra favorita en español y comenta por qué.

Canción/Película

Piensa en una canción o una película en lengua española que te haya aportado algo especial, o que relaciones con un momento de tu vida particular. Explica por qué ha sido importante para ti.

Tu historia personal

Prepara una breve explicación de **tu historia personal** sobre cómo empezaste a estudiar español y por qué, tus experiencias en países o con personas hispanohablantes, las mayores dificultades que has tenido, las mayores satisfacciones, si esperabas llegar tan lejos... Explícaselo a tus compañeros durante unos minutos... Puedes preparar un power point con fotos, contar anécdotas, etc.

El Ministerio informa | Diciembre 2013

EL **ESPAÑOL** EN EL MUNDO

Instituto Cervantes

77 Instituto Cervantes en el mundo

6 América del Norte · 37 Europa · 4 Oriente Próximo · 10 Asia y Oceanía · 12 África · 8 América del Sur

528 millones de personas hablan español en el mundo

Segunda lengua del mundo por número de hablantes nativos y el segundo idioma de comunicación internacional

Clasificación del español

Idiomas más estudiados como lengua extranjera en el mundo

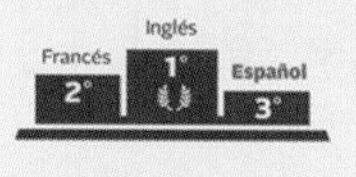

Inglés 1° · Francés 2° · Español 3°

Reconocimiento del español como lengua de trabajo en Naciones Unidas

Inglés, Francés 1° · Español 2° · Árabe 3°

Idiomas más usados en internet

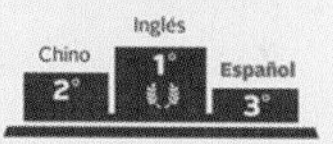

Inglés 1° · Chino 2° · Español 3°

Idiomas más usados en redes sociales

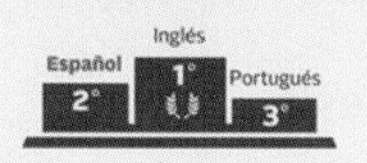

Inglés 1° · Español 2° · Portugués 3°

Proyección del español

El **Instituto Cervantes** registró un **aumento** de matrículas del 7% en el curso 2011-2012

En 2050 **Estados Unidos** será el primer país hispanohablante del mundo

En **2030** el **7,5%** de la población mundial hablará en español

940.000 turistas visitaron España en 2012 por motivos de estudio

Estudiantes de español en el mundo

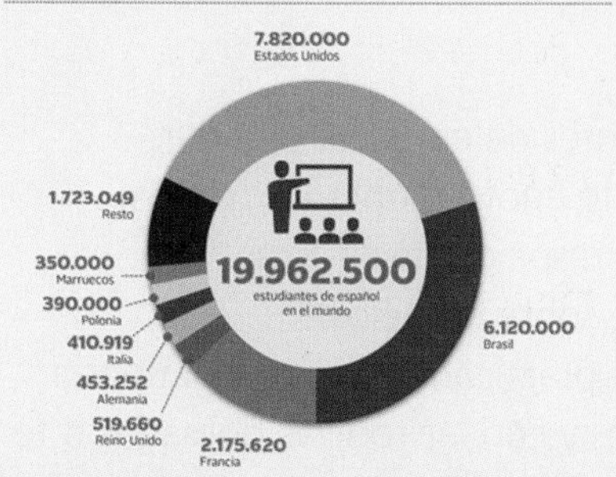

Fuente: Instituto Cervantes, "El español: una lengua viva". Informe 2013.

▶ **Comentad en clase**

1

Aspectos sobre el presente curso

- ▶ Los temas que se han tratado: cuáles te han parecido más interesantes o más útiles, cuáles echas en falta, el enfoque que se ha dado de los mismos...
- ▶ Las secciones en que está dispuesto: su dificultad, la contextualización de los ejercicios, el uso de distintos registros, la variedad... Ten en cuenta también las actividades complementarias de la web.
- ▶ La variedad de textos orales y escritos que se presentan.

2

Cuestiones sobre la enseñanza de idiomas

- ▶ ¿Qué aspectos son más útiles? (gramática, fonética, vocabulario, expresión oral o escrita, cultura, español para fines específicos...). ¿Es práctico enseñarlo todo junto, o es mejor dar algunas por separado?
- ▶ ¿Crees que en las clases de expresión oral se trabaja normalmente la interacción y el uso adecuado de la pragmática? ¿Son prácticos los tándems de conversación?
- ▶ ¿Te parece que se aprende más estudiando y yendo a clase o saliendo y hablando con hispanohablantes?
- ▶ ¿Consideras que los contenidos que se enseñan están orientados al uso práctico de la lengua?

REFUERZA Y CONSOLIDA EL LÉXICO

Vocabulario

Gestos

1 Se estima que el 60 o 65 % de la comunicación reside en el lenguaje no verbal. ¿Cómo harías estas cosas?

- silbar
- guiñar un ojo
- encogerse de hombros
- ponerse de puntillas
- cruzar los brazos
- arquear las cejas
- pestañear
- saltar a la pata coja
- fruncir el entrecejo
- agacharse
- acurrucarse
- darse la vuelta
- sacar la lengua
- ponerse de morros
- resoplar

2 Ahora relaciona estos gestos con cada dibujo y explica cuándo se utilizan.

1. Está para chuparse los dedos
2. Le falta un tornillo
3. Había *mogollón de gente
4. ¡Qué cara!
5. ¡*Corta el rollo!
6. ¡Cuidado, que te observo!
7. Estoy harto
8. Estos dos están liados

*Uso coloquial.

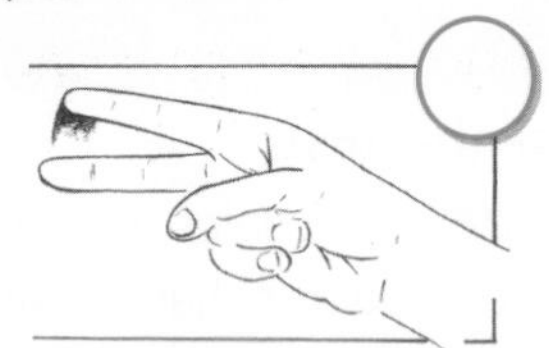

3 Relaciona estas expresiones con su significado. ¿Sabrías hacer los gestos que se relacionan con ellos?

1. Yo me *largo/voy
2. ¿Lo *pillas/coges?
3. *Me parto (de risa)
4. ¡*Qué fuerte!
5. Yo me lavo las manos
6. *¡Vas a cobrar!
7. ¡Ojo!

*Uso coloquial.

a. Yo me marcho.
b. No quiero tener nada que ver con esto.
c. ¡No me lo puedo creer!
d. ¡Cuidado!
e. Esto me hace reír muchísimo.
f. Te voy a pegar.
g. ¿Lo entiendes?

4 Relaciona cada verbo con su definición.

1. recostarse/reclinarse
2. gatear
3. ponerse boca abajo
4. hacer una voltereta/pirueta
5. hacer el pino
6. ponerse en cuclillas

a. Lo hacen los niños pequeños antes de empezar a andar.
b. Cuando tus pies están arriba y te apoyas sobre las manos.
c. Cuando en un asiento echas el respaldo hacia atrás.
d. Si estás tumbado con el vientre sobre el suelo.
e. Lo hacen los acróbatas, los que practican capoeira y gimnasia.
f. Cuando te apoyas sobre los pies y con las rodillas dobladas o te agachas al máximo posible.

¿América o España?

5 Hay características que se relacionan con el español americano y otras con el de España. ¿Podrías marcar en qué lugares se usa?

Vocabulario

Las características que se dan son muy generales. El español de América es muy variado y cambia mucho según el país, y muchas de las diferencias más características también se dan en algunas regiones de España.

1. El voseo (uso de *vos* por *tú*). *¿Pero qué decís, vos?*
   a. Argentina. b. España.
2. Distinción entre *vosotros* y *ustedes* (frente a ustedes). *¿Entienden ustedes lo que les quiero decir?*
   a. estándar de España. b. Canarias y Andalucía (España). c. México.
3. Colocación del sujeto antes del verbo en las preguntas. *¿Cómo tú estás?*
   a. Venezuela. b. España.
4. Confusión entre /r/ y /l/ a final de sílaba (*alma-arma*). *Vente pa' casa, mi arma (alma).*
   a. Andalucía (España). b. Cuba.
5. Elipsis de *no* con *hasta*. *(No) Vendrá hasta que le llames.*
   a. estándar de España. b. México.
6. Tendencia a la omisión del determinante o del artículo en algunos contextos. *Es profesora/Voy a casa.*
   a. estándar de España. b. México.
7. Añadido del pronombre *-le* tras el imperativo sin referirse a un OI. *¡Ándale!*
   a. Perú. b. México.

6 **Aquí tienes imágenes con el nombre más generalizado del objeto/profesión en los países de habla hispana. Escribe debajo de cada uno el término equivalente del recuadro que se usa en los países del paréntesis.**

- heladera
- valija
- grifo
- marcador
- cerilla
- estantería
- camarero
- plomero

mesero/mozo
.... *(España y Guatemala)*

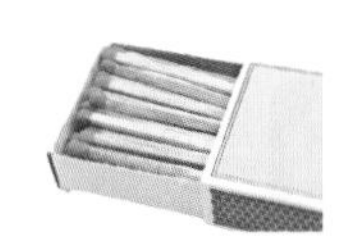

fósforo
.... *(España)*
cerillo *(México y Bolivia)*

maleta
.... *(Argentina, Uruguay, Paraguay, Guatemala)*

llave
....
(Colombia, Cuba, España)

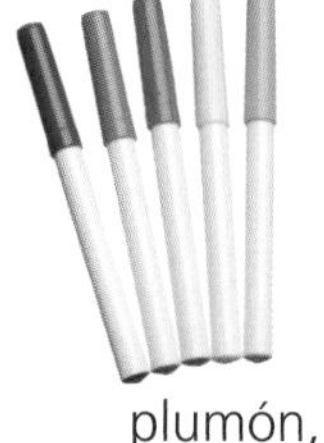

plumón,
.... rotulador
(España)

librero, biblioteca
.... *(España, Uruguay)*

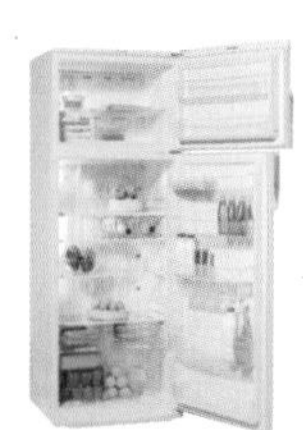

nevera,
refrigerador(a)
.... *(Uruguay, Paraguay, Argentina)*

....
fontanero *(España, Nicaragua y Costa Rica)*

Tema a Tema C

Pistas de audio

Descargue los audios directamente desde nuestra web: **www.edelsa.es**

Tema 1

1. La comunidad sefardí
2. Sentimientos a flor de piel
3. No sé qué decir

Tema 2

4. Otras ciudades
5. Yo lo veo así

Tema 3

6. Perdiodistas en la radio
7. Déjate de historias
8. ¡Así es!
9. ... qué?

Tema 4

10. Física cuántica
11. Éxito científico

Tema 5

12. El Oceanográfico de Valencia
13. Es un bicho raro

Tema 6

14. Arte culinario peruano
15. ¡Hoy por ti, mañana por mí!

Tema 7

16. Hombres de otro planeta
17. Dar en la diana
18. ¡Ni se te ocurra!

Tema 8

19. El componente emocional
20. Usted, hágame caso

Tema 9

21. Seguridad en Internet
22. ¡Estaba preocupadísimo!

Tema 10

23. Casas-contenedor
24. Echar un cable
25. Ya estamos otra vez

Tema 11

26. El Camino Jacobeo

Tema 12

27. Se pilla antes a un mentiroso que a un cojo

Otros títulos de esta colección

Si quieres ampliar y consolidar el léxico correspondiente al nivel C, te recomendamos este práctico libro organizado en 18 áreas temáticas de actualidad con actividades, dirigidas y libres, que parten de documentos auténticos y que trabajan las colocaciones, los usos metafóricos y la variedad léxica en función del registro y del tipo de texto.

Primera edición: 2014
Primera impresión: 2017

Autoras: Vanessa Coto Bautista y Anna Turza Ferré.

Dirección y coordinación editorial: Departamento de Edición de Edelsa.
Diseño de cubierta: Departamento de Imagen de Edelsa.
Diseño y maquetación interior: Amelia Fernández Valledor.

Imprime: Egedsa.

ISBN: 978-84-7711-967-8
Depósito legal: M-14068-2014

Impreso en España/*Printed in Spain*

Fuentes, créditos y agradecimientos:
Archivo de Edelsa Grupo Didascalia, S.A.
Archivo fotográfico *http://www.thinkstockphotos.es*

Notas

- La editorial Edelsa ha solicitado los permisos de reproducción correspondientes y da las gracias a todas aquellas personas e instituciones que han prestado su colaboración.